D0717079

DES FLEURS SUR LA NEIGE
est le deux cent soixante-douzième livre
publié par Les éditions JCL inc.

JCL
1977-2002
25
ANS
d'histoires

Données de catalogage avant publication (Canada)

T., Élisa, 1957-

    Des fleurs sur la neige

    (Collection Témoignage)

    Autobiographie.

    Suivi de : Un nœud dans le cœur.

    ISBN 2-89431-272-5

    1. T., Élisa, 1957-   . 2. Enfants maltraités - Québec (Province) - Biographies. I. Titre. II. Collection : Collection Témoignage (Chicoutimi, Québec).

HV745.Q8T3 2002   362.76'092   C2002-0940868-7

© Les éditions JCL inc., 1985

Édition originale : septembre 1985

Édition format de poche : juin 2002

Des fleurs sur la neige

Collection
Second
Souffle

© **Les éditions JCL inc., 1985**
930, rue Jacques-Cartier Est, CHICOUTIMI (Québec) G7H 7K9
Tél.: (418) 696-0536 – Téléc.: (418) 696-3132 – www.jcl.qc.ca
ISBN 2-89431-272-5

Élisa T.

Des fleurs sur la neige

LES ÉDITIONS JCL

Nous reconnaissons l'aide financière du gouvernement du Canada par l'entremise du Programme d'aide au développement de l'industrie de l'édition (PADIÉ) pour nos activités d'édition. Nous bénéficions également du soutien de la SODEC et, enfin, nous tenons à remercier le Conseil des Arts du Canada pour l'aide accordée à notre programme de publication.

Gouvernement du Québec – Programme de crédit d'impôt pour l'édition de livres – Gestion SODEC

À mes enfants!

DE LA MÊME AUTEURE :

Des fleurs sur la neige, Chicoutimi, Éd. JCL, 1985, 370 p.

Un nœud dans le cœur, Chicoutimi, Éd. JCL, 1990, 412 p.

La Mal-aimée, Chicoutimi, Éd. JCL, 1996, 357 p.

Des fleurs sur la neige, Chicoutimi, Éd. JCL, 2002, 308 p.
(livre de poche).

Un nœud dans le cœur, Chicoutimi, Éd. JCL, 2002, 300 p.
(livre de poche).

Avant-propos

Les parents sont des dieux pour leurs enfants. Disposant d'une autorité absolue, ils ont l'immense pouvoir de créer ou de détruire, de louanger ou de maudire, d'affaiblir ou de renforcer, de punir ou de récompenser, de favoriser la vie ou de permettre la mort.

L'histoire que vous allez lire est malheureusement authentique dans ses moindres détails. Toutefois, nous avons cru bon d'omettre les lieux et les dates et de changer les noms des acteurs réels de ce drame peu commun. Ce véritable voyage aux enfers a connu son dénouement dans un coin du Québec, en 1975. La victime principale a, aujourd'hui, quarante-cinq ans et tous les témoins sont encore vivants. Très peu d'entre eux cependant ont tenté un mouvement quelconque afin de soustraire Élisa aux tourments inhumains qu'elle a vécus pendant seize ans. Voici, nous en convenons, une partie importante du problème soulevé ici : le mutisme chronique des témoins.

Le but de cette publication n'est pas de raviver la souffrance de cette enfant mais de l'atténuer, pas de condamner ses abuseurs mais de convaincre la population qu'ils existent et qu'ils ont besoin d'aide eux aussi, pas d'effrayer mais d'inciter à réfléchir sur ce grave problème des enfants martyrs.

Il est vrai que la lecture de cette histoire invraisemblable fera probablement naître chez le lecteur des sentiments d'agressivité envers les coupables les plus apparents de cette situation pour le moins inhabituelle. Les personnes sensibles, intelligentes et équilibrées n'éprouvent aucun plaisir à la description de la souffrance humaine surtout lorsqu'il s'agit de celle d'une enfant. Aussi pénible que cela soit, il est impératif toutefois que le drame des enfants maltraités puisse être porté à la connaissance du public autrement qu'à travers des études statistiques, médicales ou sociologiques. On le fait très ouvertement pour les bébés phoques de Terre-Neuve, pour les chiens attachés aux arbres sans nourriture en France et pour le braconnage des orignaux pendant l'hiver!

En écrivant ses mémoires, cette courageuse auteure, Élisa, a essayé de naître à nouveau, de s'éloigner de ce cauchemar en le narrant une dernière fois en détail, d'accoucher elle-même, sans aide extérieure, de toute la peine et l'angoisse contenues dans ce corps qui se souvient encore trop bien tant des moindres sévices physiques et mentaux que des quelques rares marques d'amour que la vie lui a réservées.

Élisa toutefois n'a pas les capacités de tirer toutes les conclusions philosophiques et psychologiques d'un tel vécu; elle ne connaît pas non plus tous les noms exacts des délits qui ont été commis envers elle; plus encore, elle était même convaincue, il y a quelques années, que chaque famille dissimulait un souffre-douleur à son exemple... Le lecteur aura donc une double tâche, celle d'abord de parcourir à son rythme ce témoignage exceptionnel et celle aussi de se faire une opinion vraiment personnelle du problème à mesure de sa progression. Il devra donc lui-même laisser émerger en lui les impressions du moment, les messages directs, les rappels intimes de certains passages de sa propre existence pour ensuite tirer ses propres conclusions. Peut-être changeront-elles tantôt son comportement futur, tantôt son opinion sur le sujet.

Malheureusement, dans la plupart des pays où existe une législation destinée à protéger les enfants, les lois qui ont été votées ne remettent pas réellement en question l'arbitraire de l'autorité parentale et se contentent de sanctionner les *crimes* après qu'ils ont été commis. En d'autres termes, on sévit lorsque le mal a été fait et que les enfants sont déjà des *victimes*.

Mais si vraiment la première chose à faire est de briser le mur du silence devant ces crimes contre les enfants qui sont perpétrés dans l'ombre, nous voulons bien fournir notre quote-part pour dénoncer, expliquer, convaincre, éduquer, mobiliser les énergies et faire appel aux bonnes volontés pour que cesse le massacre des jeunes, ces adultes de demain.

L'Éditeur

Prologue

Mes deux enfants dorment profondément dans leur petite chambre. Je suis seule au salon et je regarde la télévision. Mon homme, mon mari est parti travailler; il quitte la maison le dimanche et ne revient que le vendredi. Moi, je reste là, toute seule...

Il y a des moments où j'aimerais changer ce monde dans lequel je vis. Je me sens si triste, si craintive et dépressive que je ne peux m'empêcher de revivre mon passé... Ce passé qui me trouble profondément et qui m'amène parfois à me demander si ce n'était pas plutôt un affreux cauchemar. Malheureusement, ce fut la réalité, ma réalité, un cauchemar inoubliable auquel je me confronte sans cesse.

Pour apaiser ma souffrance, je me tourne vers mes deux enfants que je couve de toute l'affection possible. Il m'arrive parfois d'être un peu jalouse et de me dire que j'aurais aimé avoir une vie semblable à la leur et avoir tout ce qu'ils ont aujourd'hui. Je me demande souvent s'ils se sentent heureux... J'imagine et j'espère que oui. J'essaie de leur donner tout ce qui ne m'a jamais été donné par mes parents dans ce passé maudit. Je voudrais les gaver d'amour, de tendresse, d'affection, de confiance et de sécurité surtout.

Je pense souvent à ce temps infernal de mon enfance où je n'étais pour mes parents qu'une sorte de colis que l'on trimballait tant bien que mal, que l'on devait supporter faute de pouvoir le faire disparaître. Mes parents me considéraient comme un déchet, et pourtant j'étais une partie d'eux-mêmes, une de leurs enfants. La vie s'est acharnée contre moi. J'ai eu désespérément besoin d'être aimée et je n'ai récolté que coups et blessures, haine et mépris. Je crois que c'est la pire chose qui puisse arriver à un enfant. Jamais mon père ou ma mère ne m'ont pris dans leurs bras pour me dire : Je t'aime. Ni ces deux mots pourtant si faciles à dire, ni encore moins un simple baiser ni même aucun geste d'encouragement.

Nous étions dix enfants et je fus la seule à subir un tel traitement. Je ne sais pas pourquoi; j'ai retourné cette question dans ma tête jusqu'à l'obsession. Je n'ai jamais su véritablement la raison de cette haine; je sais seulement que j'étais de trop dans cette famille. Ils ne m'ont jamais aimée. Ils ne m'ont jamais donné les mêmes droits qu'à mes frères et sœurs. Tout ce qui leur importait était d'avoir une parfaite emprise tant physique que mentale sur ma petite personne. M'attendre à une pensée gentille de leur part était comme de vouloir faire pousser des fleurs sur la neige.

Je ne me suis jamais sentie comme les autres enfants; on aurait dit que j'appartenais à un autre monde que celui de ma famille. J'ai désespérément voulu qu'ils m'aiment... J'ai tellement essayé de les aider de mon mieux, qu'à la fin, je ne savais plus comment exister pour les satisfaire. J'aurais tant voulu me faire aimer. J'aurais décroché la lune, et donné ma vie en échange d'un tout petit peu d'amour. Souvent j'ai pensé que j'étais punie pour quelque vie antérieure où j'aurais été cruelle et méchante. Si tel fut le cas, ma peine et mon cauchemar auront duré seize années.

Maintenant, tout ce que je veux, c'est essayer d'effacer la peur qui me ronge depuis des années et qui est devenue pour moi une maladie incurable. Elle est ancrée en moi, gravée, emprisonnée pour le reste de ma vie. Cancer, pourriture qui me grugent. Comme la petite fille tyrannisée qui pleure dans ma tête... encore et toujours.

Je livre ce témoignage pour mieux m'en délivrer! J'accepte de revivre une fois de plus ces affreux tourments afin que plus jamais ils ne m'habitent. Rien qu'à y penser j'en ai la chair de poule. Je n'ai plus le choix cependant, j'ai choisi de vivre. Je demande à Dieu de m'aider à me rendre jusqu'au bout. Je demande la force de regarder encore une fois la petite fille que je fus, qui pleurait à demi gelée sur un bout de galerie. Qui pleurait sur elle-même, elle dont même la mort ne voulait pas.

Première partie

À la recherche de la tendresse impossible

Mon père

Il y a très longtemps que j'essayais de retrouver mon père; je le cherchais mais n'aboutissais toujours à rien. Jusqu'au jour où j'ai entendu discuter deux hommes au restaurant où je travaillais. Mon attention a été attirée par leur conversation : il était question de mon père. Je les connaissais un peu, car dans un restaurant où la cuisine est acceptable, les clients deviennent parfois familiers. J'attendis le moment propice et je m'approchai d'eux tout en m'excusant. Je leur demandai simplement s'ils savaient où demeurait mon père. Ils m'ont regardée d'un air surpris en me demandant :

— Serais-tu la fille à Gérard T., toi?

— Oui, j'aimerais savoir où il habite.

— Je crois qu'il demeure à l'arrière du magasin X., dans un logement au sous-sol. Je suis presque sûr que tu devrais le trouver à cet endroit.

La journée s'étirait interminablement. Lorsque j'eus fini mon travail, je m'habillai en vitesse et sortis pour rejoindre mon père. C'était l'hiver et le vent glacial soufflait de toutes ses forces. Je marchais péniblement, mais je voulais absolument revoir mon père. Arrivée à l'endroit désigné, je contournai cette bâtisse grise et anonyme. C'était un grand édifice de plusieurs logements avec un magasin qui faisait face à la rue principale. À l'arrière il y avait trois portes. Je frappai à la dernière. Je reconnus la voix de mon père qui me répondait d'entrer. Alors j'ouvris, et je le vis, ce père.

— Enfin je vous ai retrouvé!

Et je me jetai dans ses bras pour l'embrasser. Il pleurait en me disant:

— Je suis très heureux de te revoir, ma petite fille.

Puis nous nous sommes assis. Papa, dans sa chaise berceuse, baissa la tête et se croisa les bras. Silence. Malaise. Je jetai un coup d'œil autour de moi. L'appartement était petit; deux pièces et demie. Dans le salon, un seul divan, dans la cuisine, une table, quatre chaises, un poêle, une petite armoire et un vieux congélateur sur lequel on pouvait encore lire Coca-Cola. Le tout sur le ciment; il n'y avait ni prélart ni tapis excepté dans la chambre dont je pouvais voir l'intérieur par la porte entrouverte. Un lit défait, des draps froissés. Un univers pauvre et triste pour un homme faible et écrasé. Papa enchaîna:

— Moi aussi, je te cherche depuis déjà un bon bout de temps.

Cela me fit chaud au cœur, car j'avais un peu peur qu'il ne soit pas content de me revoir. D'une certaine manière, je me sentis aimée. L'après-midi passa à discuter de tout et de rien jusqu'au moment où je lui posai cette question, depuis toujours restée sans réponse:

— Papa, pourquoi maman ne m'a-t-elle pas aimée?

Papa se tut quelques secondes; il semblait réfléchir. Je crus qu'il n'avait pas compris ma question, alors je la lui posai à nouveau:

— Papa, dites-moi pourquoi maman ne m'aimait pas.

Ce fut le silence. Rien ne semblait vouloir sortir de sa bouche. Il avait toujours la tête baissée et l'on aurait dit qu'il ne voulait pas répondre. Alors j'insistai:

— Répondez, papa, c'est très important pour moi. Je me pose cette question depuis longtemps et je n'ai jamais été capable d'y trouver une réponse sensée.

Vous qui avez vécu auprès d'elle plusieurs années, vous pourriez sûrement me répondre.

Il laissa passer un court instant, et enfin, d'un air coupable et malheureux, il me dit :

— Pauvre petite fille, il faut que je te dise : ce n'est pas ma faute si je t'ai battue, c'est à cause de ta mère; elle me poussait à bout pour que je te batte. Ta mère a toujours répété à qui voulait l'entendre qu'elle ne t'avait jamais aimée et qu'elle te haïrait pour le reste de ses jours.

Ces mots me firent très mal. J'avais le cœur serré, mais, il n'avait pas pour autant répondu à ma question; il semblait embarrassé et désolé tout à la fois. Je sentis mon cœur se durcir et mon sang bouillir et battre follement dans mes veines. Je choisis d'oublier cette question sans réponse et j'enchaînai sur mon passé en lui remémorant certaines choses qui m'étaient arrivées. Ça n'a pas été très dur de lui faire avouer le mal que parfois il m'avait fait. Il aurait voulu nier, mais il en était incapable. Je me sentais implacable. Je lui rappelai aussi ma mère, cette mère qui m'avait tant fait souffrir. Il me jura qu'il n'avait jamais pensé qu'elle me maltraitait ainsi. Il se sentait en faute à mon égard; il disait qu'il regrettait, que ma mère était une *crisse de folle*.

J'en avais assez entendu. Je ne voulais pas de ses remords, ni de sa faiblesse.

— Assez, papa. Le bon Dieu est là pour juger.

Il ajouta en pleurant :

— Je sais qu'elle t'a toujours haïe, tu l'as sûrement constaté par toi-même qu'elle ne t'a jamais aimée; elle ne pouvait même pas te sentir près d'elle.

J'éprouvais en moi une drôle de sensation; j'avais le visage brûlant, toute la peine de mon enfance me revenait brusquement, toute l'angoisse, toute la peur. Je regardai mon père avec froideur. On aurait dit qu'il

19

voulait absolument se disculper, qu'il voulait mettre la faute entière de ses actes sur le compte de ma mère. Il en faisait pitié. Il est vrai que c'est elle qui était la cause de tout; elle n'avait qu'à inventer un méfait, un mensonge à mon sujet, et lui, le pauvre, la croyait sans le moindre doute.

— Arrêtez, ça ne sert à rien de pleurer comme vous le faites, cela n'arrangera pas les choses. Ce fut ma vie et non la vôtre et maintenant j'aimerais que l'on oublie. Disons que ma vie commence aujourd'hui. Changeons de sujet. Je crois que ce sera mieux pour moi comme pour vous.

Au plus profond de moi, je savais que je devrais revoir ma mère un jour, face à face. Il faudrait bien qu'elle me réponde, au risque de lui arracher la langue. Ce qui me préoccupait le plus à cet instant précis, c'était la vengeance; je voulais vivre rien que pour y arriver.

J'avais le cœur gros. Je ne faisais que penser à ce petit bout de phrase que mon père m'avait répété : *Elle ne t'a jamais aimée, elle ne t'a jamais aimée.*

Ces quelques mots retentissaient en moi comme un disque égratigné qui revient toujours sur la même note. C'était à devenir folle. Je me levai, bien décidée à partir de là :

— Vous allez m'excuser, papa, mais j'ai des choses à faire chez moi. Venez me voir quand le cœur vous en dira. Vous serez toujours le bienvenu.

— Oui, Élisa, comme tu veux, je te remercie. Tu sais, je ne sors pas souvent d'ici, mais il se peut que j'y aille un bon jour. Si, par contre, tu veux revenir me voir, ne te gêne pas, tu es ici chez toi.

Alors je m'habillai en hâte, car tout ce que je voulais, c'était de sortir, d'être seule avec moi-même. Dehors je me suis mise à pleurer. Pourrais-je seulement oublier un jour? Ne pourrais-je donc jamais trouver la paix?

Tout en marchant, je pleurais toutes les larmes de mon corps. Je pleurais même arrivée chez moi.

J'essayais de me changer les idées, mais, n'ayant personne à qui me confier, j'y arrivais à peine.

Je voulais désespérément comprendre pourquoi ma mère m'avait tant haïe. J'étais la seconde; peut-être n'avait-elle pas eu envie d'un autre enfant si tôt. Pourtant il y avait huit autres enfants après moi. Peut-être ma naissance avait-elle été difficile ou douloureuse? Peut-être lui rappelais-je des moments terribles de sa vie? Alors pourquoi ne m'a-t-elle pas placée dans une famille ou simplement à l'orphelinat? Pourquoi a-t-elle voulu que je devienne son esclave? Elle me battait comme on bat un vilain chien, sans jamais un instant de pitié. Tant de fois, j'ai lu la haine dans ses yeux. Même pour la famille, j'étais une sorte de bâtard, un fardeau qu'il fallait supporter.

Ce soir-là, je réussis à m'endormir, bien résolue à revenir en arrière pour comprendre et peut-être effacer cette enfance maudite.

L'escalier

Du plus loin que je me souvienne, je ne me rappelle ma mère qu'avec crainte. Aucune souvenance d'une mère berçante et caressante. Mon plus vieux souvenir me ramène un matin d'hiver, de neige et de gris. Je n'avais pas encore deux ans. J'étais assise dans ma chaise haute tout près de la fenêtre. Je regardais dehors, il neigeait et ventait très fort. Il faisait tellement tempête qu'on ne voyait presque rien sauf une grosse voiture noire garée en avant de la maison. Il y avait des hommes dans l'auto qui attendaient mon père. Il travaillait alors dans une grande ferme. Ce matin-là, je m'en souviens très clairement, mon père était là ainsi que ma mère. Il y avait aussi mon frère Richard, un petit garçon à peine plus âgé que moi, car

21

dix mois et demi environ nous séparent. Richard était assis à table et mangeait en silence. Mon père, un homme assez costaud, s'habillait pour aller à son travail. Ma mère était debout non loin de moi. Elle était petite, noire et nerveuse, mais elle avait fière allure en ce temps-là. Ils s'engueulaient tous les deux, terriblement. Et moi, assise tout près et si petite, j'ai commencé à avoir peur. J'entendais le klaxon de l'auto garée devant chez nous et je vis mon père s'apprêter à sortir. Ma mère criait de plus en plus. Je me suis mise à pleurer, je ne voulais pas qu'il parte, mais il est sorti sans me jeter un coup d'œil. Et ma mère était encore debout à gueuler et gueuler. Je ne pouvais plus me contrôler; j'avais si peur que je ne cessais de hurler. Mon père était parti et moi, j'étais complètement paniquée de la violente chicane et de la colère de ma mère. Elle me cria de me taire. Puis elle s'approcha de moi avec un bol de gruau et la moitié d'*une* toast :

— Arrête ça, et mange ton déjeuner.

Et moi, je pleurais trop, je ne pouvais rien manger.

— Crisse, vas-tu fermer ta grande gueule!

De sa main, elle me serra les joues de chaque côté afin que j'ouvre la bouche et que j'avale une cuillerée de gruau. Je me débattais, je hurlais de plus belle. J'ai tout rejeté, j'ai été malade. Ma mère reprit mon gruau vomi et me le fit remanger de la même manière. Je me suis mise à vomir une seconde fois. J'avais si peur, j'étais incontrôlable. Je hoquetais. Elle me sortit de ma chaise haute en me secouant et me monta dans ma chambre où elle me coucha. Je pleurais encore dans mon petit lit. J'étais sur le point de m'endormir quand j'entendis ma mère remonter l'escalier en criant. Je ne comprenais pas mais elle semblait très en colère. Elle me prit furieusement dans mon lit, se dirigea vers le bord de l'escalier et me laissa tomber dans les marches. Je ne me rappelle plus ce qui est arrivé ensuite, j'ai perdu conscience.

Une de mes tantes, sœur de mon père, venait chaque semaine à la maison pour aider ma mère au ménage. C'est elle qui me trouva au pied de l'escalier.

Bien des années plus tard, elle me raconta qu'en me trouvant, elle m'avait crue morte. Combien elle fut soulagée de voir que je respirais encore même s'il avait fallu beaucoup de temps pour que je revienne à moi.

Pendant tout ce temps, ma mère était restée figée en haut de l'escalier, certaine qu'elle était de m'avoir tuée. Cette tante décida alors de ne plus revenir aider ma mère, trop écœurée de voir les traitements qu'elle me faisait subir quand elle était en colère. Selon elle, ma mère était très « malade », une folle; et mon père aussi fou de l'avoir mariée.

Les patates

Les années passèrent, j'avais maintenant quatre ans. Pendant ces années qui m'ont souvent été pénibles, une petite sœur est née. On l'appela Diane. Elle était fort jolie; une petite fille aux yeux bruns et aux cheveux d'un blond châtain. Ma mère et mon père l'aimaient beaucoup. Elle était d'un an et demi ma cadette.

C'était un dimanche, un dimanche avec un soleil splendide. J'étais assise sur la galerie à l'avant de la maison. Je regardais mes frère et sœur qui s'amusaient ensemble dans le sable. J'aurais bien aimé jouer avec eux, mais il me fallait la permission de ma mère, et celle-ci ne me la donnait que très rarement sous prétexte que j'étais indocile et n'écoutais jamais.

J'essayais de lutter tant bien que mal à l'envie d'aller les rejoindre, mais je savais la volée qui m'attendait si j'avais le malheur de désobéir. C'était l'heure du dîner et mon père nous cria de venir manger. Richard et Diane y allèrent en courant, mais moi, je ne bougeais pas, car il me fallait aussi la permission pour venir manger. J'attendais toujours que ma mère vienne me chercher quand soudain je la vis venir vers moi. Elle avait l'air furieuse. Je me sentis si mal, j'avais si peur que j'aurais préféré ne rien manger. Je n'avais plus faim. J'avais mal au cœur rien qu'à la voir s'approcher de moi avec cet air-là.

— Maudite niaiseuse, qu'est-ce que t'attends pour venir manger. T'as pas entendu ton père?

Elle me prit par le bras en me serrant très fort, tellement fort que ses ongles me pénétraient la peau. Elle me tira derrière la maison en me secouant et me disant toutes sortes de bêtises. J'avais peur, j'avais le bras engourdi et douloureux. Je me suis mise à pleurer et à crier, à me débattre pour me libérer, mais elle serrait de plus en plus fort.

— Arrête de crier. Tu veux que les voisins te plaignent, c'est ça, hein? Attends demain matin, tu vas l'avoir ton biscuit quand ton père sera parti au travail.

Le mot *biscuit,* mot terrible qui signifiait pour moi les claques, les coups, les cheveux perdus, les pleurs.

Par la suite, elle me traita de tous les noms possibles tout en me tirant à l'intérieur. Elle me lâcha le bras juste avant d'entrer.

— T'es mieux d'arrêter de chialer; sans ça, tu vas avoir affaire à moé. Compris?

J'entrai en essayant de ravaler mes sanglots, car ma mère était derrière moi. Tous les autres étaient assis à table et nous attendaient pour commencer. Ma mère prit sa place auprès de mon père tout en lui expliquant notre retard. Je demandai à mon père si je pouvais m'asseoir aussi. Ma mère reprit :

— Ton père va avoir affaire à toi. Tu l'as mis en colère. Ça va chauffer.

Je piquai du nez dans mon assiette. Mon père, tête baissée, commença à me chicaner. Ma mère essaya de s'en mêler, mais mon père se mit en colère contre elle. J'étais assise là, à les écouter s'engueuler à mon sujet. Je sentais ma peur monter, mon cœur se serrer. Je me mis à pleurer. J'essayais de manger, mais je n'en étais pas capable; j'avais des haut-le-cœur comme toujours quand j'avais peur ou que j'avais l'impression qu'il allait m'arriver quelque chose.

Papa mangeait très vite en me regardant d'un air furieux sans dire un mot. Moi, je me sentais tellement mal que je ne pouvais rien avaler. Je pignochais dans mon assiette, le cœur au bord des lèvres. Soudain mon père se leva brusquement de sa chaise en faisant tout voler derrière lui. Il se dirigea vers le poêle et s'empara de la marmite de patates chaudes. Il vint vers moi et me lança toutes les patates dans le visage, avec colère. Je hoquetai de surprise et de douleur, j'étais brûlée partout dans le visage; je tentais de m'essuyer avec les mains, car ça chauffait terriblement. Mon père s'éloigna en sacrant, se rendit au lavabo, prit les assiettes qui s'y trouvaient et commença à les jeter par terre. Bien sûr ma peur augmenta et je me levai en hurlant, courant de toutes mes forces vers les marches de l'escalier qui menait aux chambres. Je montai jusqu'au milieu en pleurant, essayant d'enlever ce qui me brûlait le visage. Je voyais encore mon père qui cassait les assiettes en disant que c'était de ma faute ce qui arrivait. J'avais mal, j'avais peur, j'étais terrorisée...

La querelle reprit entre mon père et ma mère. Je ne me rappelle pas ce qu'ils disaient, seulement que c'était moi la responsable de tout ce gâchis. Richard et Diane criaient à leur tour. C'était l'enfer. Je pleurais et les larmes sur mes joues me brûlaient encore plus. J'essayais de ne pas m'essuyer trop fort. J'avais des pommes de terre jusque dans les cheveux. Ils se sont finalement calmés. Papa alla chercher le balai et nettoya le tout sans rien dire. Alors je descendis les marches une à une tout doucement pour m'asseoir sur une chaise droite et ne plus bouger du reste de l'après-midi.

Le dîner était fini; je n'avais rien mangé. Mon père et ma mère ne se parlaient pas, lui, dans sa chaise berceuse, les bras croisés, la tête baissée. Elle, dans sa chaise à elle, à tricoter sans nous regarder. C'est ainsi que se passa l'après-midi.

L'heure du souper approchait et personne ne bougeait pour préparer à manger. Diane et Richard commencèrent à se plaindre de la faim. Les parents étaient là, à se bercer sans dire un mot, comme sourds. Puis mon père se leva brusquement et dit :

— Vous n'avez pas de mère, vous autres? J'vas vous en préparer un, souper, moé!

J'avais tellement peur que la chicane ne reprenne que j'osais à peine respirer. Papa se dirigea vers moi et me souleva le visage de sa main :

— Viens, j'vas te mettre quelque chose là-dessus.

Cela ne brûlait presque plus. Je me levai et le suivis. Je regardai aussi ma mère qui me fit de gros yeux en voyant que je le suivais. Il prit une sorte d'onguent dans l'armoire et en mit sur mes brûlures.

— Bien sûr, il faut toujours qu'elle se fasse licher, celle-là.

Mon père la regarda froidement et me dit :

— Je ne savais pas ce que je faisais, j'espère que ça n'arrivera plus.

Nous avons enfin commencé à souper. J'étais soulagée, j'ai pu manger tout ce qu'il me donnait sans rien rejeter, j'avais tellement faim. Ma mère ne vint pas manger avec nous mais mon père n'en fit pas de cas. C'est lui qui nous fit mettre en pyjama et nous prépara pour la nuit. Il nous dit d'aller embrasser notre mère; elle donna un baiser à mon frère et à ma sœur; moi, elle me repoussa.

Le lendemain matin, c'était comme si rien ne s'était passé. Ils ont recommencé à se parler. Nous pouvions respirer.

C'est vers cette époque que ma mère accoucha d'une autre petite fille. Elle l'appela Sylvie. Nous étions maintenant quatre enfants dans la famille.

Le bulletin

Et puis vint le temps d'aller à l'école. J'étais tellement heureuse de pouvoir m'éloigner de chez moi. Je me sentais enfin comme les autres enfants, libre comme l'air. Je pouvais respirer, mais pas tout à mon aise, car ma mère avait demandé à Richard de me surveiller. Il était bien trop gêné cependant pour me surveiller continuellement; les garçons de sa classe riaient de lui parce qu'il fallait toujours qu'il sache où je me trouvais. Pour pallier à son manque de surveillance, il racontait toutes sortes de mensonges à ma mère. Elle me battait donc pour ce que je ne faisais pas.

À l'école, je n'étais pas capable de me faire une amie; j'avais trop peur que Richard raconte encore des mensonges à mon sujet. D'ailleurs, j'étais trop mal habillée, trop bizarre pour que les petites filles puissent s'intéresser à moi. En fin de compte, je restais toujours seule dans mon coin, mais c'était toujours mieux que d'être chez moi, à la merci de ma mère.

Et puis arriva le jour de mon premier bulletin. Le directeur vint dans la classe pour nous les remettre. J'avais peur de ne pas avoir réussi; je me montais la tête en imaginant ma mère qui regardait mon bulletin. Je n'avais pas hâte de l'avoir, ce bulletin.

Le directeur prononça mon nom en premier. Je me levai, tête baissée, j'avais peur. Il dit :

— Félicitations! Tu es la première de la classe.

J'étais tellement surprise, figée. Il vint me le remettre lui-même en me spécifiant que je devais le faire signer par mes parents. J'avais peine à en croire mes oreilles. Je bafouillai des remerciements. La maîtresse nous avait préparé des surprises, aux trois premières. Des images pieuses pour toutes et un suçon pour moi, la première. J'étais fière et heureuse. Pour la première fois, j'avais hâte de retourner chez moi, pour montrer à ma mère ce beau bulletin. J'étais tout excitée. Je ne pouvais m'empêcher de me retourner sans cesse dans la classe et de regarder mes compagnes. J'en vis quelques-unes qui me faisaient des grimaces. Je me retournai aussitôt, j'étais gênée. J'avais peur qu'elles ne le refassent.

L'heure de la leçon terminée, nous nous regroupions en rangs, deux par deux pour sortir de la classe. Dehors nous nous séparions. Ce jour-là cependant quelques-unes se jetèrent sur moi et me poussèrent en me tirant les cheveux et en m'appelant le *chouchou*. Je tombai par terre, mais elles filèrent bien vite, car la maîtresse avait été témoin de la chose. Elle vint m'aider à me relever et me conseilla de rentrer chez moi le plus vite possible.

J'arrivai à la maison tout essoufflée et me rendis à la cuisine d'une seule traite pour y voir ma mère.

— Regardez, maman, j'ai eu mon bulletin et j'ai eu ça aussi.

Je lui montrai l'image de Jésus et le suçon. Aussitôt fait, elle m'enleva mon suçon et mon image.

— T'as pas besoin de ça.

Elle prit aussi mon bulletin sans le regarder et mit le tout sur le frigidaire. J'eus beaucoup de peine. J'étais plantée là sans savoir quoi faire ni quoi dire. Les larmes commençaient à me monter aux yeux.

— Si t'arrêtes pas de niaiser, j'vas te donner une maudite volée.

Elle me souleva par la taille en me disputant, puis m'assit brutalement sur ma chaise à table. Elle me servit mon repas et, voyant que je pleurais, elle vint près de moi et me donna une de ces claques, si fort que je faillis en tomber sur le dos. Ma peur d'elle ressurgit et j'essayais de manger mais je vomissais tout. Elle prit une cuillère et tenta de me faire manger à son tour. Peine perdue, j'avais trop peur d'elle; j'étais incapable d'avaler quoi que ce soit. Alors elle me prit furieusement par le bras et me fit tomber de ma chaise. Elle prit sa ceinture, celle qu'elle avait toujours à portée de la main et dont elle se servait pour me corriger, et commença à m'en donner des coups en me disant d'aller me coucher. J'y allai presque en rampant pour éviter ses attaques. J'étais soulagée d'aller dans ma chambre et d'être libérée d'elle et de ma peur d'elle.

J'attendais qu'elle me donne la permission de sortir. C'est ce qu'elle fit; mais, hélas, l'heure de retourner en classe était déjà passée.

Elle me dit en riant :

— Dépêche-toi donc, t'as seulement trois quarts de mille à faire, ça va te dégourdir.

Et quand j'arrivai à l'école, la maîtresse n'était pas contente :

—J'ai appelé chez toi, j'étais inquiète. Ta mère m'a dit que tu étais partie en même temps que ton frère. Qu'est-ce que tu as fait? Tu as traîné? Tu vas te mettre à genoux dans le coin et ne pas en bouger jusqu'à ce que je te le permette.

Je ne disais rien, j'étais trop gênée. Toute la classe me dévisageait. Je pleurais, je pensais à ma mère qui avait menti. Je suis restée dans le coin environ quinze minutes, mais qui me parurent des siècles. Je me sentais ridicule et injustement punie.

À la sortie de la classe, les autres riaient de moi. Je partis en courant, certaines coururent après moi pour me rattraper. J'étais tellement habituée à me défendre que je filai comme un lièvre. J'arrivai à la maison encore sous le coup de l'émotion. Je voulus éviter ma mère qui était en train de préparer le souper. Elle ne m'accorda même pas un regard. Mon frère Richard arriva. Il avait reçu son bulletin au cours de l'après-midi. Il le présenta à ma mère qui le prit et le regarda longuement. Cela me fit beaucoup de peine de voir qu'elle s'intéressait plus à Richard qu'à moi. Elle ne m'aimait pas. Alors elle se leva de sa chaise et se dirigea vers sa chambre. Elle revint avec des bonbons dans sa main. Elle dit à Richard :

— Tiens pour ta récompense, tu l'as bien méritée.

J'étais encore à l'âge de m'étonner des injustices. Je ne comprenais pas pourquoi elle me traitait ainsi. Pourtant je n'osai parler, je restai assise. Tout à coup j'entendis mon père arriver. Richard, qui l'entendit aussi, prit son bulletin et courut vers la porte. Mon père entra :

— Regardez, papa, j'ai reçu mon bulletin!

Papa se déshabilla en prenant son temps et vint s'asseoir dans sa chaise berceuse. Il prit le bulletin que Richard lui présentait et le regarda longuement.

— Continue comme ça, bientôt tu seras peut-être le premier de ta classe.

— Élisa aussi a eu son bulletin, il est sur le frigidaire.

Papa se leva et alla le chercher. Il le regardait; moi, je baissai la tête, j'étais tout près des larmes. J'avais peur d'être punie. Papa dit :

— Mais t'as eu plus que ton frère! T'as eu de vraies belles notes. Bravo, ma fille! Continue comme ça.

Je me sentis tellement soulagée, à un point que je ne peux vraiment l'expliquer.

Ce fut la première et la dernière fois que j'arrivai première à l'école. Pour le reste de l'année et pour toutes les années d'école qui suivirent, mes notes furent médiocres. On comprendra que je n'ai jamais eu la tête aux études quand on verra la suite de ma vie.

La lavette

Je venais d'avoir sept ans, c'était l'été. J'avais terminé la vaisselle et j'étais en train de balayer. Ma mère n'arrêtait pas de me faire des remarques :

— N'oublie pas de balayer partout. Tu travailles si mal que tu vas faire une maudite cochonne plus tard. Tu vas retenir de ta marraine.

Cela me choquait parce que je faisais tout mon possible à bien m'appliquer pour tout ce qu'elle me demandait. Mon travail terminé, je m'approchai de mon père et de ma mère qui se berçaient presque au même rythme. Mon père avait pris l'habitude de tricoter; c'était l'un de ses passe-temps. Lui, ce soir-là, il faisait des mitaines et elle, des bas de laine, tout en se berçant. Je leur dis :

— J'aimerais que vous me montriez à tricoter. J'aimerais bien ça.

Alors papa mit son tricot de côté et alla chercher deux aiguilles et une petite balle de laine.

— Viens, je vais te montrer.

Je m'approchai tout près de lui et j'appris très vite. Mais cela n'a pas duré longtemps, car c'était l'heure d'aller au lit. Au moment d'embrasser ma mère, elle se détourna et me dit :

— T'es correcte comme ça. Tu m'embrasseras pas toute ta vie. Envoye, va te coucher.

C'était clair. Je suivis les autres vers nos chambres. Je couchais dans la même chambre que Diane. Je n'arrivais pas à dormir, trop de pensées trottaient dans ma tête. Je me mis à pleurer. Diane cria à ma mère que je pleurais et que je l'empêchais de dormir. J'entendis ma mère monter en vitesse, ce qu'elle faisait toujours lorsqu'elle était fâchée. Elle se présenta de mon côté du lit et me donna des coups de ceinture par-dessus les couvertures. On ne peut pas dire que cela me faisait grand mal, mais je criai pour qu'elle s'arrête plus vite. Elle cessa de me fouetter et me saisit par les deux joues en m'enfonçant ses ongles dans la peau.

— Tu vas pleurer pour quelque chose. Tu vas voir demain quand ton père sera parti, tu vas le manger, ton biscuit.

Ensuite elle me lâcha brutalement et descendit rejoindre mon père. Je tremblais comme une feuille, j'avais peur au lendemain. J'essayais de garder les yeux ouverts afin de faire durer la nuit, mais je m'endormis de fatigue.

Lorsque j'ouvris les yeux, c'était déjà le matin. Mon Dieu, je ne voulais pas me lever, mais il le fallait. Je n'avais pas hâte de descendre. Je priai le ciel que ma mère ait oublié ses menaces de la veille. Je récitai un *Je vous salue, Marie* pour que tout se passe bien.

Je descendis avec mes frères. La cuisine était vide, ma mère était dehors en train d'étendre son linge. Nous nous installâmes pour déjeuner. Lorsqu'elle entra, elle était de fort méchante humeur.

— Je fais tout dans cette maison. Vous êtes même pas capables de m'aider.

Je me sentais mal, je devinais que c'est moi qu'elle visait. Elle prépara le déjeuner en disant :

— Vous êtes assez vaches que vous êtes même pas capables de vous lever de bonne heure. Vous allez tous faire des emplâtres.

— Je suis pas une fille, moi, dit Richard.

— C'est pas de toi que je parle. Je parle à cette grand'parche qui est de l'autre bord de la table.

J'avais deviné juste. J'essayai de ne pas bouger. Je me sentais si mal dans ma peau. Je voulais tellement qu'elle m'oublie. Je me faisais des illusions.

— Va t'étendre sur mon lit. Tu enlèveras ta culotte

et ta « bobette ». Pis t'es mieux d'être prête, car ça va faire plus mal, O.K.! là?

J'avais une de ces peurs, c'était inimaginable. Je pensai un instant qu'elle puisse changer d'idée. Je me levai, me rendis directement à sa chambre et fis ce qu'elle m'avait ordonné. Je pleurais à chaudes larmes, je n'avais pas hâte qu'elle vienne. Finalement, elle entra, avec, dans la main, la lavette dont elle se servait pour la lessive, lorsque l'eau était trop chaude pour qu'elle y plonge la main. Elle ferma la porte derrière elle. Je la suppliai :

— Non, s'il vous plaît, je vais faire tout ce que vous voulez, mais pas ça, s'il vous plaît!

Je ne vis dans ses yeux aucune pitié. Elle s'approcha du lit et se mit à me battre comme un chien. On aurait dit qu'elle voulait me tuer. Chaque coup reçu augmentait ma douleur; j'avais beau crier, supplier, elle n'arrêtait pas. J'essayais de me protéger les fesses de mes mains, mais elle me battait de plus belle. Je pensais qu'elle allait me casser les doigts. Elle me battait avec rage en blasphémant et en m'injuriant :

— Ma petite crisse de face! Ton père prend toujours pour toé. T'es sa préférée. Je t'haïs.

— Ce n'est pas vrai! Je n'en peux plus! S'il vous plaît, arrêtez!

Elle me lâcha en me disant de me rhabiller. J'avais si mal aux doigts et aux fesses que j'avais du mal à remonter mon pantalon. Mes mains ne voulaient plus se replier, j'avais les doigts raides comme du fer et tout rouges. Je me rendais bien compte que ma mère prenait goût aux raclées qu'elle me donnait, car il y a des jours où elle me battait quatre à cinq fois sans pour autant se contenter. Aussitôt qu'elle considérait que j'avais fait la moindre faute, c'était la volée.

Mon père ne savait jamais rien, il travaillait jusqu'à cinq heures de l'après-midi. Les jours où il faisait la fenaison, il pouvait arriver vers dix ou onze heures le soir. Ma mère, pendant cette période, m'envoyait lui porter à souper; il fallait alors que je ne parle à personne sinon la ceinture m'attendait à mon retour. Souvent j'avais des marques et mon père s'en apercevait. Mais ma mère s'arrangeait pour trouver réponse à tout. Lui, il la croyait éperdument.

— Elle n'est même pas capable de se tenir debout, elle ne fait que tomber. C'est une maudite imbécile. Elle ne sait rien faire de bien dans la vie.

Mes frères et mes sœurs ne disaient rien. Ils avaient bien trop peur de subir le même sort. Moi, j'étais certaine que, dans toutes les familles, c'était la même chose que chez nous.

Le pensionnaire

Pendant cette même année, quelqu'un est venu habiter chez nous. Il occupait une petite chambre voisine des nôtres, au premier. C'était un homme seul, un vieux garçon âgé d'au moins quarante ans. Il avait l'air sévère mais réservé. La solitude ne semblait pas lui faire peur, car il y avait des jours où il s'enfermait dans sa chambre pendant des heures et des heures. Souvent il ne descendait que pour les repas et quelques minutes après il remontait dans sa chambre. Il venait jaser avec les parents seulement après notre coucher. On l'appelait monsieur Beaulieu.

Un jour, mes parents, qui devaient se rendre en ville avec la petite Sylvie, lui demandèrent le service de s'occuper de nous pendant leur absence. Il répondit tout simplement :

— Oui, ça ne me fait rien.

Alors les parents sont partis en nous avertissant d'être bien sages.

Il était là, assis dans la maison, et nous, nous n'osions nous approcher; nous étions un peu sauvages et nous avions peur de lui. Mal à l'aise, nous étions tous assis et personne n'osait parler. C'est alors qu'il nous demanda si nous voulions aller jouer dehors. Diane et Richard coururent vers la porte en disant :

— Oui, mais pas Élisa. Maman ne veut pas qu'elle aille dehors.

Je baissai la tête, gênée de ce que mon frère venait de dire, gênée de rester seule avec lui. Mais monsieur Beaulieu ajouta :

— Vas-y quand même, je te donne la permission. Je ne le dirai pas à ta mère.

— O.K.! J'y vais.

J'étais si heureuse et joyeuse, je sortis en courant rejoindre les autres. Je le trouvais vraiment gentil. Au bout de quelques minutes, il sortit à son tour. Il avait un petit sac dans les mains. Il s'installa sur la galerie en arrière et appela ma sœur.

— Diane, viens ici. Je vais te donner quelque chose.

Ma sœur, qui avait environ cinq ans, s'avança timidement vers lui, ne paraissant pas sûre de vouloir y aller vraiment. Il la rappela près de lui et lui tendit le petit sac qu'il avait dans la main.

— C'est pour toi. Donnes-en pas aux autres.

Elle prit le sac et revint vers nous. Il la retint par le bras en lui disant :

— Viens ici, je vais te dire quelque chose dans l'oreille.

Elle se laissa faire, il lui chuchotait des choses. Un peu jaloux, nous les regardions en nous demandant ce qu'il pouvait bien lui dire. Il la laissa enfin partir et elle vint nous montrer son « trésor ». Le petit sac contenait de la gomme et des bonbons. Nous en avions l'eau à la bouche.

— Le monsieur ne veut pas que j'en donne.

Elle s'installa sur la galerie pour déguster ses friandises. Richard et moi la regardions, plantés là, envieux. Monsieur Beaulieu revint peu après avec un autre petit sac dans la main. Il descendit les marches et se dirigea vers le hangar en disant :

— Viens, Diane, j'ai d'autres choses pour toi.

Diane se leva et courut le rejoindre. Il la fit entrer dans le hangar et ferma la porte derrière elle. Mon frère et moi nous regardions, nous demandant ce qu'ils pouvaient bien faire. Je dis à Richard :

— Viens avec moi, on va voir ce qui se passe, O.K.!

Richard me répondit carrément, sur un ton dur :

— Non!

Je décidai donc d'y aller toute seule. J'essayai de faire le moins de bruit possible en marchant sur la pointe des pieds. J'étais trop petite pour voir par la fenêtre. Mais j'avais repéré un petit trou dans la cloison, un *nœud* de bois. Grimpée sur un gallon de peinture vide, je pus l'atteindre. Je voyais parfaitement à l'intérieur. Je le vois encore. Il avait le pénis sorti de son pantalon. Je n'avais jamais vu de mes yeux d'enfant une telle chose. Je trouvais cela écœurant. Il prit la main de Diane et se fit caresser. Il lui parlait tout bas en lui tendant le sac. Elle avait l'air apeurée. Il lui tenait la main et l'obligeait à le caresser. Mon frère me regardait sans bouger.

— Viens voir, Richard. Viens voir ce qui se passe!

— Non, je veux pas y aller. Laisse-moi tranquille!

Je descendis de mon escalier de fortune et décidai de sortir ma petite sœur de là. J'ouvris rapidement la porte. Il se retourna vivement en remontant sa fermeture éclair. Je lui criai :

— Je vous ai vu par le trou. Je vais le dire à ma mère ce que vous avez fait.

— Si tu dis un mot de tout ça tu vas avoir affaire à moi, O.K., là! Hein! As-tu bien compris?

Je n'ai pas eu le temps de dire ni oui ni non qu'il était déjà sorti de la cabane. Je pris la main de ma sœur pour la ramener. Ma mère arrivait presque au même moment. Aussitôt qu'elle me vit dehors :

— Qu'est-ce que tu fais là, toi?

Je voulus répondre, toute gênée...

— J'ai, j'ai...

Elle ne me laissa pas le temps de m'expliquer.

— Rentre dans la maison et ça presse!

J'y suis allée, j'avais les yeux dans l'eau. En entrant, elle me prit par une oreille et tira très fort.

— Qu'est-ce que je t'avais dit, toé, de rester dans la maison. Je t'avais pas donné la permission de jouer dehors.

Elle allait me battre lorsque je vis monsieur Beaulieu, cet abuseur d'enfant, descendre de sa chambre. Ma mère me lâcha, elle ne me battait jamais devant un étranger.

— Va t'asseoir là-bas. Je vais m'occuper de toé plus tard.

Le salaud faisait mine de rien. Il continua à discuter avec ma mère. Soudain mon père entra. J'étais soulagée de le voir; je savais que ma mère n'oserait pas me toucher devant eux. Je devinais que monsieur Beaulieu, qui n'était pas un ange mais qui en avait l'air, n'était pas là pour le plaisir de la conversation. Il était là pour s'assurer de mon silence, car il savait que je n'aurais pas osé parler devant lui. Finalement, il monta à sa chambre tout en me jetant un œil féroce. Je n'osai parler de cela à mon père ni à ma mère, car j'avais peur qu'il redescende. Il n'est pas venu souper, cloîtré qu'il était dans sa chambre.

À l'heure habituelle, nous sommes montés nous coucher. Comme à l'accoutumée, il descendit jaser avec mes parents.

Le lendemain, c'était dimanche et il faisait un temps lourd et orageux. La pluie se mit à tomber. Je me rappelle qu'il y avait du tonnerre et des éclairs. Soudain monsieur Beaulieu se leva, enleva sa chemise et sortit sous la pluie. Il marchait dans les champs en parlant tout seul, les bras levés dans les airs. Mes parents, en riant, disaient qu'il était devenu fou. Nous, les enfants, regardions par la fenêtre. Nous le vîmes revenir, tout trempé.

— Il s'en vient! Allez vous asseoir, bande d'écornifleux.

Le bonhomme entra dans la maison, mouillé de la tête aux pieds; il riait en disant que c'était bien plaisant. Il monta à sa chambre pour se changer.

Je ne le revis plus jamais.

Le lendemain, alors que nous étions à l'école, mon père partit travailler et ma mère sortit pour la journée avec Sylvie.

En revenant de la classe, ma mère nous demanda :

— Saviez-vous que le bonhomme Beaulieu allait partir?

Elle avait pris l'habitude de l'appeler ainsi. Ce fut un *non* unanime.

— C'est correct, allez faire vos devoirs. Et j'veux pas entendre un maudit mot.

Quand mon père revint de son travail, elle lui posa la même question.

— Non, je savais pas qu'il allait partir. As-tu été voir si ses bagages sont là?

— J'y suis allée. La chambre est vide. Il a tout emporté avec lui. Il est vraiment parti. En plus il est parti sans payer, c'est un crisse de sauvage.

En entendant cela, je décidai de tout leur raconter au sujet de Diane. Plusieurs fois j'essayai de parler, mais ma mère, invariablement, me dit de me taire et de retourner faire mes devoirs. Parce que j'avais peur d'elle et des punitions, je me tus, me contentant de suggérer à Diane de tout lui raconter.

— Non, je vais me faire disputer.

Le lendemain, j'arrivai de l'école la première. J'entrai dans la maison en faisant le moins de bruit possible et retrouvai ma mère qui tricotait dans le salon.

— Bonjour, m'man!

Elle ne répondit pas. On aurait dit qu'elle faisait semblant de ne pas m'avoir entendue. Je repris :

— Je sais, m'man, pourquoi monsieur Beaulieu est parti!

— Dis-le donc, si t'es si fine que ça! Parle, si t'es plus fine que les autres. Si tu n'as rien à dire, va-t'en. J'veux pas te voir la face icitte.

Alors je décidai de parler. Je lui racontai en détail ce qui s'était passé le samedi d'avant. Elle m'écoutait sans rien dire. Pour la première fois de ma vie, je me sentais très importante. J'étais soulagée. Puis elle me dit :

— Nous allons attendre Diane pour lui en parler.

Je lui soulignai que peut-être Diane se tairait de peur d'être disputée.

— T'es mieux d'avoir dit la vérité, car si jamais t'as inventé tout ça, je crois que tu vas en manger une crisse par ton père. Il te gardera pas dans ses culottes, c'est certain!

À ces mots, un frisson me parcourut tout le corps. La peur s'empara de moi encore une fois. Je regrettais presque d'avoir parlé. J'espérais de toutes mes forces que Diane raconte la vérité.

Nous attendions. Ma mère avait l'air songeuse. J'entendis Diane et Richard qui montaient sur la galerie et je suppliai Dieu de m'aider.

— Tu viendras ici, Diane, j'ai affaire à toé, dit ma mère.

— Qu'est-ce que vous me voulez?

— Raconte-moé ce qui s'est passé avec monsieur Beaulieu.

Diane me regarda, puis elle baissa la tête en silence. Ces quelques secondes me parurent une éternité. Je me sentais faiblir. Mais soudain elle se mit à parler :

— Ce n'est pas de ma faute.

— Continue, Diane, dis-moé tout.

Elle raconta toute la vérité exactement comme je l'avais fait quelques minutes plus tôt. Je me sentis soulagée. Je m'adressai à ma mère :

— J'vous l'avais bien dit!

Elle me regarda, déconcertée. C'était l'une des premières fois où elle me regardait sans haine.

— Pourquoi vous ne l'avez pas dit tout de suite? Là, c'est plus le temps, il a crissé son camp. Il est peut-être rendu loin aujourd'hui.

— J'ai essayé de vous le dire plusieurs fois, mais vous m'avez dit de m'en aller.

Elle semblait réfléchir. Soudain elle se leva et prit le téléphone. Elle dit quelques mots que je ne compris pas et elle raccrocha sec. Elle revint au salon et se mit à faire de l'ordre. Diane et moi étions retournées à nos devoirs. Une auto entra dans la cour. C'était ma grand-mère maternelle ainsi que deux tantes. Ma grand-mère nous salua et dit à ma mère :

— Qu'est-ce qui se passe de si terrible pour que tu nous fasses venir à cette heure?

Ma mère les invita au salon et nous dit :

— Élisa, Diane, venez avec moi.

Elles ont commencé à se parler entre elles, et ma mère me demanda de raconter tout ce que je savais. J'étais si gênée que mes jambes en tremblaient. Quand j'eus fini, elles me posèrent des questions et me firent répéter pour être sûres d'avoir bien entendu. Quelques-unes riaient de cela, et ma mère dit à Diane :

— Essaie de raconter ce que tu as fait.

— ... Il a pris ma main pour que je flatte son « affaire » et il m'a donné des bonbons.

Alors mes tantes nous emmenèrent en auto vers le poste de police. Ma mère me mit en garde :

— C'est mieux d'être vrai! Comme je te connais, pour te rendre intéressante, t'aurais pu inventer tout ça. Si jamais on a fait le voyage pour rien, tes petites fesses en mangeraient une maudite que tu serais plus capable de t'asseoir.

— Voyons, Martha, penses-tu qu'elle aurait pu inventer ça? Diane l'a dit aussi. Qu'est-ce qu'elles connaissent aux hommes?

— C'est vrai qu'elles ont jamais vu leur père tout nu.

— Raisonne un peu. C'est trop jeune pour savoir comment c'est bâti, un homme!

Et elles en discutèrent jusqu'à ce que l'on arrive à destination. C'était une grosse bâtisse tout en briques. Nous sommes entrées. Nous marchions dans un couloir très long et très large. Au bout, il y avait un bureau et des chaises. Nous nous sommes assises et avons attendu que quelqu'un vienne. Nous avons attendu comme cela une bonne demi-heure et ma mère s'impatientait. Finalement elles ont décidé de revenir chez nous. Pour ma mère, il était important de revenir avant que mon père ne rentre de son travail.

De retour à la maison, Diane et moi avons dû faire nos devoirs. Ma mère et ses sœurs papotaient dans le salon. Elles rigolaient à qui mieux mieux, quand ma mère m'appela auprès d'elles.

— Approche, j'te mangerai pas! On dirait que je te maltraite!

Elle me tira à elle. J'avais peur comme à chaque fois qu'elle me touchait. Elle me tourna face à elle, releva mon gilet et baissa mon pantalon. Elle me montra à mes tantes en disant.

— Regardez, elle est à moitié homme et à moitié femme.

Elle me lâcha et je remontai mes culottes du plus

vite que je pus. Elles riaient de moi parce que j'avais un peu de poil sur les reins. J'avais tellement honte, je voulais me cacher. Je m'enfuis dans la cuisine, mais je l'entendais qui riait en expliquant :

— Elle en a encore plus sur les bras!

J'essayais de camoufler mes bras derrière moi. Je me mis à pleurer, je me trouvais horrible. Je me dis, à partir de ce jour, que j'étais vraiment trop laide pour qu'on m'aime. Que c'était la raison pour laquelle ma mère me détestait. J'étais repoussante.

Les tantes se préparaient à partir. J'étais contente. J'allais pouvoir cacher ma honte. Mais ma mère n'en avait pas fini avec moi.

— Je ne sais vraiment pas quoi faire d'elle.

J'avais si peur, j'essayai de me cacher le plus possible. Elle me prit le bras. Moi, je mis mes deux mains dans ma figure pour ne pas les voir me regarder comme si j'étais un animal rare. Elle leur montrait mes bras et, toutes, elles riaient de moi.

Quand elle me lâcha, mes tantes et ma grand-mère allèrent embrasser Diane, en disant qu'elle deviendrait une très belle fille plus tard. Moi, je restai dans mon coin en les regardant partir. Tout ce que j'avais dans le cœur, c'était du chagrin. Je haïssais tout le monde.

Après leur départ, je dus ranger le salon avant que mon père n'arrive. Ma mère expédia la préparation du souper. À son arrivée, il demanda qui était venu, mais ma mère répondit avant que nous n'ayons le temps de parler :

— Bien, il est venu un vendeur. Il voulait que j'achète des produits de toutes sortes. Je l'ai mis dehors. C'est vrai, les enfants, hein?

Je me contentai de la regarder froidement, écœu-rée de la voir raconter de tels mensonges à mon père. Aucun mot de l'aventure de Diane avec le pension-naire. Je crois que mon père n'en a jamais rien su.

À partir de ce jour, je n'ai plus jamais fait confiance à ma mère. À partir de ce jour aussi, je commençai à me regarder, à me comparer aux autres petites filles de ma classe. Je finis par me maudire. Je me trouvais laide, affreuse en tous points. Je n'avais pas d'amies, ma mère me détestait. Et c'était ma laideur qui était cause de tout.

L'hôpital

Je me rappelle qu'en ce temps-là, à chaque fois que j'avais peur, je vomissais. Surtout pendant les repas lorsque mon père n'était pas là et qu'elle passait derrière moi en me donnant une gifle derrière la tête, ou bien lorsqu'elle me promettait une volée ou encore qu'elle me chialait. Je me rappelle un repas où elle m'a fait manger un pain complet. Je n'avais pas le choix; il fallait que je mange tout ce qu'elle me donnait ou c'était la volée. À certains repas, elle ne me donnait presque rien, et, à d'autres, elle me faisait manger comme un ours.

Lorsque mon père était là, elle me donnait la même portion qu'aux autres, mais elle s'arrangeait pour encore mentir à mon sujet et, lui, il me disputait. Ce qui fait que je vomissais encore lorsqu'il se fâchait contre moi.

Un jour, mon père, voyant que j'étais souvent malade, décida de m'envoyer à l'hôpital afin de subir des examens. Il voulait savoir pourquoi je vomissais si souvent. J'ai passé une semaine à cet hôpital et personne de ma famille n'est venu me voir. C'est ma mère qui vint me chercher et qui s'informa auprès de l'infirmière.

— Savez-vous ce qu'elle a?

— Nous ne lui avons rien trouvé. Elle a une maladie imaginaire.

Ma mère vint vers moi. Elle semblait fâchée. Elle

m'habilla en me bourassant. Je n'avais nulle hâte de retourner chez nous, je savais que j'allais vivre de nouveau dans la peur. Je connaissais la raison de mes vomissements, mais je ne pouvais en parler, car ma mère me défendait de raconter ce qui se passait chez nous. Pendant mon séjour à l'hôpital, je me sentais très bien, je mangeais bien et sans vomir.

Arrivée à la maison, mon père et ma mère eurent une petite discussion, et mon père, qui était assis à table, se tourna vers moi :

— Viens souper. Tu m'as assez coûté les yeux de la tête.

L'assurance-maladie n'existant pas, mon père avait dû tout payer. Il avait l'air furieux.

— J'ai pas faim, papa.

— Mange ce que t'as dans ton assiette, sans ça je vais te faire avaler de force.

C'était plus fort que moi, je me suis mise à pleurer. J'essayais de manger, mais rien à faire, tout ressortait. Mon père se leva brusquement en sacrant :

— Elle a quelque chose c'est certain, elle ne vomirait pas comme ça.

Il me prit dans ses bras, me vira sur ses genoux et me donna la fessée. Puis il me monta dans mon lit. Il me couvrit et m'attacha. Il m'attachait, car je remuais tellement pendant la nuit que je ne gardais aucune couverture. Ce lit était pourtant mon refuge. C'est là que je me sentais le plus en sécurité.

Plus les jours passaient, plus je m'apercevais que ma mère avait réussi à me faire haïr par mon père. Il me punissait et me battait de plus en plus. Mais lorsqu'il avait le malheur de punir Richard ou Diane, ma mère l'arrêtait :

— Et Élisa, elle, c'est ta préférée. Tu la chiales pas?

— On dirait que ça te fait plaisir que je la batte. Tu as toujours ton cher Richard en dessous de ta jupe.

Les disputes entre eux ne faisaient alors que commencer.

Le stylo

Tout le temps que j'ai été à l'école, j'ai eu beaucoup de difficultés à apprendre. J'essayais de garder les mots dans ma tête, mais rien n'y faisait. J'étais parfaitement absorbée, obsédée par une seule et même pensée... Quand je vais arriver à la maison, qu'est-ce que ma mère va me faire! Va-t-elle me battre encore? Me crier après? Quelle nouvelle humiliation va-t-elle inventer encore?

J'étais de plus en plus mal vue à l'école. Ma mère ne me laissait pas la chance de faire mes devoirs et d'apprendre mes leçons. J'étais disputée par le professeur qui m'envoyait chez le directeur; celui-ci m'avertissait toujours très sévèrement, mais je ne pouvais lui expliquer la raison de mes fautes. Je ne pouvais que baisser la tête et me taire.

Un jour que j'avais besoin d'un cahier et d'un crayon, je pris mon courage à deux mains et les demandai à ma mère, le plus poliment possible.

— Où as-tu mis ton crayon? Et ton cahier, où est-il?

— Mais, maman, mon cahier est tout écrit et il ne me reste qu'un tout petit bout de crayon, même pas assez grand pour que je puisse écrire avec!

— Tu vas t'en passer, car c'est pas moi qui va te donner un sou noir, O.K.!

Je baissai la tête et j'allai m'asseoir dans mon coin habituel.

— Et puis, t'es mieux de ne pas te lamenter à ton père, car je suis capable de te la fermer pour toujours, ta petite gueule, moé!

Les jours qui suivirent, je réussis à voler un crayon

45

dans le pupitre d'une petite fille qui en avait plusieurs. Mais il y avait encore le cahier que je ne pouvais trouver et le professeur me disputa. Je racontai à ma mère la punition de la maîtresse et la suppliai de me donner un cahier. Elle disparut dans sa chambre et revint avec un cahier qui portait mon nom. C'était un cahier de l'année passée; mais il restait quelques feuilles blanches à la fin. En écrivant petit, ça pourrait durer un certain temps. J'étais correcte encore pour quelques pages.

Quelques jours après cet événement, mes parents me confièrent mes frères et sœurs à garder pour leur permettre une sortie. Je les regardai partir avec soulagement, et je les surveillai car j'avais une idée en tête : aller fouiller dans la grosse valise bleue qui appartenait à mon père et dans laquelle il y avait toutes sortes de papier, de crayons, de stylos. Je m'assurai que les enfants s'amusaient et ne prenaient garde à moi. Je m'assis dans l'escalier, grimpant une à une les marches, innocemment, sans bruit. Les enfants s'amusaient ferme sans s'occuper de moi. Je filai à toute vitesse vers la chambre-remise. La valise était là, dans un coin, toute bleue, bien grosse, un véritable coffre aux trésors. Elle était pleine. Je me mis à chercher sans trop déplacer car, après tout, je n'avais besoin que d'un crayon. Je devais me dépêcher. Je ne trouvais ni cahiers ni crayons. Je pris alors un stylo bleu et refermai la valise en prenant bien soin de tout replacer. Je filai retrouver les autres le plus vite possible, en cachant le stylo dans la manche de mon gilet. Mine de rien, j'allai le porter dans mon sac d'école. J'étais très nerveuse. Il me semblait que je portais la marque de mon délit inscrite sur le front. J'étais certaine que mes parents verraient sur mon visage que j'avais fait quelque chose de mal. J'essayai de m'asseoir bien tranquillement en surveillant les autres. C'est ainsi que les remords de conscience commencèrent à me tirailler. J'avais décidé de remettre le stylo à sa place quand mes parent revinrent. En les voyant, j'avais tellement peur de me trahir que mon cœur se mit à battre follement. Je faillis m'évanouir. Je voyais presque le stylo à travers mon sac d'école.

Le lendemain, je suis allée à l'école comme d'habitude. Je ne pensais qu'à me débarrasser de ce stylo le plus vite possible. Dans l'autobus, je ne pouvais pas, puisque Richard et Diane étaient là pour me surveiller. Dans la classe, je le sortis de mon sac et j'écrivis un peu avec. Il était tout neuf, mais j'aurais aimé être capable de le vider de son encre en quelques minutes. Je me levai pour aller le jeter à la poubelle et revins m'asseoir à ma place. Ouf!

Mais la maîtresse m'avait vue faire. Elle se leva, marcha jusqu'au panier et prit le stylo. Elle vint vers moi, écrivit quelques mots avec... et le déposa sur mon pupitre.

— Voyons, Élisa! Il est encore bon, ce stylo! Pourquoi tu le jettes? Il ne faut pas gaspiller ainsi!

J'étais gênée... et prise avec le même problème. L'idée me vint de le casser en tout petits bouts. Je le pris entre mes doigts et le brisai en plusieurs morceaux entre mes genoux. J'essayai d'étouffer le bruit, j'avais l'impression que toute la classe entendait les craquements sinistres du plastique et que la maîtresse me faisait les gros yeux. Aucune réaction, le cours continuait. J'étais toujours en possession de ce qui restait de l'objet. Je décidai de cacher les morceaux dans mon pupitre. Je me remis au travail en regrettant amèrement l'idée de génie que j'avais eue de me procurer ce crayon.

Après la classe, je retournai chez moi. Mon père était déjà arrivé et travaillait à ses papiers. Il nous fit venir auprès de lui.

— J'ai quelque chose à vous demander à tous les trois! Il y a quelqu'un qui est venu prendre deux stylos bleus dans ma valise. Vous auriez pu le demander, et au moins m'en laisser un. Qui les a pris? Répondez! Je veux savoir qui a fait ça, vous avez compris? Si personne répond, je vais vous flanquer une maudite volée jusqu'à ce que le coupable se nomme. Avez-vous compris? Et pas avec mes mains, non! Elles font pas assez mal. Avec ma ceinture. Vous allez voir si vous allez vous taire longtemps!

J'allais mourir là. Aucun de nous n'osait parler. Il y avait donc deux coupables puisque je n'avais pris qu'un seul stylo. Je ne savais plus quoi faire, je ne pouvais raconter la vérité au sujet de mon besoin de crayon, car il ne m'aurait sûrement pas crue, et plus encore, ma mère m'aurait sûrement battue. J'ai donc décidé d'attendre la suite et de me taire. Mon père continua :

— Richard, viens ici. Baisse ton pantalon et étends-toi sur mes genoux!

Richard semblait très effrayé, il pleurait déjà. Il était penché sur les genoux de mon père, nu-fesses et mon père avait ôté sa ceinture. Il fit claquer un premier coup d'avertissement. Mais ma mère intervint :

— Arrête, Gérard! C'est moi qui ai donné un stylo à Richard, il en avait besoin à l'école. Un, mais pas deux. Alors continue à faire ton enquête et laisse Richard tranquille.

Papa décida d'abandonner son enquête. Mais elle, elle avait décidé de trouver la coupable coûte que coûte.

— Si t'es pas capable de trouver la coupable, c'est moé qui va la trouver.

Je me sentis faiblir. J'aurais mieux aimé avoir affaire à mon père plutôt qu'à ma mère, car je connaissais ses manières sadiques.

— Élisa, va t'habiller, on va aller faire un tour toutes les deux! Dépêche-toé.

Je me hâtai de me préparer afin de ne pas empirer les choses. Je ne savais pas quoi penser ou quoi dire. Elle me poussa dehors et me dit en me serrant le bras :

— Viens, on va aller voir à l'école.

Je me consolai en pensant que l'école devait sûrement être fermée à cette heure. Nous ferions le voyage pour rien.

— Si c'est barré, demain j'irai à l'école en même temps que toé, et si t'as l'autre stylo, tu vas en manger une câlisse par ton père.

Tout le long du chemin, je retins mes larmes avec peine. Je me maudissais d'avoir eu l'idée de voler ce sacré stylo. Il ne m'avait apporté que plus de malheur.

À l'école, ma mère tira la porte, et elle s'ouvrit. Pour comble de malheur, la porte de ma classe était ouverte et la maîtresse était là qui travaillait. Ma mère discuta un peu avec elle, et lui expliqua le but de sa visite.

— Oui, je l'ai vue avec un stylo bleu. Elle l'avait jeté dans la poubelle et je l'ai ramassé. Lorsque je me suis aperçue qu'il écrivait encore, je le lui ai redonné.

Ma mère se tourna vers moi avec un air triomphant, ses yeux pleins de haine et de méchanceté.

— Où est ton pupitre que je regarde dedans?

Je le lui montrai du doigt, je ne pouvais mentir. Elle s'avança et souleva le dessus pour voir à l'intérieur. Elle fouilla partout jusqu'à ce qu'elle ait trouvé tous les morceaux.

— Je savais que c'était toi, maudite voleuse! Je vais emporter tout ça chez nous pour le montrer à ton père; là il ne pourra pas nier que t'es une maudite menteuse et une voleuse. Après ça ton père ne doutera plus de moé.

Elle paraissait toute fière d'elle. Pourtant si elle me l'avait donné quand je le lui avais demandé, tout cela ne serait pas arrivé. Elle salua l'institutrice et me tira en dehors de la classe.

Sur la route, elle souriait d'un air moqueur tout en me poussant dans le dos pour que je marche plus vite. En même temps elle me traitait de menteuse, de voleuse et d'hypocrite. Je traînais les pieds. Ce qui allait m'arriver m'était égal désormais. Je préférais que ce soit mon père qui tranche la question à sa manière. Cette histoire allait me faire perdre mon seul allié. En plus des coups de ceinture et de la punition, c'est le chagrin dans ses yeux, la déception qui me firent le plus mal. Ma mère avait repris sa gaieté et chantonnait en préparant le souper...

***

Le visiteur

Les jours de peur et de chagrin se succédaient. Chaque matin, je me levais dans l'espérance d'une journée paisible. La plupart du temps, je me couchais en pleurant, le cœur en peine. Les journées de trêve étaient rares.

Ce jour-là, ma mère était sortie toute seule et mon père nous gardait. C'était un bel après-midi d'hiver, un après-midi de soleil et de froid. Nous étions maintenant cinq enfants. Ma mère avait mis au monde Jean-Marc qui n'était alors âgé que de deux mois.

C'était la première fois que ma mère sortait sans mon père. Comme toujours, mon père se berçait en fixant un point sur le plancher. Il réfléchissait. Il était silencieux et de mauvaise humeur. Nous n'osions pas le déranger même pour lui demander la permission d'aller aux toilettes.

Une auto entra dans la cour; je pus voir ma mère en descendre en compagnie d'un homme. L'auto repartit et ils entrèrent tous les deux dans la maison. Ma mère semblait gaie, de très bonne humeur. Elle était joyeuse comme une petite fille. Elle rangea le pardessus de l'homme et nous le présenta. Il s'appelait Arthur. Il avait un sac de papier dans les mains qu'il déposa sur la table. Puis il vint à chacun de nous pour nous serrer la main. Il semblait très gentil. Ça faisait curieux de voir ma mère ainsi. J'étais soulagée, car, tant qu'il y aurait un étranger dans la maison, elle ne me disputerait pas et ne me battrait pas. Arthur se mit à placoter avec mon père, puis il réclama un plat à ma mère pour y mettre les bonbons qu'il avait apportés dans le sac de papier. C'était de petits poissons brillants, des rouges et des blancs. Nous étions autour de la table et les dévorions des yeux.

— Allez, les enfants! Prenez-en. Je les ai achetés pour vous autres.

J'en pris deux de chaque couleur. Deux blancs et deux rouges. Je goûtai aux rouges en premier. Ils étaient piquants avec un fort goût de cannelle. Je les recrachai dans ma main. Les blancs étaient délicieux; je voulus en prendre d'autres, mais il fallait que je me débarrasse des rouges que j'avais dans la main. Je demandai la permission d'aller aux toilettes, mais mon père intervint brusquement :

— Tu viens juste d'y aller. Viens pas me faire accroire que t'as encore envie!

Mais comme ils ne s'occupaient pas de moi, je réussis à me faufiler dans la salle de bains et à me débarrasser des poissons rouges dont je n'aimais pas le goût. Quand je revins, les grandes personnes discutaient toujours. Je m'avançai pour prendre un autre bonbon, mais ma mère, qui me regardait, se leva et dit :

— C'est assez! Ils ne souperont pas. Ils n'ont pas l'habitude de manger entre les repas.

Et elle demanda à mon père d'inviter Arthur à

souper. Pendant le repas, ma mère ne savait pas trop quoi lui donner pour qu'il soit satisfait. Jamais elle n'avait fait autant de simagrées pour mon père. Celui-ci semblait ne rien remarquer, mangeant comme à l'accoutumée, la tête basse, étranger à tout ce qui se passait autour de lui. Comme il était défendu de parler pendant les repas, il n'y avait que ma mère et Arthur qui discutaient ensemble.

Après le souper, ma mère demanda à Diane de m'aider à faire la vaisselle, et Arthur vint nous donner un coup de main. Chose rare, ma mère desservit la table. C'était beau à voir, je n'en revenais pas. En plus, elle nous aida à ranger la vaisselle dans les armoires. Incroyable!

Je me demandais ce qui arrivait pour qu'elle change ainsi, du tout au tout. Elle était même gentille avec moi. J'avais envie de chanter et de rire. Je fis un grand sourire à cet ami si gentil, qui avait un tel pouvoir de bonne humeur sur ma mère. J'espérais que cet homme revienne souvent et qu'il ramène la gaieté dans la maison. J'espérais que ma vie d'enfer fût enfin terminée. Je cherchais à surprendre le regard de ma mère, et je riais pour qu'elle comprenne bien que je partageais sa joie.

Malheureusement, la vie reprit son cours normal. Pourtant, je dois dire que ma mère semblait mieux. Elle sortait plus souvent et mon père ne savait plus quoi inventer pour lui faire plaisir.

L'auto
Un jour de cette même époque, mon père prit congé et partit avec ma mère afin de faire des emplettes. Comme d'habitude, j'étais la gardienne et j'essayais de profiter de ces moments de calme. Il était presque seize heures et, malgré tout, j'étais inquiète; les parents étaient partis depuis le matin. Bientôt une

grosse auto noire entra dans la cour. Aussitôt dit, les enfants étaient tous dans la maison, curieux, embêtés par l'arrivée d'étrangers mais curieux tout de même de savoir qui était dans l'auto. Nous avions l'air d'une bande de sauvages peu habitués à voir du monde...

Mais quand on se rendit compte que c'était ma mère qui conduisait l'auto, ce fut la plus grande stupéfaction de notre vie. Elle était au volant, mon père à ses côtés, et personne d'autre avec eux. C'est en courant et en criant que nous les accueillîmes. Mon père sortit le premier, très fier de lui.

— Regardez, les enfants, j'ai fait un beau cadeau à votre mère!

Nous étions ébahis devant une si belle voiture. C'était une grosse auto noire, brillante, neuve... Et ma mère, assise au volant, le sourire éclatant, les yeux brillants de plaisir, avait l'air d'une actrice. Elle était belle et triomphante. Elle ouvrit doucement la portière et sortit de l'auto.

— Que tu es chanceuse, maman! Que tu es chanceuse!

Et on sautait comme une volée de moineaux, et on battait des mains. Et on courait tout autour en touchant ici et là, le nez collé aux vitres afin de mieux voir à l'intérieur. Les parents se tenaient par la main, heureux, et nous étions contents de les voir ainsi.

Après le souper, ils décidèrent de nous emmener faire un tour avec cette merveilleuse auto. La folie reprit de plus belle. Je courus auprès de ma mère pour la remercier.

— Arrête de t'énerver parce que tu vas rester icitte! me dit-elle.

Cette phrase glaciale eut le don de calmer mon exubérance. Le charme était rompu. Je me résignai à me montrer sage car je ne voulais pas rater cette promenade. Les autres étaient énervés; ils se bousculaient en se chamaillant, pourtant c'est à moi qu'elle s'en prit :

— Tu pourras pas dire, la grande, que tu fais jamais comme les autres!

Je me renfonçai dans mon coin de siège, me contentant de savourer en silence le plaisir de la randonnée. Ils nous ramenèrent à la maison et décidèrent de repartir seuls, sans nous dire où ils allaient. Je fis entrer mes frères et sœurs. C'est moi qui les lavai et les préparai pour la nuit.

Une nouvelle ère venait de commencer. Ma mère avec sa nouvelle auto allait sortir de plus en plus, me laissant le soin de garder les autres jusqu'à son retour.

L'invité de ma mère

Quelques jours plus tard, ma mère allait obtenir son permis de conduire. À partir de ce jour, elle passerait le plus clair de son temps sur les routes. Aussitôt que nous étions partis pour l'école, elle emmenait les plus petits et ne revenait qu'à notre retour. Et, bien sûr, notre père n'était pas au courant.

Un jour, en revenant de la classe, nous avons trouvé la porte verrouillée. L'auto n'était pas là, ma mère n'était pas de retour. Il pleuvait. Nous étions tous là, à attendre qu'elle revienne, sans abri pour nous protéger. J'espérais qu'elle fût rentrée avant que mon père ne revienne de son travail. Malheureusement, il arriva le premier, en auto, avec ses compagnons de travail.

— Qu'est-ce que vous faites là, avec vos sacs d'école, à attendre sur la galerie?

— La porte est barrée, on ne peut pas entrer!

Il nous fit répéter nos leçons pendant qu'il préparait le souper. Nous sentions qu'il était en colère. Nous avons donc mangé en silence, puis lavé la vaisselle et tout rangé dans la cuisine. La longue attente commença. Nous n'osions ni parler ni bouger de peur de le contrarier. Il était assis dans sa chaise près de la fenêtre et se berçait, la tête basse et les bras croisés, songeur et buté.

Bientôt une auto entra dans la cour. L'éclat des phares balaya la vitre. C'était ma mère qui arrivait, mais pas seule; elle était accompagnée d'Arthur. Nous regardions tous par la fenêtre, en nous poussant les uns sur les autres. Ils n'entrèrent pas tout de suite. Mon père ne se leva pas. Il devint immobile. Finalement, ma mère sortit de l'auto ainsi qu'Arthur. Aucune trace des deux petits. Ma mère semblait avoir de la peine à marcher. Je pensai qu'elle avait eu un accident.

C'est ainsi qu'ils entrèrent dans la maison, l'un soutenant l'autre. Elle avait dans la main une grosse cruche brune.

— Salut, mon Gérard! Comment ça va? Comment ça se fait que les enfants ne sont pas couchés?

— Ils voulaient tous voir leur mère arriver dans cet état. Penses-tu que tu as l'air bien intelligente arrangée comme ça? T'es complètement saoule.

En riant, elle reprit :

— Tu devrais faire pareil comme nous autres. C'est le grand temps que tu te déniaises, mon Gérard! Envoye, je vais aller te chercher un verre pis tu vas goûter à ça.

Elle faillit tomber deux ou trois fois en se rendant à l'armoire. Je croyais qu'elle était malade. Arthur était assis à la table et ne parlait pas. Il se contentait de regarder et d'écouter. Je commençai à avoir peur.

— Papa, est-ce que nous pouvons aller nous coucher?

On se demandait où étaient Sylvie et Jean-Marc, mais on n'osait pas poser de questions.

— Oui et je vais y aller aussi.

Ma mère me regarda, furieuse :

— Vas-y te coucher, maudite Grande Noire et laisse faire les autres. T'as pas besoin des autres pour dormir, alors va-t'en te coucher et laisse-nous tranquilles.

Je ne répliquai pas et montai vers ma chambre, suivie des autres et de papa.

— Allez, les enfants, dormez vite. Je ne veux pas monter une deuxième fois, compris!

Et il descendit les rejoindre. La fête ne faisait que commencer; plus ça allait et plus ça parlait fort. Je ne pouvais dormir, ils faisaient trop de bruit; j'étais très inquiète des petits... Chacun dans son lit, les enfants avaient les yeux grand ouverts, les couvertures tirées jusqu'au menton; ils étaient effrayés de cette nouvelle situation.

Des verres et des bouteilles furent brisés. Ils tombaient par terre avec leur chaise. Je fis rapidement mes prières afin de conjurer le mauvais sort et faire qu'ils aillent se coucher bien vite. C'était inquiétant, un tel vacarme. Je finis pourtant par m'endormir, mais déjà le jour commençait à se lever. Je m'endormis, la tête sous les couvertures, ma poupée serrée dans mes bras.

À mon réveil, je fis lever les autres, car nous devions nous rendre à l'école. Je descendis la première. La cuisine était sens dessus dessous. Je n'avais jamais vu un tel carnage chez nous. Des bouteilles et des verres renversés ou cassés, des chaises sur le dos, des grandes flaques de bière sur le plancher. La grosse cruche brune que ma mère avait apportée avec elle était presque vide, et, tout près de la porte, une caisse de bière, vide, elle aussi. Je pus ramasser un peu, nettoyer la table, et préparer le petit déjeuner. Avant de partir pour l'école, je voulus m'assurer que les parents étaient bien là. Ils étaient là, tous les deux, affalés sur le lit, tout habillés. Ils semblaient dormir profondément. Je fermai la porte tout doucement.

Je me rendis ensuite au salon. Arthur était là, qui dormait sur le divan; il ronflait. Je revins sur mes pas, et sans faire de bruit nous partîmes pour l'école.

À l'heure du dîner, mon père était levé. Il était assis au bout de la table, la tête entre les mains :

— Maudite boisson!

Il avait l'air tellement malade, je ne l'avais jamais vu dans cet état. Puis vint Arthur, tout perdu, se demandant ce qu'il faisait chez nous. Ma mère se traîna vers le frigidaire pour boire un Pepsi presque d'une seule traite en maugréant.

— Comment ça se fait que je me sois pas levée à matin? Pourquoi vous m'avez pas réveillée. Et toé, Gérard, pourquoi t'es pas allé travailler, c'est pas samedi aujourd'hui.

— J'ai fait comme toé, j'ai passé tout droit. T'inquiète pas, je vais y aller cet après-midi. J'ai assez perdu de temps comme ça. C'est de ta faute aussi, si tu m'avais pas fait prendre un coup, ça serait jamais arrivé. Je serais à mon travail à l'heure qu'il est.

Et la chicane reprit de plus belle. Ma mère dit à mon intention :

— Qu'est-ce que t'attends pour faire à dîner « nannoune »?

— Qu'est-ce qu'on va manger?

— Regarde dans le frigidaire et faites-vous à manger. À ton âge, ça faisait longtemps que je me grouillais le derrière.

Mon père intervint :

— Parle pas, Martha. Quand je t'ai mariée, tu savais même pas faire cuire une patate sans la faire brûler. C'est moi qui t'ai tout montré, alors ferme-la, ta sacrée gueule sale pis arrête de chialer après les enfants.

Ma mère était rouge de colère. L'engueulade reprit à mon sujet. Arthur, qui était là à écouter, décida soudain d'y mettre un terme. Peine perdue. C'était pire encore. C'est dans cette atmosphère que nous avons mangé nos sandwiches et que nous sommes retournés à l'école. Mon père sortit pour aller travailler, laissant ma mère et Arthur ensemble. Ce fut la plus grande erreur de sa vie.

À notre retour, Arthur était encore avec ma mère, une bière à la main. De plus, ma mère avait récupéré les petits, sains et saufs, sans aucune explication. J'étais soulagée. Arthur nous avait acheté des friandises : des chocolats, des chips, de la liqueur; une vraie fête. Comme les autres je m'approchai de la table.

— T'as pas besoin de ça. Laisse ça là!

Étrangement, Arthur essaya de prendre ma part, de faire comprendre à ma mère de ne pas être injuste, de me traiter comme les autres.

— Toi aussi tu prends pour elle! Je l'haïs, sa maudite p'tite face, qu'elle s'efface de moé! Envoye, prends-les, tes maudits bonbons, et débarrasse!

J'étais incapable de me retenir. Je pleurais à chaudes larmes.

En me giflant, ma mère me dit :

— Vas-tu la fermer, ta maudite gueule! T'es mieux de t'arrêter avant que ton père arrive parce que tu vas avoir affaire à moi lundi matin, O.K.! là?

— Oui, maman, oui!

Puis mon père est revenu du travail et tout s'est déroulé normalement. Après le souper, ils ont commencé à fêter avec Arthur. Encore une fois, ils ont gueulé, chanté, crié jusqu'aux petites heures du matin. C'est à partir de ce moment qu'ils ont pris l'habitude de boire. De plus en plus, mon père manquait des journées d'ouvrage. Ils en étaient arrivés au point où ils me faisaient manquer la classe pour que je garde mes frères Jean-Marc et Patrick qui n'allaient pas encore à l'école. Et surtout, on voyait Arthur à toutes les fins de semaine. Les commérages allaient sûrement bon train.

Toute cette bière apporta de gros changements dans notre existence. J'étais presque obligée de tout faire dans la maison : laver, étendre le linge sur la corde, repasser, laver et cirer les planchers à genoux et les frotter jusqu'à ce qu'ils brillent. Les autres petites filles jouaient encore à la poupée mais moi, j'avais une vraie maison pour m'exercer. Au début, ma mère m'aidait à tout faire et si, par malheur, je faisais quelque chose qui n'était pas à son goût, je recevais une taloche derrière la tête. Je me sentais maladroite, les mains pleines de pouces. Je voulais tellement bien faire que je faisais tout de travers. Après quelque temps, quand elle jugea que j'avais bien appris ma leçon, elle s'assit et me regarda faire. Elle ne cessait de critiquer mon travail. Moi, j'avais peur d'elle, de ses colères, et plus j'avais peur, plus j'étais maladroite. Jamais elle ne m'a remerciée ou félicitée pour ma bonne volonté. Jamais. J'étais, pour elle, pire qu'une servante, juste bonne à être chialée et battue. Jamais un sourire, jamais le moindre soupçon de satisfaction même quand j'avais travaillé à la limite de mes forces. J'étais comme un chien, toujours à ramper devant elle, toujours à quêter un peu de caresses du bout des doigts, du bout des lèvres, pour à la fin me faire sans cesse rabrouer, pour me faire repousser du bout du pied. J'avais un juge et un bourreau pour mère.

La gardienne

Je me rappelle un samedi, où mes parents étaient sortis depuis le début de la journée. Une gardienne nommée Michèle s'occupait de nous. Nous l'aimions beaucoup. Elle inventait de nouveaux jeux, nous racontait des histoires, elle était gentille et patiente. Nous respections son autorité. Avec elle, je redevenais une petite fille presque joyeuse.

Comme à l'habitude, mes parents revinrent avec

Arthur et complètement saouls. Ils titubaient en baragouinant, la bouche pâteuse, des paroles presque incompréhensibles. Chacun avait une bouteille de bière
à la main. J'avais honte, je les détestais. Arthur venait
de plus en plus souvent à la maison. Mes parents le
considéraient comme un ami et cela nous était bien
égal à nous, les enfants, car il était très gentil avec
nous et souvent il réglait les chicanes entre mes parents. Ils s'assirent tous autour de la table en rigolant.
Le party continuait. Bien sûr, la chicane finit par prendre entre mon père et ma mère. J'avais peur; nous
avions tous peur, y compris Michèle la gardienne. Je
l'ai bien vu dans ses yeux. Elle demanda à ma mère si
elle pouvait partir.

— Va t'asseoir, je te dirai quand partir! O.K. Attends!

Le visage de Michèle était rouge de gêne et de
colère. Elle ne savait plus où se mettre.

Comme ils manquaient de bière, ils décidèrent
d'aller en acheter. Ils sortirent donc en zigzaguant.
Nous nous regardions à la dérobée en soupirant de
soulagement. Pourvu qu'ils ne tombent pas dans l'escalier; nous aurions la paix pour le reste de la veillée.
Comme ils avaient oublié de fermer la porte en sortant, je me levai de ma chaise. Ils étaient encore sur la
galerie et s'apprêtaient à descendre lorsque je vis Arthur donner une poussée à mon père, qui n'a pu faire
autrement que de tomber à la renverse du haut de
l'escalier. Je voyais ma mère et Arthur qui riaient en
descendant, se foutant éperdument de mon père, qui
ne bougeait plus, assommé. Il revint vite à lui en criant
qu'il avait mal. Ma mère lui dit de cesser de se lamenter et perdit pied à son tour. Je regrettai qu'elle réussisse à s'agripper. J'aurais tant voulu qu'elle se tue. Je
la haïssais tellement.

Mon père était allongé sur le trottoir et ne cessait

de se plaindre. Je demandai à Dieu de l'épargner, car il aurait pu se tuer en se cognant la tête sur le ciment. Je criais et me lamentais en haut de l'escalier. Michèle me tira par le bras à l'intérieur de la maison, car les autres commençaient à s'affoler et à pleurer. J'étais la seule à savoir qu'Arthur avait poussé mon père. Je le considérais désormais comme un faux jeton, de mèche avec ma mère. Il voulait se débarrasser de mon père. Il l'avait poussé délibérément. Il voulait donc le tuer. Je courus me réfugier dans la salle de bains en pleurant à chaudes larmes. Heureusement, car ma mère revint soudainement.

— Gérard est blessé. Il faut que j'appelle quelqu'un pour le monter à l'hôpital. S'il n'est pas capable de prendre de la boisson sans se tenir debout, qu'il reste à jeun. C'est un maudit niaiseux et en plus il me fait perdre ma veillée!

C'est un de mes oncles qui vint pour reconduire mon père à l'hôpital. Ils réussirent à le hisser dans la voiture; mon père continuait à se lamenter, il semblait tout mou. Ma mère s'assit auprès de lui, mais Arthur, pour sa part, revint vers la maison; il restait avec nous. La soirée se passa à attendre des nouvelles et à placoter avec Arthur. À un certain moment, il nous demanda de venir dans la salle de bains et nous le suivîmes, car nous n'avions aucune raison de le contredire. Michèle berçait un des petits dans la cuisine. Il referma la porte derrière nous et mit le verrou. Il nous dit qu'il nous aimait comme ses propres enfants, il nous promit toutes sortes de bonnes choses et nous dit qu'il allait nous faire une bonne vie... Nous ne comprenions rien. Il nous dit alors de baisser nos culottes de pyjama et nos « bobettes ». Nous avons refusé en prétextant que notre mère ne voulait pas et que ce n'était pas bien de faire ça.

— Je ne le dirai à personne, même pas à votre mère, O.K.!

Nous ne comprenions pas pourquoi Arthur nous gardait ainsi dans la salle de bains, pourquoi il était rouge et respirait si fort. Nous commencions à avoir peur. Alors il se décida à baisser la culotte de Richard. Celui-ci était tellement gêné qu'il se tourna dos à nous pour que nous ne puissions le voir ainsi; il cacha son visage dans ses mains. Mais Arthur le tourna et nous obligea à le regarder :

— Regardez, il n'y a rien de péché dans ça. C'est naturel et c'est beau. C'est le bon Dieu qui nous a faits de même, il ne faut pas avoir honte de ça!

Quand il eut fini son sermon, il prit la main de Diane et lui fit toucher le pénis de Richard. Elle recula et essaya d'ouvrir la porte, mais la « barrure » était trop haute. Il nous raconta que ma mère lui avait tout dit au sujet du *bonhomme Beaulieu*. Je ne savais plus quoi penser. Il avait détaché son pantalon et s'apprêtait à sortir son pénis lorsque je réussis à déverrouiller la porte et m'enfuis dans la cuisine. Attirée par le bruit, Michèle arrivait.

— Qu'est-ce qui se passe là-dedans?

Affolée, je lui racontai tout, en lui faisant promettre de ne rien dire. Elle devint blanche comme un drap :

— Je m'en vais! Je ne reste pas une minute de plus icitte!

Soudain Arthur sortit de la salle de bains, les autres le suivaient. Il demanda à Michèle :

— Où vas-tu comme ça?

— Je m'en vais chez nous! On n'a pas besoin de deux gardiens dans la maison.

Arthur lui barra la route pour l'empêcher de sortir. Elle s'éloigna; elle avait peur. Il se mit à rire et à la poursuivre en disant :

— Donne-moi un bec et je te laisse partir, O.K.!

— Non, laissez-moi partir, maudit vicieux!

Il réussit à l'attraper et à la serrer contre lui en lui disant qu'il l'aimait, qu'elle était belle. Elle se débattait de toutes ses forces et réussit à s'échapper en courant vers la porte. Elle cria en sortant :

— Vous direz à votre mère que je ne viendrai plus jamais garder chez vous!

Elle sortit en claquant la porte; Arthur riait comme un fou. Il me faisait peur, je courus me réfugier dans le fond de la cuisine. Il dit à mes sœurs :

— Vous autres, vous êtes gentilles, vous êtes pas comme elle, elle veut rien savoir de moé. Tant pis, vous autres, je vas vous acheter des bonbons, des chips. Mais elle, elle aura rien de moé. Si Élisa veut se rattraper, qu'elle vienne me voir et j'oublierai tout.

Comme je ne bougeais pas, il se leva de sa chaise. Je me levai aussi. Il commença à me poursuivre tout autour de la table. J'étais comme un animal affolé, décidée à ne pas me laisser prendre. Il essaya la manière douce en me parlant gentiment. Rien n'y fit, je ne voulais pas l'écouter. Il me poursuivit de nouveau, en colère. Par chance, il était encore saoul et j'étais plus rapide que lui. Je réussis à lui échapper de nouveau. Finalement, il abandonna pour s'installer dans la berceuse avec mes sœurs sur ses genoux. J'avais beau leur faire des signes pour qu'elles s'enlèvent, elles avaient trop peur pour bouger. Alors je me calmai un peu, et je m'assis au bout de la table pour le surveiller. Mais j'étais assise juste sur le bout des fesses afin d'être prête à déguerpir au moindre mouvement de sa part. Il commença à me faire des menaces pas très drôles.

— Je vais dire à ta mère que tu ne m'as pas écouté, tu vas voir qu'elle va s'occuper de toé... elle.

J'essayais de ne pas tenir compte de ses paroles, de ses menaces. Je me contentais de le surveiller et il continuait de radoter sur mon compte. J'avais l'habitude d'être battue pour des riens par ma mère; même si je lui cédais, ma mère trouverait encore un prétexte pour me frapper. Pourtant les paroles d'Arthur me faisaient peur. Il me dit qu'il ne m'aimait pas, que ma mère faisait bien de me corriger et que dorénavant il ne ferait rien pour prendre ma part. Je me suis mise à pleurer en pensant qu'il y en avait un de plus sur mon dos. Il répétait :

— Tu vas voir, je vais le dire à ta mère!

— C'est moi qui vais lui dire ce que vous avez fait dans les toilettes!

— Ça fait rien; elle ne te croira pas.

J'avais pris mon courage à deux mains pour lui répondre. Lui se contenta de me regarder en glissant ses mains dans la culotte de pyjama de mes sœurs. J'en avais assez vu, j'étais écœurée. Je décidai d'aller me coucher et mes frères me suivirent. Un peu plus tard, il vint coucher mes sœurs en les embrassant sur la joue. Je me cachai sous les couvertures, et il quitta la chambre.

Quand j'entendis arriver mes parents, je me glissai près de la porte afin de voir ce qui se passerait. Mon père avait la tête entourée d'un pansement. Il avait peine à marcher et se plaignait d'un mal de tête. Ils l'amenèrent au salon pour l'étendre sur le divan. Je retournai dans mon lit de peur que ma mère ne vienne faire son inspection; mais j'étais bien décidée à ne rien perdre de leurs paroles. Je voulais savoir ce qu'Arthur raconterait à mon sujet. Je n'entendais que mon père qui se lamentait et ma mère qui disait :

— C'est un maudit imbécile qui n'est même pas capable de rester debout. J'ai perdu ma veillée à cause de lui... Ferme ta gueule, Gérard; t'es pas mort, prends ton mal en patience!

Ils décidèrent d'aller prendre une bière en ville. À part les faibles plaintes de mon père, c'était le silence le plus complet. La paix, la vraie paix.

Pourtant je me réveillai en sursaut. J'entendais des pas pesants qui venaient vers notre chambre. Je me replongeai sous les couvertures, ne gardant qu'un faible espace pour voir d'un œil. C'était mon père... Il était tout nu... Il ferma soigneusement la porte de notre chambre avant de s'en retourner vers la sienne. Ouf! quel soulagement. Il n'était pas devenu comme Arthur.

Bien sûr, le lendemain matin, ils ne purent se lever. Ils firent bien quelques tentatives, mais ils avaient trop mal à la tête. Ma mère fit le déjeuner et ils retournèrent se coucher. Très doucement, je commençai à mettre de l'ordre. Je voulais que tout reluise afin qu'elle n'ait pas de raison de me chicaner à son réveil. L'heure du dîner était passée et les enfants avaient faim. Je fis cuire des patates et du « balloné ». J'étais fière de moi; pour la première fois j'avais réussi toute seule à faire le dîner. Je me trouvais débrouillarde et bonne gardienne. J'avais presque hâte que ma mère se réveille pour voir sa surprise. Elle était encore endormie quand elle vint dans la cuisine :

— C'est toé qui s'est pas mêlée de ses affaires, maudit grand talent? Y faut ben que tu fourres ton nez partout. Et vous autres, vous étiez pas capables d'attendre un peu, bande de crève-faim? On dirait que vous n'avez jamais mangé de votre vie. Vous êtes bons d'avoir mangé ça! Vous aviez pas peur de vous faire empoisonner par elle?

Elle s'approcha de moi avec sa maudite ceinture. Elle ne regardait pas où elle donnait des coups. Ça arrivait de tous les côtés. Je portais une petite robe courte et elle en profita pour me fouetter les cuisses. J'avais de grosses marques rouges qui enflaient. J'en avais sur le visage, sur les bras et sur les jambes. Ça faisait mal, ça cuisait... Je criai à ma mère de s'arrêter. Afin de me faire taire, elle me donna un coup sur la bouche si fort que je me mis à saigner.

— Si tu fermes pas ta grand'gueule, tu vas en avoir d'autres.

J'essayais de ne plus pleurer, mais j'en étais incapable. Elle me serra les bras et me fit asseoir durement sur une chaise. J'avais mal; les cuisses me brûlaient. Je la regardai en pensant : *J't'haïs, maudite folle, va-t'en, je veux plus te voir.*

Pourtant je n'avais rien fait de mal. J'avais juste essayé de lui rendre service. Je ne comprenais plus rien. Elle allait me rendre folle. Mon père et Arthur se levèrent en se demandant ce qui pouvait bien se passer pour faire un tel vacarme.

— Qu'est-ce qui se passe, ma foi du bon Dieu? On peut donc pas dormir en paix?

— Plutôt que de chialer, tu devrais t'occuper de ta Grande Noire assise là-bas!

La peur m'envahit; je n'allais tout de même pas subir la colère de mon père aussi! Qu'on me laisse respirer un peu. La chicane reprit entre eux à mon sujet. Voyant qu'il n'allait pas me battre, ma mère se mit à lancer tout ce qui lui tombait sous la main. C'est Arthur qui s'interposa :

— J'suis écœuré d'entendre chialer!

— Toé, prends donc la porte, dit mon père. Si tu la prends pas, je vais faire ce que tu m'as fait hier soir. Je sais que c'est toé qui m'a poussé en bas. J'étais pas si chaud que ça, alors fais attention!

Et la dispute reprit de plus belle entre mon père et Arthur, dispute où il était surtout question de ma mère. Dispute de coqs pour une poule.

J'essayais de filer doux et je demandai à ma mère si elle avait besoin de moi :

— Remets la table!

Et le reste de la journée se passa dans la bière, comme d'habitude. Puis ils sont sortis ensemble et j'ai gardé toute la soirée.

Le seau d'eau

Le lendemain, ma mère lavait le plancher. Elle était affairée et pas du tout d'humeur à se faire déranger. Comme j'avais le don d'être toujours dans ses jambes, elle m'ordonna d'aller ailleurs. Je devais passer tout près d'elle afin de ne pas marquer le plancher fraîchement lavé. Je ne me fis pas prier et, comme j'avais une peur bleue de me faire disputer, je m'empressai de passer le plus vite possible, mais... au même moment elle se releva. Ayant une peur d'elle tout à fait incontrôlable, je crus que j'avais encore fait quelque chose de mal et qu'elle voulait me corriger. Je sautai donc en arrière, ce qui me fit tomber dans le seau d'eau savonneuse. Ma mère, en colère contre mon insignifiance, se mit à me fouetter le visage avec sa guenille mouillée. Puis elle m'agrippa par le bras et me tira du seau en me traitant de tous les noms. J'avais très peur; j'étais énervée; je ne savais plus où me mettre. Je ne savais pas si je devais rester mouillée ou me changer... Je restais plantée là, à dégoutter sur le plancher. Elle alla me chercher un pantalon sec et je me changeai. Elle ne faisait que répéter :

— Regarde le dégât que t'as fait, t'es contente? T'es même pas capable de te tenir deboutte.

Elle remplit à nouveau son seau et recommença son travail. Elle travaillait à genoux, en frottant vigoureusement le plancher. J'aurais voulu disparaître, me faire oublier. Je devais donc passer près d'elle pour aller là où elle m'avait dit d'aller précédemment, mais elle me cria :

— Passe pas par là, je viens juste de laver. Tu vois pas clair?

Même scénario, je sursautai violemment et reculai... pour tomber encore une fois dans le seau d'eau. Quelle ne fut pas sa colère! Elle me traîna dans ma chambre pour me battre avec sa ceinture. La plus belle volée de ma vie pour le plancher le plus propre...

Les boules noires

Un jour, revenant de l'école, je surpris mon frère qui ramassait des bouteilles vides. Il apportait ces bouteilles dans un magasin et en ressortait avec un petit sac contenant des boules noires qu'il dégustait avec plaisir. Il était défendu, chez nous, de s'acheter des bonbons et encore plus de vendre des bouteilles vides. Je le surpris en pleine dégustation et menaçai de le dénoncer s'il ne partageait pas avec moi. Je monnayai mon silence pour le prix d'une seule de ces petites boules si appétissantes. C'était un vrai délice! Trop dures pour les croquer, il fallait les sucer lentement, couche après couche, couleur après couleur, pour finalement arriver à un petit grain d'anis au goût étrange et irrésistible. J'en faisais une vraie obsession. Comme mon frère, je m'étais mise à ramasser des bouteilles et à les échanger contre les précieux bonbons. Un jour que j'apportais ma cueillette au restaurateur, il m'avertit que c'était la dernière fois qu'il prenait mes bouteilles et qu'il allait avertir mes parents de mon petit commerce. Je le suppliai de n'en rien faire et je sortis du magasin en serrant mon sac contre moi. Bien entendu, j'allais les déguster bien plus attentivement que d'habitude. J'ouvrais le sac, en faisant bien attention de ne pas me faire voir de mes frères ou de mes sœurs, j'en sortais un bonbon et je le mettais dans ma bouche. Parfois, je le ressortais pour voir la couleur. Je refermais le sac et je continuais ma route vers l'école. C'était tellement bon. Mais lorsque je glissai le sac à moitié vide dans ma poche, je m'aperçus que mes gants – car je portais des gants blancs – étaient devenus tout noirs et tachés. Idiote que j'étais; j'étais trop préoccupée à surveiller les autres pour m'apercevoir que je salissais mes gants. Je savais que ma mère s'en rendrait compte et que je devrais donner des explications. Toute la journée, j'essayai de trouver une excuse. Je n'osai même pas imaginer ce qui allait m'arriver. Ce qui toutefois ne m'empêcha pas de manger le reste des boules sur le chemin du retour. Mais cette fois-là, j'avais enlevé mes gants.

Immanquablement, ma mère, dès mon arrivée, remarqua l'absence des gants.

— Où as-tu mis tes gants blancs?

— Dans ma poche, maman.

— Sors-les, j'veux les voir!

Je savais que j'étais mûre pour une volée. J'avais si peur que je croyais entendre mes genoux trembler. Je me reculai, mais elle me rattrapa par les cheveux en disant :

— Attends un peu! Tu vas me dire ce que t'as fait avec ces gants-là!

— Je les ai salis sur les barres de fer noires qui sont en face de l'école. J'ai pas fait exprès. Je savais pas que ça salissait.

— Tu t'en passeras de tes gants. Je vais les donner à ta sœur pour ta pénitence.

Je n'osai rien dire. Je me contentai d'aller m'asseoir dans mon coin habituel. Pourtant, un sombre soupçon ne me quittait pas. Je voulus vérifier si j'avais la langue toute noire.

— Maman, je peux-tu aller à la toilette?

— Vas-y, mais que ça te prenne pas une heure, car je vais aller te chercher.

Je montai sur le bol de toilette et, debout, sur le bout des orteils, je pus me voir dans le miroir. Je sortis la langue et m'aperçus qu'elle était toute noire. Je pris une débarbouillette et entrepris de faire disparaître la couleur suspecte. Peine perdue, seul le goût du savon acheva de me donner mal au cœur. Je devrais donc garder la bouche fermée sur mon méfait. Muette et coupable, je retournai dans mon coin.

Mon coin, mon domaine. Un bout de mur et une chaise où l'on me renvoyait fréquemment et d'où je ne pouvais même pas voir la télévision. Parfois, quand elle avait le dos tourné, j'avançais ma chaise de quelques pouces et ainsi je pouvais voir l'écran. Mais si elle s'en apercevait, elle me ramenait à l'ordre immédiatement. Si je voulais aller aux toilettes, je devais demander la permission. Si je devais faire mes devoirs, je devais également demander la permission. À l'heure des repas, je devais attendre son ordre pour m'avancer avec les autres à table. Pour aller me coucher, elle me disait :

— Va te coucher, c'est le temps!

Mon père se taisait; il me regardait tristement, mais il se taisait de peur de raviver de vieilles disputes qui devenaient très vite violentes. D'ailleurs, ma mère disait toujours :

— Là où elle est, au moins, elle ne brise rien et ne fait pas de mal.

Les rares fois où mon père prit ma défense, elle me le fit payer chèrement le lendemain, au moment où il était au travail. Mes frères et mes sœurs avaient trop peur pour dire quoi que ce fût. C'était moi qui servais d'exutoire; et bien entendu, personne n'avait envie de prendre ma place. Le mieux qu'il pouvait m'arriver, c'était d'être confinée à mon coin. Je m'habituais peu à peu.

Le gros chien noir

L'hiver s'étirait. C'était une belle journée de soleil frisquet, une belle journée de fin d'hiver. Mon père m'envoya chercher du lait chez le voisin qui était fermier. Il n'habitait pas trop loin, à quelques maisons de chez nous, juste de quoi faire une bonne marche. Je mis mon manteau, pris la petite chaudière et sortis dehors. Il était bon de respirer ce vent glacé, toute seule, sans personne pour me commander ou me faire des reproches. Je marchai lentement afin d'avoir le plus de temps possible de liberté. Je n'étais pas pressée de revenir à la maison.

Chez monsieur Girard, tout se passa bien. Il me remit la petite chaudière pleine de lait en ayant bien soin de refermer le couvercle hermétiquement. J'étais contente. Je me sentais bien. Sur le chemin, devant moi, il y avait un gros chien noir. Je n'étais pas très brave et je changeai de côté. Il me suivit et vint vers moi en battant de la queue. Je marchai de reculons en criant :

— Va-t'en! Va-t'en, il faut que je rentre chez moi!

Il se jeta sur moi, les pattes sur mes épaules. Je tombai sur le dos et le chien commença à me lécher le visage, sans me mordre. J'essayai de le repousser, mais il était trop lourd. Je me mis à pleurer, à crier, mais le chien me léchait de plus belle. Son museau froid me chatouillait le cou, mais j'avais bien trop peur pour me raisonner. J'entendis soudain des gens crier; enfin on venait à mon secours. Ils sont vite parvenus à faire déguerpir le gros chien. L'un m'aida à me relever, l'autre me demanda, tout en me tendant le seau, si le chien m'avait fait mal. J'avais eu plus de peur que de mal. Je m'époussetai, vérifiai si la chaudière était intacte. Comme tout était parfait, ils me saluèrent et je repris ma route. Au loin, je vis mon père venir à ma rencontre. Il tenait quelque chose dans ses mains, mais nous étions trop loin l'un de l'autre pour que je distingue de quoi il s'agissait. Quelques pas de plus et mes pires appréhensions se précisèrent. C'était bien mon père et, en plus, il tenait une ceinture; « la » ceinture. Il semblait dans une terrible colère. Je commençai à pleurer en demandant :

— Qu'est-ce que j'ai fait, papa?

— Crisse, ça te prend deux heures pour aller chercher du lait.

Il commença à me donner des coups sur les jambes. J'avais seulement un petit collant à peine assez épais pour me protéger du froid. Ça faisait très mal. J'essayais d'éviter les coups en sautillant. Il continua pourtant à me fouetter les jambes jusqu'à la maison. Je pleurais, je le suppliais de cesser, j'essayais de m'expliquer, mais rien n'y faisait. Nous avons continué ainsi, lui en colère et me battant et moi, sautillant et pleurant. Dans la maison, il me dit:

— J'aurais dû y aller, ça m'aurait pris cinq minutes plutôt que deux heures. Et il a fallu que je m'habille pareil pour aller te chercher.

J'essayai de m'expliquer, de raconter l'histoire du chien, mais il m'interdit de parler et m'envoya dans mon coin. Je me dis que ça aurait pu être pire.

Le dix dollars

Le printemps est vraiment une saison très appréciée des enfants. La fonte des neiges nous réserve toujours de bonnes surprises. Des vieux jouets oubliés, des bouteilles vides, des sous noirs et plus rarement des sous blancs; merveilleux trésors qui nous permettaient de nous acheter des gâteries.

Un jour, en revenant de l'école, je trouvai un beau billet de dix dollars juste devant la maison de monsieur Lemieux. Je sonnai à sa porte pour lui demander s'il lui appartenait. Comme il n'avait perdu aucun billet, il m'assura que je pouvais le garder. Je marchai plus vite, car j'avais hâte de le montrer à ma mère. Je croyais naïvement qu'elle serait contente de ma trouvaille et qu'elle ne me battrait plus jamais.

Après m'avoir jeté un coup d'œil, elle ne prit

même pas la peine de dire un seul mot et m'arracha le billet des mains.

— Tu m'as volé dix piastres! Tu l'as pris dans mon portefeuille; espèce de voleuse!

Elle pointa sa chambre du doigt en menaçant :

— Va t'étendre sur mon lit, tu vas voir!

J'avais si peur. Je me rendis dans la chambre pendant qu'elle allait chercher la ceinture. Elle m'ordonna de baisser mon pantalon, ce que je fis sans répliquer, car je savais ce qu'il en coûtait d'essayer de lui résister.

— Tu vas savoir ce que c'est que de voler.

Elle me corrigea pour le prix de mon soi-disant forfait. Comme j'étais misérable! Et dire que j'étais contente de lui remettre ce maudit billet de dix dollars. Voilà! c'était ma récompense. J'aurais dû simplement me taire et le garder. J'aurais pu ainsi le dépenser à ma guise. Je voulais tant l'amour de ma mère.

Quelques minutes après, elle alla vérifier dans son tiroir de bureau et revint en disant :

— Tu m'avais dit la vérité, car je viens juste de trouver mon dix dollars. Mais c'est pas grave. La volée que je t'ai donnée va remplacer celle que t'as pas eue. Je ne sais toujours pas d'où vient ce dix dollars.

Je la maudissais au fond de moi. J'aurais voulu l'écraser comme une bestiole malfaisante. Elle reprit :

— Le dix dollars, je le garde, il est à moi maintenant.

Et je me retrouvai dans mon coin, comme d'habitude à tourner et à retourner mes pensées qui n'étaient pas bien belles envers ma mère. Elle était méchante et injuste.

Le retour d'Arthur

Je ne me souviens pas de la raison pour laquelle nous avons dû déménager. Je sais seulement que nous

73

sommes allés chez le voisin et que celui-ci a pris notre maison. C'était très comique de voir les caisses se promener, car les deux déménagements eurent lieu la même journée, en même temps. La moitié des meubles ont été transportés manuellement d'une maison à l'autre et vice-versa, dans un concert de cris, de sacres et de rires d'enfants. Le même camion a servi pour les meubles lourds des deux familles.

Le nouveau logement était beaucoup plus spacieux que l'autre, car nous pouvions utiliser l'étage. Cela nous donnait quatre chambres de plus et une grande cave où trônait une immense fournaise à bois. Papa était très content; il pensait même acheter la nouvelle maison. Une nouvelle ère venait de commencer.

Les jours suivants, Arthur vint aider mon père à bâtir un garage pour l'automobile de ma mère. Il fallait penser remiser l'auto pendant l'hiver. Arthur venait à la maison très souvent. Il était facile pour nous tous de remarquer le lien qui se formait de plus en plus étroitement entre ma mère et lui. À mes yeux, ma mère en était follement amoureuse. D'ailleurs, un jour, elle nous déclara à nous, les enfants, qu'elle l'aimait et qu'elle avait l'intention de quitter notre père. Elle voulait que nous l'acceptions et que nous l'appelions *papa*. Elle voulait même que nous l'appelions ainsi devant notre père. Bien sûr, c'est moi qui fus choisie pour faire la première tentative. Elle pensait que la cassure serait plus vive, si moi, sa préférée, je choisissais un autre père. Je savais que ma mère désirait que je me fasse haïr de mon père. Je ne voulais pas faire ce jeu-là. Je ne voulais pas faire une telle peine à mon père. Cependant je n'avais pas le choix: ma mère me menaçait des pires sévices si je n'obéissais pas. Comme j'avais le cœur gros! Mon père allait me haïr sans savoir vraiment la cause de mes actes ou de mes paroles. J'allais servir encore à tout briser, à bouleverser notre vie, à faire de la peine à la seule personne qui avait de la tendresse pour moi.

Lorsque mon père revint du travail, Arthur était déjà à la maison. Il demanda à ma mère de lui remettre le livret de Caisse et il sortit sans rien dire, sans leur accorder le moindre regard. Il se rendit au village et revint peu de temps après. Je le vis, par la fenêtre, qui marchait d'un pas vif et résolu. Ma mère aussi le vit et vint se réfugier tout près d'Arthur en lui parlant tout bas. Elle était pâle comme un drap. Mon père entra en claquant la porte, il était furieux.

— Martha, veux-tu ben m'dire ce que t'as fait de mon argent? J'arrive de la Caisse pis j'ai pus une crisse de cenne. Tu m'as ruiné, ma câlisse, jusqu'au bout des doigts. J'ai pus une crisse de cenne! Quand je pense que je te donnais toutes mes économies pour que t'ailles les déposer à la Caisse! Je voulais acheter cette maison, et j'ai pus une crisse de cenne! Qu'est-ce que t'as fait avec mon argent, câlisse!

Papa était comme fou. Il criait et gesticulait. Il finit par se mettre à pleurer comme un enfant. À cette époque, les dépôts et les retraits étaient inscrits à la main dans le livret de Caisse. Il avait été facile à ma mère d'inscrire des montants fictifs puisque c'est elle qui avait la responsabilité d'aller à la Caisse. Lui, naïf, ne faisait que vérifier le solde.

Il comprenait de quelle façon il avait été berné. Il devinait tout. Il brandit dans sa main l'argent de sa paie en disant :

— Débrouille-toé pour manger. Je ne paierai rien du tout. Avec tout l'argent que tu m'as volé, tu en as assez pour tout payer. Ma paye, j'la bois toute. T'auras pas une cenne noire!

D'une main, il agrippa le téléphone et commanda une caisse de vingt-quatre à l'épicerie, livrée à domicile.

Ma mère n'osait dire un mot. Elle semblait avoir très peur.

— Sortez d'ici, je veux plus rien savoir de vous autres. Crisse ton camp pis emmène tes enfants avec toé!

Elle ne se fit pas prier; elle s'exécuta, suivie d'Arthur et de nous, les enfants. Nous nous sommes réfugiés dans le garage, c'était le seul abri possible.

— Vous voyez comment il est, votre père. À cause de son maudit caractère, on est tous dehors.

Quand le livreur se présenta à la maison, mon père lui répondit en souriant, gentil comme à l'accoutumée, ne faisant voir de rien.

— On va attendre un peu. Ça lui en prend pas beaucoup pour qu'il tombe saoul pis il va finir par s'endormir, comme d'habitude.

Environ une heure après, elle m'envoya voir si mon père dormait. Je sortis du garage et m'avançai très prudemment vers la maison, jusqu'à la fenêtre de la cuisine. Mon père était assis dans sa berceuse et sirotait sa bière tout en fumant. Je revins vers le garage pour faire mon rapport. Ce fut ainsi pendant au moins trois heures. Je devais m'exécuter à toutes les vingt minutes. Quand il fut enfin endormi, elle nous dit de l'attendre, qu'elle reviendrait. En effet, elle revint très vite en disant :

— Vous allez vous coucher, les enfants. Il est assez tard pour vous autres.

Elle nous accompagna à l'intérieur tandis qu'Arthur l'attendait dehors. Elle prit les clefs de l'auto et profita du sommeil de mon père pour vider ses poches. Puis elle disparut avec Arthur et ne revint que le lendemain après-midi.

Parfois, pendant la nuit, et même le lendemain matin, mon père faisait une crise. Il criait, sacrait, il donnait coups de pied et coups de poing partout. Il lançait les chaises dans la maison et, souvent, il partait lui aussi. Je n'ai jamais su si c'était pour rechercher ma mère ou pour se rendre à l'hôtel prendre un verre à son tour.

Avec le temps, cela devint un mode de vie normal. Nous, les enfants, ne dormions presque plus. Nous avions peur qu'un malheur ne survienne. C'était l'enfer. Ma mère ne laissait plus Arthur; elle lui avait même donné une chambre au premier. Il emporta tous ses bagages chez nous et vivait avec nous. Papa n'aimait pas ça du tout, il disait qu'elle lui jouait dans le dos, que sa maison était rendue dans la chambre d'Arthur... Mais il ne faisait rien pour s'en débarrasser. Il était facile d'imaginer qu'Arthur était devenu pour elle plus qu'un simple ami...

Les jours passaient, de plus en plus pénibles à vivre. La bière coulait à flot dans la maison. Un jour, ma mère, en revenant du premier étage, dit à mon père :

— Gérard, je peux-tu te parler tranquillement? Qu'est-ce que tu dirais de placer les enfants? On pourrait sortir comme on voudrait et ça nous coûterait moins cher pour vivre. En plus, ça nous ferait du bien à tous les deux d'avoir un peu de vacances. Penses-tu?

— C'est vrai, je suis rendu tanné des enfants et c'est vrai que ça nous ferait du bien.

J'écoutais leur conversation. J'étais tout énervée. Moi, je ne demandais pas mieux que d'aller demeurer ailleurs et ne plus me faire battre ni crier après; c'était un rêve. Mon père se laissait convaincre. Il disait :

— Je vais abandonner mon travail à la ferme et je vais donner mon nom comme chef-cuisinier dans un chantier. Je vais partir pendant trois semaines ou encore un mois, je ne descendrai pas de la « run ». Tu peux dire à Arthur de descendre, je lui pardonne tout. Mais pas à toi.

Et Arthur descendit du grenier. Ce fut la grande réconciliation. Tous trois réunis, ils commencèrent à boire et à faire la fête. Ma mère fit venir ses frères pour célébrer l'événement. Nous, les enfants, les regardions sans parler, le cœur gros tout de même, car nous ne savions pas ce qui nous attendait. Personne ne s'occupait de nous jusqu'au moment où ma mère me vit :

— Viens un peu icitte, toé!

Bien entendu, je figeai sur place comme à chaque fois qu'elle m'interpellait.

— Marche plus vite, car c'est moé qui va aller te chercher.

Arrivée à portée de sa main, elle me saisit par le bras et me demanda si j'étais capable de faire à manger, si j'étais capable de prendre soin des autres.

— T'es mieux d'être capable. Même si je suis « réchauffée », ça veut pas dire que je suis pas capable de me lever et de te sacrer une maudite volée.

Inutile de dire que je me hâtai de faire ce souper. Je me rappelle que je fis des patates et des tartines de cretons. Richard se mit à critiquer en disant que ce n'était pas mangeable, que ça lui donnait mal au cœur, qu'il n'allait pas manger ça. J'avais beau lui faire les gros yeux, rien n'y faisait. Il me fit la grimace et continua à rouspéter. Évidemment ma mère s'est approchée pour voir ce qui clochait. Je tremblais comme une feuille, je n'avais plus faim. J'avalai ma bouchée péniblement en attendant l'inévitable. Les autres mangeaient en silence.

— Si t'es pas capable de faire à manger, crisse, tu laisseras faire, O.K.!

Pour être certaine que j'avais compris, elle me donna une bonne gifle en plein visage. Les larmes aux yeux, la rage au cœur, je me retirai dans mon coin. Si j'avais pu, je l'aurais fait disparaître, elle et son cher

petit Richard. Il me regardait en rigolant tout en s'em-
piffrant de patates et de tartines.

Monsieur le Vicaire

Un bon matin, ma mère, regardant dans le frigidaire et dans les armoires, constata que la nourriture
commençait à manquer. Alors elle téléphona à sa mère
et à ses sœurs et leur raconta que mon père ne lui
donnait plus un sou pour nourrir ses enfants. Elle se
plaignit qu'il buvait tout son argent et qu'il nous laissait à l'abandon. Quand elle était mal prise, elle se
tournait toujours vers sa famille; cette fois-ci ma grand-
mère et mes tantes se contentèrent de l'écouter et de
sympathiser. Elle eut alors l'idée de demander de l'aide
à monsieur le Vicaire. À cette époque, le curé et son
vicaire aidaient souvent les familles nécessiteuses. Ma
mère reprit le téléphone et recommença son numéro.
Après avoir raccroché, elle se mit à ramasser les
traîneries et à faire un peu d'ordre. Elle nous dit :

— Aidez-moi à faire le ménage, le vicaire va arriver d'une minute à l'autre. Grouillez-vous! Il faut que
ça ait l'air comme du monde.

Il fit une entrée très majestueuse. Nous le regardions comme une apparition. Il nous serrait la main en
nous demandant notre nom, à chacun de nous. Il était
doux et gentil; il nous remit à chacun une médaille de
Jésus. Nous étions gênés et contents et n'en finissions
plus de le remercier. Puis il parla quelques minutes
avec ma mère à voix basse et elle se tourna vers nous
en demandant :

— C'est vrai, les enfants, que votre père ne veut
plus me donner de l'argent pour acheter à manger?

Figés, en rang d'oignons, nous avons tous fait un
signe affirmatif. Elle ajouta qu'il buvait toutes ses
payes, qu'il était sans cœur et irresponsable. Elle avait
les larmes aux yeux. Pour lui prouver notre malheur et

notre désolation, elle se leva et ouvrit les armoires et le frigidaire afin qu'il constate lui-même. Il jeta un coup d'œil et dit :

— Je vais m'occuper de vous envoyer à manger.

Elle commença à pleurer.

— Nous n'arrivons plus à payer nos dettes, il va falloir que je place mes enfants.

— Ne vous en faites pas. Tout va s'arranger. Vous pouvez vous fier à moi, je vais faire mon possible pour vous aider. Excusez-moi, je dois partir.

— Je vous remercie beaucoup. Je ne sais pas ce que j'aurais fait sans vous.

— Si vous voulez me remercier, vous viendrez à la messe dimanche.

Et il sortit en nous saluant. Peu de temps après, un livreur se présenta chez nous avec la nourriture promise. Il y en avait bien pour toute une semaine. Ma mère était toute souriante et heureuse. Elle n'en revenait pas.

Bien sûr, tout cela n'était qu'une comédie. Arthur et elle s'étaient mis d'accord et nous avaient bien avertis d'avance de répondre correctement et de dire comme ma mère, sinon...

Pendant la visite de monsieur le Vicaire, Arthur s'était caché dans le garage. C'est elle qui est allée le chercher lorsque le danger de se faire voir fut passé. Ils riaient de bon cœur. Ils avaient réussi leur coup. Mon père n'en sut rien, car il était au loin; il travaillait au chantier. Mais Arthur était au chômage et passait ses journées à la maison.

Deux semaines plus tard, ma mère téléphona de nouveau à monsieur le Vicaire et lui dit que nous n'avions plus rien à manger encore une fois; même pas de quoi faire un dîner. C'était faux, archifaux et j'avais honte. Quand elle raccrocha, elle et Arthur descendirent à la cave chercher de grosses boîtes de carton. Ils ramassèrent tout ce qu'il y avait de nourriture dans le frigidaire et dans les armoires et les portèrent dans le portique. Elle nous expliqua alors pour se justifier :

— C'est pas Arthur votre père; c'est pas à lui de vous nourrir. Gérard est capable de vous nourrir, surtout toé, ma grande face.

C'était, bien sûr, à moi qu'elle s'adressait.

— Le vicaire vient nous porter encore à manger. Ça va en faire pour plus longtemps. Comme ça on va être deux ou trois semaines sans vous payer à manger, bande de crève-faim. Je vous avertis de rien dire de ça à personne. Que ça vienne surtout pas aux oreilles du vicaire.

Les trois boîtes furent transportées dans le portique. Arthur se rendit au sous-sol pour s'y cacher.

Monsieur le Vicaire ne vint pas; il envoya plutôt le livreur avec la commande d'épicerie. Ma mère riait; elle sautait presque de joie. Elle cria à Arthur de remonter et ensemble ils regardèrent ce qu'il y avait dans les boîtes en riant à perdre haleine. Elle rangea le tout et téléphona à sa mère pour lui raconter. Nous, pendant ce temps, nous devions surveiller à la fenêtre la venue possible de monsieur le Vicaire. Nous avions beaucoup de provisions et eux, plus d'argent pour acheter de la bière. Environ un mois plus tard, elle appela monsieur le Vicaire à son secours; mais cette fois elle n'obtint rien du tout. Peut-être avait-il découvert la supercherie? Je ne le sais pas. Je me rappelle qu'elle disait :

— À quoi ça sert des curés et des vicaires s'ils ne sont pas capables de nous aider!

Dans ma tête d'enfant, je pensais qu'ils étaient punis par le bon Dieu pour le mal qu'ils faisaient. C'était pourtant vrai cette fois, qu'il ne restait plus rien à manger. Peut-être que monsieur le Vicaire s'était renseigné auprès des voisins et avait découvert qu'Arthur vivait avec nous. Plutôt que d'économiser un peu d'argent, ils le dépensaient à sortir et à acheter de la bière. Ils n'étaient plus capables de payer les dettes et ils achetaient à crédit, crédit qui, bien vite, leur ferait défaut. Même le téléphone y a passé; il a été débranché à plusieurs reprises. Pour boire, ils trouvaient toujours le moyen de dénicher de l'argent. Arthur a vendu ses scies mécaniques et même son retour d'impôt. Parfois, nous avions la visite de créanciers qui venaient réclamer leur dû, mais ils repartaient tous bredouilles.

Cocu mais content

Mon père devait revenir du chantier pour passer quelques jours avec nous. J'étais heureuse qu'il revienne, j'avais grande hâte de le voir et de me sentir un peu protégée de ma mère. Elle nous avisa :

— Si jamais vous dites à votre père ce qui se passe icitte quand il n'est pas là, vous aurez affaire à moé lorsqu'il repartira et vous allez regretter d'être venus au monde. Tu dois être contente, « grandes dents »?

Il fallait, bien sûr, qu'elle me ridiculise sans cesse. J'avais ainsi plusieurs surnoms qu'elle prenait plaisir à m'attribuer. Je savais bien que j'avais des grandes dents. J'en avais assez honte. J'en faisais un véritable complexe.

Enfin, mon père arriva. Ma mère l'embrassa; elle faisait semblant d'être heureuse. Je la trouvais menteuse et hypocrite. Arthur, lui, était assis à la table et se roulait des cigarettes; lui aussi se disait heureux de le revoir. Ils ne prirent pas longtemps à déboucher leur première bouteille; les vieilles habitudes revenaient vite.

Le lendemain, après souper, mon père partit au village. Il avait des choses à régler et des amis à voir.

Ma mère nous envoya jouer dehors. Même moi. J'étais surprise, mais heureuse. Après quelques minutes de jeux, j'eus une soudaine envie de faire pipi. Il n'était pas question de faire pipi dehors; c'était une de ces choses formellement défendues. En même temps je ne pouvais m'empêcher de me demander ce qu'elle faisait. J'aurais dû profiter de ma liberté, pourtant je ne pouvais être éloignée d'elle sans me demander ce qu'elle *traficotait*. J'étais curieuse de voir ce qui se passait à l'intérieur. La maison semblait vide. Tout était silencieux. Je voulus me rendre aux toilettes sans me faire prendre. Par mesure de prudence, je vérifiai dans le salon pour m'assurer qu'elle n'y était pas. Je ne voulais pas risquer de subir une raclée pour être entrée sans permission.

Quelle ne fut pas ma surprise! Ma mère était bien là, mais trop occupée avec Arthur pour se rendre compte de ma présence. Ils étaient étendus l'un sur l'autre sur le divan, et ils s'embrassaient. J'en restai muette, paralysée; l'envie d'aller aux toilettes disparut sur le coup. Je voulais m'en aller avant qu'ils ne me voient, mais mes pieds refusaient d'obéir. Soudain ma mère s'aperçut de ma présence :

— Comment ça se fait que t'es rendue dans la maison, toé? Qu'est-ce que tu veux!

— Est-ce que je peux aller aux toilettes, s'il vous plaît?

— Vas-y! T'es rentrée rien que pour ça? T'aurais pu attendre, maudite écornifleuse! Pis dépêche-toé de retourner avec les autres!

J'entrai dans la salle de bains et me dépêchai pour sortir le plus vite possible. Je ne savais que penser. J'étais troublée, j'avais peur. Je sentais bien qu'il se passait quelque chose de mal. En sortant, ma mère me rappela :

— Viens icitte! J'ai affaire à te parler.

Elle était assise sur le divan à côté d'Arthur. Je m'approchai et elle me saisit par le bras; elle me serra tellement fort que j'en tombai à genoux.

— Tiens-toé debout, maudite senteuse! Sans ça tu vas avoir affaire à moé. Si tu dis à ton père ce que t'as vu, t'as pas fini avec moé. Je suis capable de te casser un bras, de t'arracher les yeux... As-tu bien compris, là?

— Oui, maman, je vous jure que je ne dirai rien, c'est certain. Lâchez-moi, maman, vous me faites mal.

— Je ne sais pas si elle a tout vu, si ça fait long-temps qu'elle était plantée là. Dis-nous ce que t'as vu, reprit Arthur.

— Je vous ai vus, vous vous donniez des becs, tous les deux!

Ma mère voulut s'assurer de mon silence.

— Alors tu vas me prouver que tu es de mon bord et pas juste une maudite « stooleuse ». À soir, quand ton père sera arrivé, tu vas lui dire que tu ne l'aimes plus et que ton deuxième père, c'est Arthur. Pis t'es mieux de m'écouter parce que tu vas en manger une câlisse!

— Oui, maman, oui! S'il vous plaît, lâchez-moi; vous me faites mal!

Elle m'avait tellement serrée fort avec ses ongles que de petites gouttes de sang apparaissaient sur mon bras. En tremblant, je sortis rejoindre les autres. J'étais cependant très angoissée à l'idée de dire à mon père ce que ma mère m'obligeait à dire. Cette idée me chicottait tellement que je ne sais plus très bien si j'avais hâte ou non que mon père revienne.

Lorsque mon père arriva, ma mère me serrait de près et je cédai au chantage, la peur aidant. Je lui avouai que je ne l'aimais plus, la gorge serrée et des sanglots dans la voix. Il me regarda avec surprise, stupéfait. Puis il se fâcha contre moi, me traitant d'ingrate et de folle. Il questionna mes frères et mes sœurs qui lui dirent la même chose. Il avait l'air terriblement malheureux. C'était insupportable. Il avait les bras ballants, les mains ouvertes, l'air de se demander vraiment ce qui lui arrivait. Nous appelions mon père « monsieur », et Arthur, « papa ». Je n'avais que neuf ans et je ne comprenais rien à leurs histoires; je croyais que j'avais deux pères; c'était insensé.

Finalement mon père parut ne plus y accorder beaucoup d'importance. C'était des histoires « d'enfants ». C'était peut-être parce qu'il avait bu quelques bières. C'est d'ailleurs dans la bière que se termina la soirée.

Le lendemain matin, nous, les enfants, nous nous sommes levés très tôt. Mon père était déjà debout. Il nous dit de ne pas faire de bruit afin de laisser ma mère se reposer. Il nous fit rire un peu et puis nous demanda :

— Pourquoi appelez-vous Arthur « papa », et moi, « monsieur »?

Chacun piqua du nez dans son assiette. Je répondis, les autres n'osant pas :

— Nous étions obligés. Si je vous l'avais pas dit, maman m'aurait battue.

— Pourquoi?

— Parce que j'ai vu, hier au soir, maman et Arthur qui étaient tous les deux couchés sur le divan et qui se donnaient des becs. J'étais venue pour aller aux toilettes quand je les ai vus. Maman m'a disputée et m'a obligée à dire ça.

Il semblait atterré. Il y eut un long silence, puis :

— Vous continuerez à m'appeler comme ça, O.K.! Dis-moi, Élisa, as-tu vu autre chose?

— Non, papa, ils faisaient rien que ça!

Il était blanc comme un drap. Il se leva et nous prépara à déjeuner. Pendant que nous mangions, il alla s'asseoir dans sa berceuse. Il commença à parler tout seul, à dire des mots que je ne comprenais pas. Peu après, ma mère se leva et vint nous rejoindre pour déjeuner. Elle essayait de parler à mon père, mais il se détournait en serrant les lèvres.

— Qu'est-ce que t'as de travers, toé, à matin?

C'est alors que mon père sortit de son état quasi comateux, se leva et entra dans une colère terrifiante. Jamais je ne l'avais vu dans cet état : il tremblait de tous ses membres, il blasphémait et traitait ma mère de tous les noms possibles. Elle prit peur et recula de quelques pieds, de l'autre côté de la table. Il lui jeta à la tête tout ce que je lui avais révélé. Puis il sortit en courant pour descendre à la cave. Nous l'entendions bardasser; ma mère semblait figée, elle n'osait bouger. Elle me regarda avec des yeux brillants de haine :

— T'es contente, petite crisse? Tu vas en avoir une maudite, tu vas t'en rappeler le restant de tes jours. Je t'avais dit pourtant de fermer ta grande gueule, mais t'as fait à ta tête de cochon!

— Après tout, il fallait bien qu'il l'apprenne un jour ou l'autre!

Elle n'eut pas le temps de m'attraper. Papa remontait de la cave; il avait un couteau de poche dans la main; il se précipita vers ma mère. Une course folle commença autour de la table. Il la menaçait :

— T'es rien qu'une câlisse de putain! J'm'en vas te tuer! T'as fini de rire de moé! J'm'en doutais que tu couchais avec lui, crisse de putain!

Elle réussit alors à se réfugier dans l'escalier et à monter retrouver Arthur. Mon père lança son couteau dans le coin de la cuisine et s'assit à table, la tête entre les mains. Il semblait se calmer.

— Vous avez une mère vicieuse et folle... Le maudit set de chambre neuf que je viens de lui acheter, vous allez voir ce que je vas faire avec.

Il descendit de nouveau à la cave. Richard me dit :

— T'es une maudite folle. Je sais que tu l'aimes ton père et pas maman. Moi, je l'haïs en maudit, mon père, j'aime mieux que ce soit Arthur, mon père!

— C'est pas lui, ton vrai père!

— J'aime plus Arthur que lui!

Papa revint de la cave en tenant une pelle carrée dans les mains. Il s'enferma dans sa chambre à coucher. Il donnait des coups partout, tout en sacrant. C'était infernal. Quand il eut fini, il nous appela :

— Venez voir ce que j'ai fait avec son set de chambre.

Dans la chambre, tout était brisé, dévasté. Le miroir, les bureaux, les tiroirs et le lit, tout était bon pour la poubelle. Papa sortit de la chambre, s'assit dans sa berceuse et n'ouvrit plus la bouche de l'avant-midi. Ma mère et Arthur n'osèrent pas se montrer le bout du nez. Je crois qu'ils étaient en proie à la terreur la plus totale.

À l'heure du midi, papa se leva et, sans rien dire, nous fit à manger. Lorsque le repas fut servi, il cria :

— Arthur, Martha, venez manger, c'est prêt!

Ils descendirent du premier sans oser prononcer une parole et vinrent s'asseoir à table. Personne n'a parlé pendant tout le repas. Ils desservirent la table, rangèrent la vaisselle dans les armoires, toujours sans parler. C'était à n'y rien comprendre : quelques minutes avant, ils voulaient se tuer et maintenant ils se frôlaient sans se toucher, bien poliment. Le pire : ils se sont assis et ont bu tout l'après-midi.

— Veux-tu une bière, Gérard?

— Oui, merci!

C'était le monde à l'envers. Le souper se déroula de la même manière et ils nous envoyèrent nous coucher de bonne heure.

Bien sûr, nous nous sommes levés très tôt le lendemain matin. Mes parents dormaient encore et comme d'habitude mes sœurs se rendirent dans leur chambre pour les taquiner et les réveiller. Je courus derrière elles, pour leur dire de ne pas les déranger. Mais quelle ne fut pas ma surprise de les voir là, tout nus, couchés sans couvertures et tous les trois. Elle était au milieu, mon père à droite et Arthur à gauche. Nous n'avions jamais vu une telle chose à la maison. Mon père se réveilla :

— Qu'est-ce que vous faites là?

Nous n'osions répondre, nous avions peur qu'il s'aperçoive de la présence d'Arthur. Il n'en fit aucun cas.

— Attendez un peu, allez-vous-en dans la cuisine, je vais y aller tantôt!

Ils se sont tous levés et c'était comme si rien ne s'était passé. Arthur était maintenant admis et ce, jusque dans le lit de mon père.

L'abandon

Deux jours plus tard, une violente discussion reprit entre mon père et ma mère. Comme à chaque fois, il la mettait à la porte ainsi que nous, les enfants et Arthur, son cher Arthur. Je suppose qu'il s'était rendu compte qu'il était absurde de tout démolir dans la maison; pourtant ce qu'il fit ne démontra pas une grande amélioration de sa part. Comme à chacune de ses colères, nous nous étions réfugiés dans le garage; tous les enfants, barricadés avec la mère, l'amant et l'automobile. Cette fois-là, il profita de notre « réclusion » forcée pour ramasser tout le linge de ma mère, le sortir dehors à bout de bras, disposer le tout sur le sol, derrière la maison, et y mettre le feu. Ma mère le regardait faire, la main sur la bouche pour s'empêcher de crier. Elle avait l'air catastrophée, mais elle n'osait pas intervenir. Elle se contentait de regarder, c'est tout. Il ne lui restait qu'un petit tas de cendres et le linge qu'elle portait sur le dos.

Quand mon père fut entré dans la maison et parut calmé, nous sommes sortis du garage. Il nous laissa entrer sans problèmes. Arthur, le peureux, attendait dehors. Ma mère entra chercher les clefs de l'auto et dit à mon père :

— Je pars et j'emmène les enfants avec moé!

— Si tu veux t'en aller, va-t'en. Mais laisse les enfants ici.

— Pas question! Vous autres, les enfants, allez m'attendre dans l'auto.

Comme j'étais la dernière à sortir, papa me saisit par un bras afin de m'empêcher de partir. Maman, qui était dehors sur la galerie, me saisit par l'autre bras pour me faire sortir et je me retrouvai involontairement écartelée entre les deux.

— Lâchez-moi. Lâchez-moi!

Ma mère lâcha la première et je fus projetée brusquement vers mon père. Je tombai sur le plancher. Ma mère perdit patience.

— Si tu veux les garder, garde-les, tes enfants. Je vas être ben débarrassée. Vous autres, sortez du char! Je pars toute seule avec Arthur. Vous restez avec votre père!

Les enfants sortirent de l'auto sans trop savoir ce qui se passait, bien dociles, habitués aux colères de nos parents, habitués aussi aux drames. Mais cette fois, ma mère monta dans l'auto et démarra. Elle s'enfuyait avec son amoureux. Les plus jeunes se mirent à pleurer. Comme mon père ne réagissait pas, je sortis pour aller les chercher et les faire entrer dans la maison. Alors, comme je revenais, mon père nous claqua la porte au nez et la verrouilla.

— Allez trouver votre mère. Je veux plus vous voir icitte.

Cette fois nous étions abandonnés. Je me mis à pleurer, ce qui provoqua une réaction en chaîne. J'implorai mon père pour qu'il ouvre la porte, mais il ne voulut rien savoir. C'était définitif. Ma mère était partie et mon père nous abandonnait à son tour. Nous étions seuls au monde. Plus de famille, plus de maison, plus personne pour prendre soin de nous. Nous nous sentions si misérables. Le jour tombait et je décidai avec mon frère d'aller chez notre grand-mère.

Nous sommes donc partis en marchant doucement, car le plus jeune de mes frères, Patrick, avait à peine un an. Il pleurait sans cesse; d'ailleurs, il savait à peine marcher. Je le pris dans mes bras et fis un bon bout de chemin ainsi. J'essayai bien de le mettre par terre quelquefois, mais, terrorisé, il s'accrochait à mon cou. J'étais épuisée. Je demandai à Richard de m'aider à le porter un peu, mais il avait peur de faire rire de lui.

— Non! T'es-tu folle! Si tu penses que je vais porter Patrick dans mes bras! C'est bien trop gênant, tout le monde nous regarde.

Il est vrai que nous devions former une bien curieuse procession à marcher ainsi sur le trottoir, pleurnichant, les uns derrière les autres. Les gens assis sur leur galerie nous dévisageaient en se demandant quel drame avait bien pu arriver encore une fois chez Gérard T. Certains chuchotaient, d'autres nous pointaient du doigt. J'avais tellement honte. De plus j'étais au bout de mes forces. Je déposai Patrick par terre et il se remit à pleurer. Je demandai à Richard :

— Ça sera chacun notre tour de le porter, O.K.!

— Non, j't'ai dit que j'veux pas!

— Écoute, toi. Je suis fatiguée, je ne suis pas capable de le porter, alors si tu veux pas que je te sacre là avec toute la bande, tu fais mieux de m'aider. C'est autant ton frère que le mien.

Les grands-parents étaient assis sur leur galerie et

se berçaient. Grand-père se leva pour nous accueillir. Il était très surpris.

— Qu'est-ce qui se passe? Qu'est-ce que vous faites là?

— Est-ce que maman est là?

— Non, on l'a pas vue, pourquoi?

Je lui racontai tout, depuis le début de l'histoire avec Arthur.

— On pourra pas vous garder longtemps, mais vous pouvez entrer dans la maison.

Grand-maman nous fit à chacun un verre de chocolat.

— On va attendre un peu votre mère et si elle arrive pas je vous ferai une place pour vous coucher.

Nous étions contents. Nous étions en sécurité, un peu moins orphelins. Ma mère ne revint que le lendemain après-midi. En entrant, elle parut bien surprise de nous voir.

— Comment ça se fait que vous êtes rendus ici, vous autres? Votre père vous a crissés dehors, vous autres aussi? C'est mieux comme ça, je vais pouvoir prendre des procédures pour vous faire placer par le Bien-Être social. Eux autres, y niaiseront pas avec ça. Comme ça, je vas avoir la paix. Je vas pouvoir prendre des vacances.

Alors ma grand-mère se fâcha et commença à lui faire la morale. Grand-papa se mit de la partie :

— Quelle sorte de mère es-tu donc? T'es même pas capable de ramasser tes petits. Moi pis ta mère, on vous a élevés pis on n'a pas eu besoin du Bien-Être.

Ma mère finit par se mettre en colère et ramasser ses affaires en disant :

— Venez-vous-en, on s'en va chez nous. Je ne sais pas si votre père va être là, mais il va falloir quand même prendre une décision.

Elle nous fit monter dans l'auto et nous conduisit

jusque chez nous. Mon père n'était plus là; je crois qu'il était reparti travailler en forêt. Elle nous installa et ne tarda pas à faire un appel au Bien-Être.

Bientôt ma mère vint nous reconduire chez un oncle, où nous devions rester pour quelque temps. Nous avons habité là pendant un long mois, peut-être plus. Ils étaient gentils avec nous; j'étais bien. Cet oncle et sa femme n'avaient qu'un seul enfant et celui-ci ne nous parlait presque jamais tellement il était timide. Je m'habituais à vivre tranquille; nous n'avions aucune nouvelle des parents.

Et puis, un jour, ma mère vint nous chercher pour retourner à la maison...

Harcèlement

J'espérais qu'une nouvelle vie commence pour moi à la maison. Ça avait changé, oui; ils étaient maintenant trois à s'acharner contre moi. Ma mère avait bien réussi; cette fois, mon père me haïssait. J'espérais seulement que ma mère ait de nouveau besoin de vacances et nous « place » encore chez un des oncles. Pourtant, une année allait s'écouler avant que mon vœu ne s'exauce.

Cette année me parut encore plus longue que les autres, car cette fois, Arthur s'en donnait à son aise. Il ne quittait plus la maison, il était de la famille. Il avait une chambre qu'il partageait avec ma mère. Lorsque mon père revenait de la forêt, il reprenait sa place, mais ne faisait aucun cas de ma mère qui ne voulait plus de lui. D'ailleurs son congé se passait à prendre un coup. Mais la plupart du temps, il était à son chantier.

Un jour que ma mère était sortie pour faire des courses et qu'Arthur faisait office de gardien, il m'appela au premier pour lui donner un coup de main. Je m'empressai de lui obéir comme me l'avait recommandé ma mère. Je me rendis à la chambre où il se trouvait. Il me fit entrer et ferma la porte derrière lui.

— Tu sais, je t'ai déjà dit que je ne t'aimais pas. Et que ça m'était égal que ta mère te batte; mais si tu veux m'écouter et faire ce que je te dirai, je pourrai devenir ton ami et empêcher ta mère d'être sévère avec toi.

— Que voulez-vous que je fasse?

— C'est pas grand-chose et je vais te donner cinquante cents avec ça! Es-tu contente?

— Oui.

J'étais curieuse, un peu inquiète, peu habituée à ce qu'on soit gentil avec moi. Je ne comprenais pas ce qu'il voulait.

— Avant, il faut que tu me jures de faire ce que je te dirai. Correct?

— Oui, c'est juré!

— Alors déshabille-toi. Fais-toé-z'en pas, j'te ferai pas mal!

— Non, papa, maman veut pas!

— Déshabille-toé et je te regarderai pas, O.K.! Élisa, si tu veux pas que j'me choque, obéis.

Il se détourna et, très apeurée, j'obéis.

— Quand t'auras fini, couche-toé en dessous des couvertes.

Je fis ce qu'il me dit. Dans ma tête d'enfant, je ne pouvais pas deviner ses intentions. Mais il se déshabilla, complètement. Je remontai les couvertures sur mes yeux; il se glissa dans le lit et se colla à moi. Je tentai de le repousser, j'essayai de trouver un prétexte pour qu'il s'éloigne un peu.

— J'pense que j'entends quelqu'un monter!

Il leva la couverture et prit ma main. Il voulut l'amener à lui.

— Touche.

Je ne voulais pas. J'avais mal au cœur, je ne comprenais pas. Je savais qu'il allait encore m'arriver quelque chose de terrible. J'essayai de toutes mes forces de me sortir de là.

— Attends, je te dis que j'entends du bruit!

Il me lâcha la main et j'en profitai pour me croiser les mains et les serrer sur moi, pour me protéger. Je demandai à Dieu de m'aider.

— Pour moé, tu m'as conté une menterie!

— Non, c'est vrai, écoute!

Il cessa de bouger, de respirer presque, afin de mieux entendre. Je profitai de ce moment pour me lever brusquement afin de m'échapper, mais il fut plus vite que moi.

— Lâche-moi, quelqu'un pourrait arriver.

— Couche-toé, je t'ai dit, et pas un mot!

Il me poussa sur le lit.

— Laisse-moi partir, je te promets qu'un autre jour je le ferai.

— Pas question!

— Je veux pas te toucher.

Je commençais à m'affoler et à pleurer.

— C'est correct, mais laisse-moé te regarder et enlève tes mains... Je vais te toucher rien qu'un peu.

Il me toucha la poitrine. Je n'osai bouger ni parler.

— As-tu hâte d'avoir des seins comme ta mère?

Je ne pouvais pas répondre, car je ne savais même pas de quoi il parlait exactement.

Il se pencha et voulut me toucher plus bas, mais je lui enlevai la main et il n'insista pas.

— Tu sais que tu vas avoir du poil, là, un jour? Quand tu seras plus vieille?

J'étais en train de me demander s'il était devenu fou.

— J'en ai dans le dos et sur les bras. Maman m'a dit que je resterais toujours comme ça.

— Tout le monde en a aussi en bas, tu vas en avoir aussi comme tout le monde.

— Non, je ne veux pas!

Et il continuait ainsi à raconter des bêtises. Il se rapprochait de moi. Il était tout rouge, en sueur et il sentait mauvais. Il essaya de nouveau de me toucher au pubis, mais je me levai du lit. Il me saisit par le bras et me retint.

— Non, non, je m'en vais, lâche-moi, s'il vous plaît. J'ai trop peur que maman arrive.

Il me lâcha et je m'habillai en vitesse.

— Tu m'as promis qu'une autre fois, tu te laisserais faire! Quand je t'appellerai, t'es mieux de venir parce que sans ça...

— Oui, oui certain.

Et je sortis de la chambre. Je m'en étais tirée à bon compte et plus jamais l'on ne m'y reprendrait. J'espérais qu'Arthur oublie l'aventure. Mais j'étais dans l'erreur. Chaque fois qu'il était seul avec moi, il me rappelait :

— Oublie pas ta promesse. Je t'ai donné cinquante cents.

J'essayais de me tenir le plus loin possible de lui. Et lui, voyant cela, il se permettait de me donner des coups de pied et même des coups de planche lorsqu'il en avait une sous la main. Quand ma mère s'aperçut qu'il me battait, elle ne dit rien pour me défendre. Elle eut même comme réflexion :

— C'est ça, Arthur, je suis tellement écœurée de la battre, c'est à ton tour. T'as plus de force que moé.

Les jours et les semaines passaient, j'étais devenue prisonnière. À plusieurs reprises, elle me dit :

— Ton père était trop lâche pour te battre, mais j'ai trouvé celui qui va prendre sa place.

J'étais malheureuse. Je les haïssais davantage à chaque jour. À neuf ans, il m'était alors difficile de trouver le moyen de m'en sortir. Ma mère me faisait peur et Arthur m'écœurait.

La liberté

Ce fut enfin le départ tant souhaité; mais cette fois, nous étions tous séparés. Diane et moi chez mon oncle Guy, Sylvie chez ma marraine, Richard chez un certain monsieur Turcotte, Jean-Marc et Patrick, les plus petits, chez je ne sais qui. La famille était dispersée. Moi, je partais vraiment en vacances. L'auto était pleine d'enfants et de sacs en papier qui contenaient nos vêtements. Diane et moi fûmes les dernières à être reconduites.

Je me rappelle l'auto arrêtée dans la cour de la ferme, chez l'oncle Guy, le soleil cuisant, la chaleur, le silence aussi, brisé seulement par le chant des cigales. Ma mère déposa nos bagages par terre et remonta dans l'auto sans un baiser, sans un au revoir. Elle était partie. Je regardai l'auto disparaître au bout du petit chemin bordé de peupliers. Quand je fus bien certaine qu'elle ne ferait pas demi-tour, je respirai. Je pris les sacs de papier qui nous servaient de valises et poussai Diane vers la maison. C'était sombre et frais à l'intérieur. Seule ma cousine Élaine était présente; elle nous mentionna que tout le monde était aux champs.

Je décidai d'aller les retrouver. Diane me suivait comme un chien de poche. Je sautai par-dessus la clôture de bois. Je sentais mon cœur battre, le soleil sur ma peau et le foin qui me piquait les jambes. Je courais dans l'éclat poudreux du soleil de cette journée de fin d'été. Je n'avais jamais eu cette impression de bonheur et de liberté. J'étais comme délivrée d'un grand poids, j'avais le cœur léger. J'étais une petite fille de neuf ans, en vacances et joyeuse. J'avais envie de chanter et d'attraper les papillons. C'était comme trop de bonheur subitement. Je me mis à courir, courir comme une folle, les bras écartés dans l'air doux et odorant. Ça sentait le trèfle et le foin frais coupé. Parfois, je jetais un coup d'œil derrière moi pour vérifier si Diane me suivait, mais surtout pour m'assurer que ma mère n'était pas revenue. Je n'arrivais pas à croire qu'elle m'avait enfin abandonnée.

Je stoppai brusquement ma course en voyant ma tante grimpée sur le tas de foin, qui empilait les balles les unes sur les autres. Mon cousin Ghislain conduisait le tracteur. Mon oncle et un autre garçon chargeaient les balles de foin. Elle nous vit la première et nous fit de grands signes de la main, en sautant à terre.

— Bonjour, la belle visite! On ne vous attendait pas si tôt, mais ce n'est pas grave. Où est votre mère?

— Elle est repartie! Elle avait des choses à faire.

— Elle est fine, votre mère, de vous laisser toutes seules. En tout cas... Montez sur le voyage et faites bien attention de ne pas tomber.

Elle portait des salopettes de travail et une blouse de coton fleurie. Elle avait les cheveux attachés, un grand sourire et de bons bras qui sentaient le foin et le soleil. Elle nous serra contre elle en riant et nous donna un gros bec sur chaque joue. Je la trouvais très belle. Le tracteur démarra et le chargement recommença. Elle continuait de parler tout en travaillant.

— Pis comment ça va chez vous?

— Comme ci, comme ça.

— T'as maigri, ma « Lysa », et t'es toute pâle! Mais t'en fais pas. Vous allez être bien chez nous. Nous autres, on aime ça, les enfants!

Ce fut une belle première journée. Nous avons soupé dehors, sur une grande table de bois. Tout le monde parlait et riait; tout le monde donnait un coup de main. Après le repas, ma tante m'appela auprès d'elle dans la balançoire.

— Dis-moi, ma belle. Ta mère et Arthur te battent-ils encore?

— Qui vous a dit ça?

— Tu sais, tout vient à se savoir!

— J'aime mieux pas en parler.

— Comme tu voudras. Mais si tu as besoin de parler, ne t'en fais pas pour nous, nous serons là pour t'écouter, n'importe où, n'importe quand, comme tu voudras, O.K.!

Je retournai jouer avec mes cousins et mes cousines. J'étais épuisée et heureuse; pleine de soleil et de vent doux. Parfois, en courant, je m'arrêtais brusquement, croyant entendre ma mère qui me criait de retourner m'asseoir sur la galerie, les pieds sur la dernière marche de l'escalier. Mais je revenais vite à la réalité, bien plus belle, et le jeu recommençait.

Le lendemain, je décidai de tout raconter à ma tante. Ma vie chez nous, ma mère, Arthur, les coups et les humiliations. Et surtout ma peur, ma terrible peur. Elle me prit dans ses bras et me serra très fort.

— Pauvre petit cœur! Si tu savais comme je peux te comprendre. Je vais te dire un secret... Moi aussi, j'ai été maltraitée par mes parents. Et si on peut te garder, je te jure que ça ne t'arrivera plus jamais.

Puis les semaines passèrent. Nous participions tous aux travaux de la ferme. Jamais, de tout le temps que j'ai demeuré chez eux, ils n'ont élevé la voix contre moi. Il était même permis de faire des erreurs en autant que chacun fasse de son mieux. Ils étaient très bons avec nous. J'aurais aimé vivre ici toute ma vie, mais je me doutais bien que cela ne durerait pas. Après cinq mois de liberté, ma mère revint nous chercher. Ma tante essaya de la convaincre de nous laisser là, mais elle avait décidé qu'elle voulait ses enfants pour Noël.

À la maison, mon père ne venait plus, mais Arthur était roi et maître. Ils se montrèrent bien gentils, même avec moi. La période des fêtes se déroula dans la joie, sans chicane. Il y eut beaucoup de visite, et beaucoup de « partys ». Pourtant, la réalité s'imposa durement à moi. Le retour à l'école amena une vie encore plus difficile qu'avant. Pour commencer, ma mère m'enleva tous les cadeaux que j'avais reçus en me disant que j'étais trop vieille pour jouer encore à ça, ou bien que les vêtements ne me convenaient pas. De toute façon, elle était certaine que j'avais raconté toutes sortes de menteries à la femme de l'oncle Guy avec ma grande langue sale. Bien sûr, elle vérifia auprès de Diane, mais bien que celle-ci affirmât que je n'avais rien dit, elle finit l'histoire en m'enlevant aussi ma poupée Louise, ma vieille poupée, ma confidente. J'avais le cœur brisé. J'avais déjà perdu l'habitude de telles injustices et voulus protester et me rebeller. Chaque fois que j'essayais de répliquer, je recevais de grandes claques sur la bouche qui parfois me faisaient saigner. Arthur, lui, avait pris l'habitude de me donner des coups de pied sur les jambes ou au derrière chaque fois qu'il avait affaire à moi. Je pleurais souvent. Ma mère me consolait en me donnant des tapes sur la tête pour que je cesse de me lamenter pour rien. Pour que les corrections soient plus cuisantes, ma mère exigeait maintenant que je sois toute nue pour me fouetter. Ce fut le début d'un règne de terreur et de sadisme effrayant. Souvent, lorsque je sortais de la chambre après une de ces volées, mes frères et mes sœurs avaient les larmes aux yeux. Mais ma mère les avait bien avertis. Le premier qui prendrait ma part aurait le même sort que moi. La vie était tellement dure que j'en arrivais à douter de la réalité de l'été passé à la ferme de l'oncle Guy. C'était là comme un conte de fées que je me racontais pour reprendre courage. D'ailleurs ils ne revenaient plus à la maison, ma mère s'étant chicanée avec eux.

L'orphelinat

Un matin de cet hiver-là, maman, après avoir reçu un coup de téléphone, nous avertit :

— Bon, préparez-vous, on s'en va cet après-midi. Je vais aller vous porter dans une grosse école; vous allez vous faire dompter le derrière. Je vais enfin me débarrasser de vous autres pour un bon bout de temps! Ça va faire du bien!

J'étais toujours inquiète de ce qui nous arrivait, mais, tout au fond de moi, je savais que, de toute façon, cela ne pouvait être pire que la vie que je menais en ce moment.

— Allez préparer vos bagages tout de suite pour être prêts à partir et n'emportez que le strict nécessaire, compris?

C'est alors que Richard prit panique.

— Non, je ne veux pas y aller, maman! Je veux rester avec vous!

Les autres se mirent de la partie :

— Moi aussi, maman, je veux rester avec vous, s'il vous plaît, maman.

Je mêlai ma voix à la leur, mais bien faiblement. Patrick et Jean-Marc, qui n'avaient que deux et quatre ans, se contentaient d'écouter et de regarder, sans trop comprendre ce qui se passait.

— Criez, chialez si vous voulez, vous allez y aller pareil. Dépêchez-vous d'aller faire vos bagages pis je veux plus entendre parler de ça. M'avez-vous compris?

Aucun de nous n'a répondu et nous sommes montés au premier afin de nous préparer. Nous n'avions comme seul bagage qu'un petit sac qui contenait notre pyjama.

Et ce fut le départ. Ma mère avait fait venir un taxi. Le trajet fut très long, presque deux heures de route pour finalement arriver dans une grande ville. Après plusieurs tournants, après avoir monté et descendu plusieurs côtes, nous avons gravi une longue pente au bout de laquelle se trouvait une immense et imposante bâtisse de briques rouge foncé. Je remarquai qu'elle était entourée par une grande et haute clôture faite de barreaux de fer. Cela ressemblait plus à une prison qu'à autre chose. Je crus donc que c'était l'école de réforme dont ma mère me menaçait si souvent.

— Tu vas voir, j'vais t'envoyer dans une école de réforme pour te faire dompter. Ils niaiseront pas longtemps avec toé, eux autres; des petites affaires comme toé, ils en ont déjà vues.

J'étais maintenant certaine que la prison m'attendait. Je me mis à hurler de terreur :

— Non! non! je veux pas aller là.

Je pleurais, je me débattais. J'étais certaine que, si j'y entrais, plus jamais je ne pourrais en ressortir. Maman descendit de l'auto, ouvrit la portière arrière et me tira par le bras.

— Toé, t'es mieux de me suivre, sinon...

Je n'avais pas le choix, elle était bien plus forte que moi et je la suivis. Les autres firent de même sans dire un mot. Nous sommes entrés par la grande porte de devant, une grande porte épaisse et lourde qui fit un bruit lugubre en se refermant. Je sursautai. Dans le bureau vide près de l'entrée, personne pour nous accueillir. Nous étions là, plantés dans le grand corridor, serrés les uns contre les autres et ma mère qui faisait les cent pas. Bientôt quelqu'un vint; c'était une religieuse. Elle était toute de noir habillée, avec juste un peu de blanc à l'intérieur de sa coiffe. Elle s'approcha et dit :

— Bonjour, les enfants!

Cela nous réconforta un peu. Elle se mit à discuter avec ma mère tout en nous regardant parfois par-dessus son épaule.

— Vous pouvez partir maintenant, madame. Soyez tranquille, nous aurons bien soin d'eux.

— Venez m'embrasser, les enfants, je dois y aller!

Nous lui avons tous donné un baiser sur la joue. Jean-Marc et Patrick pleuraient; ils voulaient la suivre. C'était la première fois depuis longtemps qu'elle me permettait de l'embrasser. Elle sortit et marcha d'un pas rapide vers le taxi qui l'attendait, sans se retourner une seule fois, sans nous faire un dernier signe d'adieu. J'étais certaine qu'elle était folle de joie. J'avais la gorge qui me faisait mal, et le cœur serré. J'étais bien contente qu'elle parte. Je la détestais. J'étais certaine que nous ne la reverrions plus jamais. Et je suis sûre que mes frères et mes sœurs ont dû ressentir la même chose et encore plus profondément que moi.

Moi, je me ressaisis bien vite, encouragée par le sourire et la voix chaleureuse de la religieuse. Deux autres sœurs vinrent nous rejoindre et demandèrent à emmener les plus petits. Je pris Jean-Marc dans mes bras en leur disant de faire bien attention à lui car il était très malade. Les médecins avaient dit qu'à cinq ans il devrait être opéré pour le cœur. C'était une opération délicate et il avait encore un an à attendre. Nous avions tous peur qu'il meure avant cela. Parfois il avait mal aux jambes et elles devenaient toutes bleues quand il faisait trop d'efforts. Souvent je priai Dieu qu'il le guérisse, car je n'en pouvais plus de le voir souffrir. À la maison, il n'était pas très bruyant. Il passait ses journées à se bercer sans dire un mot. Tout le monde disait que c'était un petit ange et ma mère l'affectionnait particulièrement. J'étais heureuse qu'elle l'aime, car il avait besoin de beaucoup de tendresse.

Je les regardai disparaître au bout du couloir. Puis ce fut à Richard de s'en aller rejoindre l'étage des garçons. Il ne restait que Sylvie, Diane et moi. La religieuse s'était assise à son bureau et écrivait. De temps à autre, elle levait les yeux un court instant et nous

regardait. Sylvie fut placée chez les petites, pendant que Diane et moi suivions une autre religieuse. Tous ces mystères étaient loin de me rassurer. Je pris mon courage à deux mains et décidai de me renseigner:

— Est-ce vrai que vous battez les enfants, ici? On appelle ça l'école de réforme, hein?

Elle se tourna vers moi avec un grand sourire.

— Qui t'a dit de si mauvaises choses?

— Bien, c'est ma mère qui m'a dit qu'un jour, elle allait m'emmener dans une école de réforme pour qu'ils me domptent.

— N'aie pas peur! Ici c'est un orphelinat, pas une école de réforme.

— C'est quoi, un orphelinat?

— C'est une place pour les enfants qui n'ont plus de parents ou que les parents viennent mener parce qu'ils ne peuvent plus s'en occuper. Il y en a même qui sont ici depuis qu'ils sont nés. C'est comme leur vraie maison. Vous allez voir que vous serez bien avec nous; on ne mange pas les petites filles comme vous autres.

Elle souriait tout en passant ses mains dans mes cheveux. Même si elle me parlait de la sorte, je ne fus pas pour autant rassurée. Je crois que c'était la grosse clôture que j'avais vue en entrant qui me faisait penser à une prison. Elle nous fit monter jusqu'au cinquième étage. Elle s'arrêta devant deux portes et nous dit que c'est là que nous allions vivre désormais. Elle nous invita à entrer. De l'autre côté, il y avait un long corridor. Je fus émerveillée.

— C'est bien grand ici?

— Oui. Et vous ne serez pas seules, car il y a beaucoup de petites filles.

Elle nous mena jusqu'à la salle à manger où il y avait plusieurs tables, des tables suffisamment grandes pour six personnes. Tout était propre et reluisant.

— C'est là que vous allez manger. Je vais en

profiter pour vous montrer vos places. Vous devrez toujours prendre la même. À chaque repas.

Diane et moi n'étions pas placées à la même table, mais de là où j'étais je pouvais facilement la voir. Puis elle ouvrit un tiroir qui correspondait à ma place et me montra qu'il y avait tous les ustensiles dont j'aurais besoin pour chacun des repas.

— Remarquez bien comment tout ça est placé, car il va falloir que vous les replaciez de la même manière. Compris?

— Oui, ma sœur.

— Lorsque vous avez fini de manger, vous lavez vos ustensiles à l'évier qui est là-bas.

Elle nous expliqua le cérémonial du repas. Les aliments arrivaient sur un grand chariot et nous devions aller nous faire servir à tour de rôle. Elle nous montra la petite cuisine où les sœurs devaient dîner.

Ensuite, elle nous conduisit au dortoir. C'était immense. On y voyait une vingtaine de lits, séparés par une petite commode où nous devions ranger nos effets personnels. Dans le milieu du dortoir, on voyait un espace carré et entouré de rideaux dans lequel étaient les chambres des religieuses qui veillaient sur nous. Elle nous désigna nos lits et nous remit, à chacune, une serviette, une débarbouillette, un porte-savon et son savon, une brosse à cheveux et une brosse à dents. Je n'avais jamais possédé autant de trésors. Elle ouvrit une armoire et nous dit d'y placer notre linge propre. Elle était fermée à clef, mais nous n'avions qu'à demander pour prendre ou ranger les vêtements.

Puis ce fut le tour de la salle de bains. Il y avait deux rangées de lavabos surmontés de très grands miroirs. De plus on y trouvait deux baignoires à droite et deux à gauche, sans séparation. Je demandai :

— Mais, il n'y a pas de séparation, les autres vont nous voir?

— Pauvres vous autres! Vous n'avez rien à montrer, c'est pas grave! Vous êtes toutes faites pareil!

Je restai abasourdie, car moi, qui étais tellement gênée et complexée, je devrais me faire voir par les autres. Ma mère m'avait tellement répété que j'étais toute poilue, moitié-homme et moitié-femme, que j'en étais marquée à tout jamais. Je n'avais nullement envie de me montrer toute nue à qui que ce soit.

Puis ce fut le tour du grand salon avec sa bibliothèque, la radio, et la télévision... J'étais de plus en plus excitée. J'allais enfin pouvoir regarder la télévision comme les autres. De l'autre côté du corridor, il y avait la salle de jeu avec tous ses jouets.

— Bon! Avez-vous des choses à serrer?

— Nous avons seulement apporté notre pyjama!

— Je vais aller avec vous autres vous chercher d'autres vêtements dans le magasin d'en bas. Vous allez vous choisir quelques morceaux de linge.

Elle nous mena au magasin et nous confia à la religieuse en charge.

— Elles sont nouvelles. Elles viennent juste d'arriver cet après-midi. Il va falloir les habiller, car elles n'ont pas grand-chose à se mettre sur le dos. Elles n'ont qu'un pyjama et il est bon à mettre à la poubelle.

Commença alors une séance d'essayage. Nous gardions ce qui nous faisait. C'était comme un grand magasinage. J'avais beaucoup de plaisir. Puis celle qui s'occupait du magasin me dit :

— J'aurais quelque chose pour toi! Attends un peu!

Elle revint en tenant une belle robe de nylon jaune avec de la dentelle.

— Tu vas l'essayer, je parie qu'elle va te faire.

De toutes mes forces je souhaitai qu'elle me fasse; je la trouvais tellement belle. Je ne me fis pas prier pour l'essayer.

— Elle te va comme un gant. On dirait qu'elle a été faite juste pour toi. Garde-la, je te la donne.

Je n'en croyais pas mes oreilles. Je n'avais jamais possédé une si belle robe. À la maison, la plupart du temps, je devais porter des vêtements usagés qui étaient donnés à ma mère par je ne sais trop qui. Jusqu'à ce jour, je n'avais jamais rien eu d'aussi beau que cette robe. Ensuite elle me donna un chapeau blanc tout rond, avec de grands rubans qui me descendaient dans le dos. Elle me donna aussi des souliers blancs et des bas.

— Tu peux tout garder, c'est ta toilette du dimanche. Quand tu partiras d'ici, tu pourras tout apporter avec toi.

J'étais heureuse. J'étais maintenant certaine que cet endroit n'était pas une prison. Je l'aurais volontiers embrassée, mais j'étais bien trop gênée.

— Maintenant va te choisir les jouets qui te plaisent.

Je regardai longuement les jouets. Il y en avait beaucoup. Je finis par prendre deux poupées, une fille et un garçon. Je choisis aussi une balle de laine et des aiguilles à tricoter.

Lorsque Diane eut fini de choisir ses jouets, sœur Monique, celle qui était responsable de nous, nous ramena au cinquième. Cette fois nous n'étions pas seules; il y avait d'autres petites filles. Diane et moi étions figées de gêne. Mais sœur Monique nous dit :

— Allez les rejoindre et faites-vous quelques amies. Je dois vous laisser maintenant.

Malgré cela, nous restions là, dans le salon, debout, sans bouger, comme des statues. Diane décida d'aller rejoindre une fille qui était seule dans un coin. Elle commença à parler avec elle, Elles semblaient bien s'entendre. Moi, j'étais toujours plantée là, attendant que quelqu'un vienne me voir; mais personne ne vint. Je pris mon courage à deux mains et me dirigeai vers un groupe non loin de moi.

— Pouvez-vous me dire s'il y a un endroit où l'on peut écrire et dessiner?

L'une d'entre elles se détourna pour me regarder et me dit :

— Il y a une salle de jeu en face du dortoir.

Elle se retourna et elles continuèrent à placoter. J'étais toujours à l'extérieur du groupe. Et elles ne s'occupèrent plus de moi. Je n'avais guère le choix: je sortis à la recherche de la salle de jeu.

La salle qu'on m'avait indiquée était déserte. Tout était rangé en ordre sur des tablettes; le papier, les crayons et tout ce qu'il fallait pour dessiner. Je m'assis à l'un des pupitres de classe et je soulevai le panneau. Il y avait des cahiers à colorier et des crayons de couleur. Alors je commençai à dessiner, mais une religieuse entra sans que je m'en aperçoive et mit la main sur mon épaule; je sursautai. C'était sœur Thérèse :

— Je t'ai fait faire un saut?

Voyant que j'étais restée muette et pétrifiée :

— N'aie pas peur; je ne te ferai pas de mal, je veux seulement parler avec toi. On va s'asseoir toutes les deux et jaser, d'accord?

— Oui.

— Pourquoi as-tu peur?

— Bien... Je ne sais pas... Je n'ai pas peur...

— C'est pas grave. Je voulais seulement te dire que ce n'est pas permis de venir seule ici. C'est nous qui devons vous dire quand vous pouvez venir.

— Je ne le savais pas.

— Ne t'en fais pas. Maintenant range tes affaires et suis-moi.

Je la suivis jusque dans le passage et elle me ramena devant l'entrée du salon.

— Ta sœur s'est fait une amie tout de suite, n'est-ce pas? Pourquoi tu ne fais pas pareil?

— Je ne sais pas!

Je savais bien, moi, qu'aucune petite fille ne voudrait de moi comme amie. J'étais laide, j'avais du poil sur les bras et surtout, surtout j'avais de vilaines grandes dents. Ma mère m'agaçait souvent en me disant que j'avais des crocs et j'en étais très complexée. Même à l'école tout le monde se moquait de moi, en se relevant la lèvre supérieure; c'est pourquoi aucune fille ne voulait être amie avec moi de peur qu'on rît d'elle aussi.

— Bon, essaie de te faire des amies, d'accord?

Elle partit en me laissant là, dans l'entrée du salon. Tout le temps que j'ai passé dans cet orphelinat, je n'ai jamais pu me faire une véritable amie. Aussitôt que j'essayais d'entrer en conversation avec l'une d'elles ou avec un groupe, plutôt que de me répondre, elles se tournaient vers leurs voisines et m'oubliaient. Mais ça ne me faisait rien, car j'y étais habituée.

Bientôt ce fut le temps d'aller souper. Je suivis le groupe à la cuisine. Nous allions chercher notre plat à soupe et nous attendions les unes derrière les autres, à la file indienne. Les portes s'ouvrirent avec fracas et un lourd chariot apparut, poussé par une dame. Ce chariot nous apportait une énorme soupière fumante, d'autres marmites fermées, ainsi que le dessert. Nous avancions une à une en tendant notre bol et elle le remplissait. Cela se faisait en silence, dans un ordre parfait et cela sentait bon. Pourtant, lorsque mon tour vint, je me sentis mal. Je voyais toute cette bonne nourriture, mais j'eus un haut-le-cœur. Je rapportai mon bol de soupe à ma place et j'essayai de manger. J'en étais incapable, je sentais que j'allais vomir. Je décidai de mettre ma soupe de côté et voulus aller chercher le plat de viande. Je ne savais pas qu'il fallait attendre que toutes les autres aient fini leur soupe avant de passer à autre chose. Je me levai donc, et me rendis au chariot sous le regard surpris ou ironique des autres petites filles. Quelques-unes se donnaient même des coups de coude. La dame remplit mon assiette sans rien dire et je retournai m'asseoir. Je m'aperçus qu'il y avait d'autres filles qui avaient fini de manger et qui attendaient je ne sais quoi. Soudain une sœur dit :

— Bon, vous pouvez aller vous faire servir.

Et toutes se sont levées, tenant leur assiette et se plaçant de nouveau à la file. Je compris mon erreur. J'avais le visage en feu et honte de ma bêtise. Elles me jetaient des regards furtifs et certaines rigolaient franchement. J'étais gênée de rester toute seule assise à table, mais le mal était fait. Cette fois, je les attendis pour commencer à manger. Je portai la première bouchée à mes lèvres. Aussitôt que je commençai à mâcher, j'eus une seconde fois un haut-le-cœur, mais je réussis tout de même à avaler. Je pris une autre bouchée et m'aperçus que tout le monde me regardait, même les deux sœurs et la cuisinière. Encore une fois je réussis à avaler. À la troisième bouchée, tout se gâcha; je vomis sans pouvoir me retenir. Les filles qui étaient assises à ma table se tassaient les unes contre les autres et se mettaient les mains sur les yeux pour ne pas voir. Les deux sœurs s'amenèrent en vitesse en apportant les rouleaux d'essuie-tout. Sœur Thérèse me demanda ce qui n'allait pas, mais sœur Monique lui assura que ce n'était qu'une indigestion et qu'elle allait m'amener au lit pour que je me repose. J'étais malheureuse.

— Donnez-moi le papier et je vais ramasser mon dégât.

— Penses-tu en être capable?

— Oui, j'en ai l'habitude!

Je ramassai tout et sœur Monique me conduisit au dortoir. Après m'être lavée et avoir mis ma jaquette, je me couchai dans mon lit et je dormis.

Le lendemain matin, au déjeuner, je réussis à avaler quelques bouchées, mais je ne pus me retenir et je vomis à nouveau. Je m'excusai auprès des sœurs et je ramassai tout. Elles avaient l'air de se demander ce qui se passait avec moi, et mes compagnes devaient me trouver dégoûtante. Le même scénario se produisit au dîner et au souper. J'en étais rendue à avoir mal au cœur juste à penser au repas. Au souper, après que j'eus vomi dès la première bouchée, sœur Monique me conduisit jusqu'à mon lit. Elle me fit des compresses avec une débarbouillette mouillée d'eau froide.

— Tiens, ma belle, ça va te faire du bien.

Soudain Diane apparut dans le dortoir et dit :

— Je sais, moi, pourquoi elle est malade. Chez nous elle faisait toujours ça. Dès que ma mère s'apercevait qu'Élisa avait mal au cœur, elle passait derrière elle et lui donnait une grande claque derrière la tête. Alors Élisa vomissait. C'était comme ça tout le temps.

— Non, Diane, raconte pas ça!

— Je ne le dirai pas à maman!

— C'est parce qu'elle a peur?

Sœur Thérèse, qui nous avait rejointes, dit :

— Voyons il ne faut pas avoir peur. Nous, on ne te fera pas de mal.

— C'est pas de ma faute, ça sort tout seul!

— Mais tu n'as jamais faim?

— Oui, j'ai faim, mais je ne suis pas capable de garder mon manger.

J'étais à bout de nerfs. Je me mis à pleurer. Elles discutaient entre elles et disaient que ça n'avait aucun sens, qu'il fallait que je voie un médecin. Puis elles me laissèrent dormir.

Au matin, elles me firent déjeuner avec elles dans la petite cuisine. Je réussis à tout manger sans rien vomir et, au cours de l'avant-midi, elles m'amenèrent voir le médecin de l'orphelinat qui m'examina et me posa plusieurs questions. Puis il vit les marques et les bleus que j'avais sur les jambes et sur le corps.

— Veux-tu bien me dire comment tu t'es fait cela?

— J'ai tombé. Je tombe tout le temps.

J'aurais préféré mourir plutôt que d'en dire plus. J'avais bien trop peur que ma mère ne l'apprenne! Le médecin me regarda longuement sans rien dire, puis me laissa rejoindre sœur Monique qui m'attendait.

Par après, je mangeai toute seule à chaque repas, dans la cuisinette. Ce fut ainsi pendant quatre ou cinq semaines jusqu'à ce que je réussisse à reprendre le contrôle de moi-même. Ensuite, je pus retourner m'asseoir avec les autres filles.

Mon dixième anniversaire

Il y avait tout près d'un mois que nous vivions à l'orphelinat et je m'acclimatais doucement. Ce matin-là, en m'éveillant, je m'aperçus que j'étais toute seule dans le dortoir. J'étais en retard. Catastrophée, je me dépêchai de faire ma toilette afin de rejoindre les autres à la cuisine. Je pris mon assiette et m'approchai du chariot pour me faire servir, quand sœur Monique m'interpella:

— Élisa, veux-tu venir ici?

J'étais angoissée; je savais que j'avais commis une faute en me réveillant en retard et j'avais une peur terrible qu'elle me dispute. Sans parler, j'allai vers elle en essayant de ravaler mes larmes. La tête basse, les larmes aux yeux, je décidai d'expliquer mon retard.

— C'est pas de ma faute, j'ai pas eu connaissance que les autres se sont levées.

— Voyons, arrête de pleurer, c'est nous qui t'avons laissée dormir, on voulait te faire une petite surprise.

— Mais, pourquoi?

— Quelle date est-on aujourd'hui?

— Je ne sais pas.

— C'est ton anniversaire aujourd'hui. Tu as dix ans!

Elle se tourna vers les autres et fit un signe de la main. Toutes se levèrent et commencèrent à chanter « Bonne fête ». Je ne savais quoi faire. J'avais envie de rire et de pleurer. J'avais surtout envie de me sauver.

Diane vint à moi en portant un petit gâteau couvert de bougies. C'était simplement un gâteau Jos-Louis, mais il avait pour moi la splendeur d'un délice de conte de fées. Je retournai à ma place le cœur gros. Je ne comprenais pas pourquoi elles avaient fait cela. Chez nous on ne fêtait pas les anniversaires. C'était comme si ma fête n'avait jamais existé; jamais de chansons, jamais le moindre souhait. À la maison, je savais bien que mes frères et sœurs avaient tous une journée pendant l'année où ma mère leur remettait un cadeau quelconque. Mais jamais on n'avait parlé de fête ou d'anniversaire. Je croyais bêtement que ce cadeau servait à récompenser un bon résultat de classe. Je n'avais jamais vu de gâteau d'anniversaire de ma vie. Bien sûr, je n'ai jamais eu de journée à moi, encore moins de cadeau ou de gâteau. Je me souviens que ma mère disait parfois en parlant de quelqu'un que nous connaissions :

— C'est la fête de X aujourd'hui. Quand ce sera votre tour, vous aurez la même chose.

J'avais hâte à mon tour, depuis toujours; mais ce jour-là n'est jamais venu. Et je me gardai bien de demander à ma mère quand viendrait enfin mon tour, car j'avais bien trop peur d'elle.

C'est pourquoi, en cette journée de ma première fête, au lieu de me réjouir, je pleurais amèrement, car, pour la première fois, je comprenais avec certitude que mes parents ne m'aimaient pas du tout. Je m'essuyais les yeux et je me consolai en regardant mon gâteau.

Après le déjeuner, au moment où je sortais de la cuisine, sœur Monique m'arrêta :

— Attends-moi un peu ici, veux-tu?

— Tiens, Élisa, j'ai un petit cadeau pour toi.

Et elle me remit des petits livres de Jésus, illustrant chacun un des commandements de Dieu. Et elle me donna un billet d'un dollar pour que je m'achète une gâterie. Bien nantie de mes trésors, je fis quelques pas, mais je revins vite vers elle :

— Sœur Monique, je peux-tu vous donner un bec?

Elle se pencha et je lui donnai un baiser sur la joue. J'étais affreusement gênée.

— Merci, sœur Monique, je suis tellement contente.

— Si tu es contente, je le suis aussi. Va jouer maintenant!

Je marchai en vitesse vers le dortoir, en cachant mon billet dans la main. Je feuilletai les livres, et Diane vint me retrouver. Je lui montrai mes cadeaux. Elle me trouvait chanceuse et m'enviait beaucoup. Je décidai alors de partager mon argent avec elle, puisqu'elle n'avait jamais rien, elle non plus. Je lui montrai le dollar, mais, sans me laisser le temps de dire quoi que ce fût, elle se mit en colère :

— C'est pas juste, c'est pas juste. J'en veux, moi aussi!

Puis elle s'enfuit dans le salon, me laissant plantée là comme un piquet. Un peu déconfite, j'allai porter mes livres dans ma petite commode, puis je rejoignis ma sœur pour tenter de me réconcilier avec elle et lui expliquer que je voulais partager mes sous.

— Écoute-moi, Diane, dimanche, après souper on va s'acheter de la liqueur, des chips, ce que tu voudras. Je vais te donner la moitié de mon argent... et la moitié de mes livres si tu veux... Réponds-moi!

Elle s'éloigna de moi en boudant, elle ne voulait rien entendre. Je commençai à pleurer :

— C'est pas de ma faute, c'est les sœurs qui ont fait ma fête, j'ai rien demandé, moi! Sois pas fâchée... Je vais tout te le donner si tu le veux absolument!

Elle se détourna de moi sans parler. Le dimanche, je séparai tout en parts égales qu'elle accepta volontiers. Tout finit par rentrer dans l'ordre et elle recommença à me parler comme avant.

La piscine

Quelques jours après mon anniversaire, par une belle journée ensoleillée, les religieuses décidèrent de nous permettre d'aller nous baigner dans la piscine extérieure. Cette piscine comportait trois compartiments. Un pour les petits, un autre pour nous, les moyens, et finalement, une partie très creuse, pour les grands où il y avait un plongeoir. Un mur de ciment séparait chacune des parties. Moi, qui n'avais jamais nagé, je me contentai d'entrer tout doucement dans l'eau en me tenant très fort sur le rebord de la piscine. Une bouée flottait tout près de moi; je m'avançai un peu et je la saisis. Comme c'était une vieille chambre à air d'automobile, je pus la passer par-dessus ma tête.

Je me laissai porter, je me sentais en sécurité. J'étais bien, heureuse, profitant du soleil qui miroitait sur l'eau. Soudain je me sentis agrippée. Une petite fille, qui venait de me rejoindre en nageant, avait décidé que je devais lui laisser ma bouée. Bien sûr, je m'y opposai.

— Non, ôte-toi de là. C'est moi qui l'ai vue la première et je la garde.

Elle essayait de me faire chavirer, mais du pied je tentai de la repousser. J'avais drôlement la frousse de tomber à l'eau, moi qui ne savais pas nager. Nos cris et

114

nos éclaboussures ne pouvaient passer inaperçus et une religieuse qui était là pour surveiller m'appela.

— Toi, viens ici, tout de suite!

— Non, c'est correct, je lui donne la « trip ».

— Élisa, je veux que tu viennes ici tout de suite!

J'étais furieuse contre la petite fille. Mais je ne pouvais rien faire, je dus sortir de la piscine. Sœur Monique avait rejoint l'autre surveillante. Alors elles me prirent chacune par un bras et une jambe et me balancèrent une fois, deux fois... pour me lancer à l'eau. J'avalai de l'eau en essayant de reprendre pied et de refaire surface. Je ne faisais que glisser et m'enfoncer de nouveau. Je me débattis avec désespoir, je sentais mes forces me quitter peu à peu. Je réussis pourtant à me relever. Je crachai et je toussai. Je tremblais de tout mon corps; j'essayai de reprendre mon souffle sans en être capable. Je crus que j'allais mourir. Quelques minutes après avoir repris le contrôle de moi-même, je vis les deux religieuses qui me regardaient, heureuses des efforts que j'avais fournis pour m'en sortir toute seule. Maintenant je voulais apprendre à nager afin qu'une telle expérience ne m'arrive plus jamais. Je n'oublierai pas de sitôt combien je suffoquais, prisonnière de l'eau. Sœur Monique m'apprit à flotter comme une planche. Elle m'apprit à sauter dans l'eau sans perdre le contrôle de mes mouvements et à nager en chien. Après quelques jours, ma peur de l'eau disparut tout à fait. Maintenant elles auraient beau me lancer de nouveau à l'eau, je saurais comment m'y prendre pour sortir de là.

Un certain après-midi, il arriva que nous partagions la piscine avec le groupe des petits. Je les regardais approcher quand je vis Jean-Marc, mon petit frère, parmi eux. J'étais contente et émue, ça faisait si longtemps que je ne l'avais vu. Il était si frêle, si petit. La religieuse qui s'occupait d'eux prit la main de Jean-

Marc et descendit dans la piscine avec lui. Il y avait très peu d'eau; environ deux pieds. Relevant sa robe de sa main libre, elle lui lançait un peu d'eau en plongeant la main et en faisant beaucoup d'éclaboussures. Jean-Marc en perdait presque le souffle... Puis elle le saisit par un bras et une jambe et le lança dans l'eau. Il essayait et essayait encore de se relever, mais il en était incapable. Je ne pus m'empêcher de crier :

— Vous allez noyer mon frère! Sortez-le de l'eau, il est malade! Il est pris du cœur! Je vais le dire à ma mère ce que vous faites là. JE VOUS HAIS. Laissez-le tranquille, vous comprenez pas qu'il est malade!

La religieuse me regardait, figée sur place, puis elle réalisa que Jean-Marc était vraiment en train de se noyer. Elle l'attrapa dans ses bras et l'emmena hors de l'eau. Il étouffait et toussait. Elle essaya de le mettre debout, mais ses jambes étaient toutes molles et toutes bleues. J'avais si peur qu'il meure... Déchaînée, je hurlai :

— Vous allez le tuer!

Tout le monde était figé sur place, les yeux fixés sur Jean-Marc. Personne ne parlait. Une autre religieuse, voyant la gravité de la situation, prit mon petit frère dans ses bras et partit en courant vers l'orphelinat. Je pleurais :

— Si vous tuez mon frère, je vous tue toutes, COMPRIS!

Maintenant que Jean-Marc avait disparu, j'étais devenue l'attraction. Sœur Monique me dit, sur un ton qui en disait long :

— Viens ici, toi. J'ai affaire à te parler! Viens et viens vite.

La voix colérique de sœur Monique me ramena toutes mes vieilles peurs. Elle me tendit une serviette :

— Mets ceci sur tes épaules et suis-moi.

— Non, je ne veux pas. Je veux aller me baigner. Je vous promets que je ne le ferai plus.

— Viens avec moi!

Elle me saisit un bras, mais j'essayai de me libérer en suppliant et en pleurant :

— Non, laissez-moi tranquille! Qu'est-ce que j'ai fait?

— Tu mérites une punition et suis-moi!

— Mon petit frère est malade. Il ne pouvait pas aller à l'eau... j'ai eu peur qu'il meure... j'ai essayé de le défendre... il est peut-être mort... je veux aller le voir... je veux le voir... S'il vous plaît!

Je hoquetai :

— S'il vous plaît!

— Tu vas venir avec moi tout de suite!

— Vous n'êtes pas ma mère, laissez-moi tranquille! Je veux voir mon petit frère!

J'avais beau pleurer et me débattre, elle réussit à me traîner jusque dans le dortoir. Je tremblais comme une feuille. Je sentais mon cœur battre jusque dans ma tête, je tenais à peine sur mes jambes tellement j'avais peur.

— Non, s'il vous plaît, je ne veux pas la volée, s'il vous plaît.

— Entre dans le dortoir et va mettre ton pyjama.

J'enlevai mon maillot encore humide, enfilai culotte, camisole, robe de chambre et pantoufles. Je demandai à sœur Monique :

— C'est quoi, ma punition?

— Maintenant tu vas te déshabiller!

Étant habituée à me déshabiller avant d'être battue, je suppliai de nouveau!

— NON, S'IL VOUS PLAÎT! PAS ÇA!

— Écoute-moi et déshabille-toi!

Elle avait parlé très doucement. Je me calmai un peu. J'enlevai seulement ma robe de chambre et je levai les yeux sur elle. Elle s'assit sur le lit d'à côté et dit :

117

— J'ai dit TOUT; enlève tout! Tes sous-vêtements aussi.

J'avais le cœur pris dans un étau. Je ne voulais pas aggraver ma situation et je fis ce qu'elle voulait. Je me fermai les yeux le plus fort possible et, les dents serrées, j'imaginais déjà les coups qui pleuvraient sur mon dos, mes fesses et mes jambes. J'étais tendue à éclater... et pourtant rien ne vint. Je la regardai de nouveau, elle dit :

— Rhabille-toi!

Je fus surprise; je n'arrivais pas à comprendre ce qui m'arrivait. Je crus qu'elle avait changé d'avis et je me rhabillai en vitesse. Lorsque j'eus fini, elle me dit :

— Déshabille-toi!

Je ne comprenais plus rien; avait-elle décidé tout à coup de me battre? Mais elle m'ordonna :

— Rhabille-toi!

Et je recommençai de nouveau. Elle me fit refaire le manège quatre ou cinq fois jusqu'à ce que les autres filles remontent dans le dortoir.

— Bon, c'est assez! Tu peux te mettre au lit.

Il était temps, car j'étais au bord de la crise de nerfs. Je me couchai pendant que les autres filles se préparaient à aller regarder la télévision. Je pleurai doucement, la tête sous les couvertures...

Plus tard, au moment où les filles vinrent se coucher, je demandai à sœur Monique :

— Serait-il possible de me donner des nouvelles de mon petit frère?

— Oui, je vais essayer. Essaie de dormir, je vais revenir.

Un peu plus tard, elle me réveilla pour me dire qu'il allait très bien. Je pouvais enfin dormir tranquille, il était sain et sauf.

Le lendemain, je pris des feuilles et une enveloppe pour écrire à ma mère. Je lui expliquai ce qui s'était passé à la piscine avec Jean-Marc. Je lui racontai toute l'histoire. Je terminai en lui demandant de m'apporter de la laine le jour où elle pourrait venir nous voir. Je cachetai la lettre et sœur Thérèse s'offrit à la poster pour moi.

La semaine suivante, ma mère vint à l'orphelinat. Elle monta nous voir, Diane et moi, au cinquième. Elle me remit la laine que je lui avais demandée. C'est la première fois qu'elle m'achetait ce que je lui demandais. Elle nous expliqua qu'elle ramenait Jean-Marc avec elle dès aujourd'hui et qu'elle viendrait nous chercher plus tard. Quand elle nous quitta, Diane pleurait. Elle aurait voulu repartir avec elle. Moi pas. Pourtant j'avais la gorge nouée, avec une grande envie de pleurer.

Chaque dimanche, nous attendions sa visite en vain. Nous étions les seules qui ne recevaient jamais de visite. Nous avions beau attendre et espérer, personne ne venait. Je pensais que peut-être ma mère commençait à m'aimer un peu. Puisqu'elle m'avait apporté de la laine et des broches... Je me disais que les choses avaient dû changer pendant tout ce temps. Peut-être qu'un jour elle viendrait nous chercher et que la vie serait belle, tous ensemble. J'espérais.

Le retour à la maison

C'est à cette époque que les sœurs nous annoncèrent un beau voyage. Nous devions aller à Montréal visiter l'Exposition universelle. Nous étions tellement heureuses. Les filles sautaient et riaient. Nous avions tellement hâte que nous comptions les jours. Pourtant, Diane et moi ne fûmes jamais de la partie. Quatre jours avant le départ, ma mère vint nous chercher. Nous étions déçues de manquer ce beau voyage, mais nous n'avions pas le choix. Et nous ne savions pas ce que notre nouvelle vie nous réservait.

Elle vint nous chercher en taxi et elle nous fit monter à l'arrière. L'auto se mit en route et nous vîmes disparaître l'orphelinat par la lunette arrière. Voyant que Jean-Marc n'était pas avec elle, je lui demandai :

— Maman, où est Jean-Marc?

— C'est pas de tes affaires, dit-elle d'un ton très sec. Elle reprit :

— Il est resté avec Arthur. Après ça, veux-tu savoir d'autres choses, mon grand talent?

Si j'avais pensé un court instant qu'elle avait changé à mon égard, je m'étais bien trompée. Je ne savais pas à quel point l'orphelinat me manquerait. J'y serais retournée sur-le-champ, si elle m'avait demandé de choisir. Je la regardais parler et rire avec les autres. Elle avait le petit Patrick dans les bras et lui donnait parfois des baisers dans le cou. Je me demandais pourquoi elle était toujours en colère contre moi. Je me demandais pourquoi elle ne m'aimait pas. Pourquoi moi? J'avais toujours envie de pleurer toutes les larmes de mon corps, mais il fallait que je me retienne; je ne voulais pas qu'elle me voie pleurnicher pour rien puisque ça lui tombait tellement sur les nerfs.

Le voyage se termina dans un petit village que je ne connaissais pas. Nous avions déménagé. La maison était petite, peinte en blanc, et sensiblement pareille à l'autre. Arthur était là qui nous attendait tout en gardant Jean-Marc. Celui-ci se berçait dans sa petite chaise. J'étais tellement contente de le voir. Je courus vers lui et l'embrassai sur une joue. J'étais heureuse de le revoir et de pouvoir le toucher, car à l'orphelinat nous étions séparés. Il ne nous était pas permis de nous visiter. Ma mère, voyant cela, m'avertit :

— Laisse-le tranquille, il ne s'est pas ennuyé de toi.

Moi, je m'étais ennuyée de lui. Moi, je m'étais inquiétée de lui. Ne pouvait-on pas comprendre ce que je ressentais?

Dès le premier soir, je repris mon rôle de gardienne. Je devais ranger la maison. Puis, je devais attendre sans dormir qu'ils reviennent. De plus, je n'avais pas le droit de grignoter, ni d'écouter la radio ou regarder la télévision.

Après leur départ, je suis restée là, toute seule, car les autres étaient couchés depuis longtemps. Le temps passait très lentement. Je me berçais dans la chaise près de la fenêtre. Tout en surveillant, je me fis une tartine de moutarde, car j'avais très faim. Je n'étais toujours pas capable de manger à la même table que ma mère sans avoir envie de vomir. Ma tartine était très bonne, je m'en fis une autre en prenant bien soin de tout remettre à sa place, le pot de moutarde dans le frigidaire, le pain dans l'armoire, le couteau bien essuyé et rangé à sa place, pas une miette sur le comptoir. Il était bien trois heures quand ils revinrent et que je pus me coucher, enfin.

Le lendemain, même scénario. Le temps passait et j'avais les yeux qui fermaient tout seuls. Je pris le risque de regarder la télévision afin de rester éveillée. Je regardai le dernier film en étant sur mes gardes, prête à fermer la télé dès qu'une auto entrerait dans la cour. Quand ils arrivèrent, j'avais réintégré ma chaise berceuse. Ils étaient saouls et Arthur parlait très fort. J'étais debout près de l'escalier, sur le point de monter me coucher, quand Arthur se rendit compte de ma présence.

— Tiens, la Grande Noire! As-tu passé une bonne soirée? On va aller voir si t'as regardé la télévision!

Je devais avoir l'air coupable. Je me sentis toute petite. On aurait dit qu'il avait lu mon forfait dans mes yeux. Il se dirigea vers le salon et mit la main sur la télévision.

— Tiens, elle l'a regardée, la lampe est toute chaude encore.

— Est-ce que c'est vrai, Élisa, que t'as désobéi?

— Je voulais juste voir ce qu'il y avait. Mais à cette heure, il n'y avait rien, alors je l'ai fermée.

Ma mère regarda Arthur en disant :

— Moé, je suis fatiguée. Tu régleras ça demain!

Puis elle m'envoya me coucher. Je pus m'endormir malgré la pensée de la volée qui m'attendait le lendemain. Pourtant, le lendemain, ils semblèrent oublier ma faute. Mais les jours qui suivirent furent très pénibles à vivre. J'étais battue sans raison; tout était toujours de ma faute. Parfois j'étais battue simplement pour leur simple plaisir.

Je me rappelle la fois où Arthur voulut essayer sa nouvelle ceinture. C'était une ceinture très large, toute capitonnée avec une grosse boucle à un bout et ferrée à l'autre. J'étais habillée d'une culotte courte et d'un gilet sans manche. J'avais beau pleurer, supplier et crier, il n'avait aucune pitié. Ma mère intervint, car je crois qu'il aurait pu me tuer.

— Arrête, Arthur! Arrête-toé, tu veux la tuer? Arrête-toé, elle en a assez.

— C'est bon, j'arrête, mais elle est mieux de se tenir tranquille, sinon...

En pleurant, je réussis à parler :

— Oui, oui, papa, je vais vous écouter.

J'avais la figure enflée, les lèvres fendues et je saignais. J'avais l'œil gonflé avec une coupure au-dessus qui saignait également. Mes jambes et mes bras étaient striés de marques rouges. J'avais du mal à bouger tellement tout mon corps me brûlait. Comme un animal, je me retirai dans mon coin en pleurant et en essuyant mes blessures avec mes mains. Je mettais de la salive sur mes doigts et je la répandais sur mes coupures, ma mère n'ayant plus l'air de s'occuper de moi. Dans mon coin, je pleurais sur moi en pensant avec regret à l'orphelinat.

L'emprise d'Arthur

L'orphelinat était maintenant bien loin dans mes pensées. De nouveau, j'étais tout entière habitée par la peur; peur de ma mère, mais peur d'Arthur surtout puisque ma mère ne jurait que par lui. Ce jour-là, il travaillait dans la cour à placer des planches par ordre de grandeur. J'étais bien en sécurité à l'intérieur quand je l'entendis crier :

— Élisa, viens m'aider, dépêche-toé!

Ma mère m'envoya et je sortis le rejoindre. Je m'approchai de lui, tout en me tenant sur mes gardes afin d'éviter de recevoir un coup. Je l'aidai du mieux que je pus. Je m'appliquais pour ne pas le mécontenter.

— Tu travailles pas trop mal quand tu veux! Si tu voulais être plus gentille avec moi, je ne te battrais plus.

— Qu'est-ce qu'il faut que je fasse?

— T'as rien qu'à être gentille et à venir quand je t'appellerai.

Je ne comprenais rien. Il me semblait que je faisais tout mon possible pour être serviable, et pour être gentille. Cependant, je n'arrivais qu'à les exaspérer. Je ne savais pas comment faire plus. Je ne pus en savoir davantage de la part d'Arthur, car ma mère m'appelait.

— Bon, tu peux t'en aller, ta mère va s'inquiéter. T'es mieux de venir quand je t'appellerai, parce que sans ça tu vas voir...

Il passa sa main sous ma jupe, mais je me dégageai brusquement. Il en profita pour me donner un coup de planche sur les cuisses. C'est donc en pleurant que je rejoignis ma mère. Elle m'observait par la fenêtre de la cuisine :

— Arrête donc de te lamenter. Il t'a pas tuée, non! Ferme ta gueule et viens m'aider!

J'avais tellement peur d'elle que mes larmes cessèrent instantanément. Je n'aimais pas travailler avec elle parce qu'elle me critiquait sans cesse. Elle me prenait en défaut et me disputait. Je ne faisais rien à son goût. Sa seule présence suffisait à me rendre nerveuse et à me faire faire des bêtises. J'essayais de faire disparaître une tache dans l'évier et je m'y prenais tout de travers. Elle me prit par-derrière le cou et me dit en serrant très fort :

— Viens, ma p'tite fille, je vais te montrer comment faire et t'es mieux de t'en souvenir, parce que je te le dirai pas deux fois.

Je détestais les vacances et les journées de congé, et tous les moments qui me mettaient en présence de ma mère. Elle ne pouvait même pas supporter de lever les yeux sur moi. Devant elle, je me sentais laide, maladroite, imbécile. Entre elle et Arthur, j'étais comme entre deux feux. C'était à qui me frapperait le plus. J'essayais de vivre le plus loin possible de l'un comme de l'autre.

Comme j'étais trop exaspérante pour travailler avec elle, elle m'envoya au deuxième pour faire les lits. J'étais presque rendue aux dernières marches, quand j'aperçus Arthur, dans notre chambre, qui tripotait mes sœurs. Je n'osais plus bouger de peur qu'il ne me voie, je n'osais pas descendre de peur de me faire chicaner par ma mère. J'étais plantée là, quand ma mère, se rendant compte qu'il n'y avait plus aucun bruit, cria :

— Arthur, qu'est-ce que tu fais en haut avec Diane, Sylvie et Élisa?

J'en profitai pour monter jusqu'en haut. Arthur se tourna dos à moi et se dépêcha de fermer son pantalon. Il me jeta un regard terrible en criant à ma mère qu'il était en train de réparer le lit des garçons. Mes sœurs me supplièrent de ne rien dire.

— On était obligées de le faire, sans ça, il nous aurait donné une volée, comme celle que tu as eue hier.

— Je ne dirai rien à condition que vous cessiez d'inventer des choses à mon sujet, pour me faire battre, O.K.!

Je me mis à faire les lits; elles me regardaient quand ma mère apparut dans la porte :

— Ça vous prend bien du temps! Qu'est-ce que vous faites? Vous complotez derrière mon dos?

— Non, maman. Elles m'aident à faire les lits.

Elles se mirent au travail sans perdre de temps. Ma mère nous tourna le dos et rejoignit Arthur dans la chambre des garçons.

À cette époque, Arthur partait travailler pour toute la semaine. Il ne revenait que le mercredi soir pour dormir et le vendredi pour la fin de semaine. Quand il revenait, nous devions nous jeter à son cou pour l'embrasser en disant : *Bonjour, papa! Avez-vous fait une bonne semaine?*

Lui, il ne prenait jamais le temps de répondre. Il se déshabillait en jetant son linge partout. Ce qu'il aimait le mieux, c'était de lancer ses bottes de sécurité, ensuite il disait :

— Tu vois pas que c'est pour mettre au lavage!

Je devais alors tout ramasser et apporter le linge sale dans la salle de bains. La première fois, lorsque je m'avançai pour ramasser son linge, il défit sa ceinture. Bien entendu, je bondis en arrière.

— Qu'est-ce que t'attends pour venir? Aurais-tu peur par hasard?

— ... Non...

Mais j'avais une peur extrême de lui et j'avançai en le fixant pour éviter le moindre de ses gestes. Mais il s'était mis à parler avec ma mère. Voyant qu'il était occupé, j'en profitai pour me pencher et ramasser le tout, mais soudain il bondit en me donnant quelques coups de ceinture ici et là. J'essayai de lui échapper, mais, d'une brusque détente, il lança son pied et m'attrapa le pubis de la pointe de sa bottine. Je me mis à crier et à sauter de douleur. Il riait comme un fou de m'avoir attrapée :

— Je vais t'en donner plus souvent, tu danses trop bien.

Et ma mère riait, riait aux éclats comme si c'était une bonne blague. Elle le laissait faire tout ce qu'il voulait. Bien sûr, je l'avais à l'œil, mais c'était comme un jeu pour lui. Il essayait de déjouer mon attention et il réussissait trop souvent. Il n'avait aucune pitié pour moi, ni lui ni ma mère.

L'oncle Alfred

Un jour, nous avons rendu visite à un oncle d'Arthur. Il l'appelait l'oncle Alfred. C'était un vieil homme qui vivait tout seul dans un petit chalet bleu et blanc. Il était très riche, semblait-il. Il nous accueillit dans sa berceuse, vêtu simplement d'un pantalon et d'une camisole crasseuse. S'il était si riche que ça, il n'en paraissait rien. Pendant que les parents parlaient, moi je regardais autour de moi. C'était un tout petit chalet, avec des meubles vieux et laids comme leur propriétaire. Il n'avait même pas l'eau courante, seulement une pompe à main. C'était sale et ça sentait le renfermé. Ma mère lui demanda :

— Qui est-ce qui vient faire ton ménage?

— Bien, je paie des petites filles ici et là!

Il ajouta en riant :

— Ça arrive que je les paie aussi pour coucher. Il faut bien que je dépense mon argent avant de mourir.

Ma mère, intéressée, lui proposa :

— Quand mes enfants seront partis à l'orphelinat, si tu veux, je peux venir faire ton ménage et à manger aussi!

Moi, je n'avais compris que l'orphelinat. Nous allions retourner à l'orphelinat. Comme j'étais heureuse! Mais un mot me fit dresser l'oreille. L'oncle Alfred s'adressait à moi :

— Toé, qu'est-ce que tu dirais de travailler pour moé? Je te donnerais tout ce que tu veux, tu gagnerais plus que les autres ont jamais gagné!

— Je la vois pas travailler icitte. Il n'en est pas question. T'es bien trop un vieux vicieux. Moi, je suis prête à travailler pour toé, mais pas elle!

— Réfléchis bien. Ça va en faire une de moins à faire vivre. Et puis, je vais bien la payer...

La stupéfaction me clouait le bec. Je n'avais que dix ans et je ne me voyais pas à son service. Heureusement que ma mère était intervenue.

Il regardait ma mère du coin de l'œil comme un vieux renard. Elle semblait hésiter. Je suppliai Dieu de ne pas m'abandonner. Ce vieux salaud semblait aussi vicieux que son neveu Arthur. J'aimais mieux rester chez nous à me faire battre que de vivre ici avec lui. Ma mère trancha la question :

— Je ne peux pas la laisser ici, car ils l'attendent demain à l'orphelinat, son nom est donné. Peut-être plus tard, quand elle sera un peu plus vieille, je repenserai à ça.

J'étais doublement soulagée. J'aurais cru qu'elle était prête à me laisser là pour avoir de l'argent à chaque semaine.

— C'est toé qui mènes, Martha. Je vais l'attendre, mais, je veux absolument l'avoir. Ça vaut la peine d'attendre.

— Moi, je veux pas travailler ici avec vous.

— Toé, ferme-la, c'est moé le maître, dit ma mère, c'est à moé de régler ça.

De retour à la maison, ma mère et Arthur discutèrent très longtemps. Ils ne semblaient plus si sûrs que ça de m'envoyer avec les autres. J'ai pleuré une bonne partie de la nuit. J'ai prié Dieu de toutes mes forces afin de retourner à l'orphelinat comme les autres.

Au matin, ma mère nous ordonna :

— Allez faire vos bagages, il faut partir cet après-midi pour l'orphelinat et j'ai pas envie de revenir à deux ou trois heures de la nuit.

Dans la voiture, les enfants pleuraient. Moi, j'essayais de cacher le grand sourire qui me venait sur les lèvres. Je retournais enfin à l'orphelinat.

Deuxième partie

De la haine et de la peur

Le retour à l'orphelinat

Cette fois, nous étions seulement cinq à revenir à l'orphelinat. Le petit Jean-Marc ne venait pas puisqu'il était très malade; ma mère pensait qu'il valait mieux qu'elle le garde avec elle.

Ce fut le même scénario et le même taxi. En cours de route, personne ne semblait avoir le goût de parler si ce n'est ma mère qui bavardait avec le chauffeur. De temps en temps, un des petits reniflait ses sanglots. C'était la même grisaille, le même trop long voyage. Moi, j'avais seulement peur qu'elle change d'idée et nous ramène à la maison. Je fus soulagée quand nous arrivâmes au pied de la côte d'où nous pouvions voir la grande bâtisse de briques à l'avant.

Cette fois, ma mère ne sortit même pas de l'auto pour nous accompagner à l'intérieur.

— Bon, je débarquerai pas. Vous connaissez le chemin, alors, allez-y. Vous avez qu'à entrer, elles vous attendent.

Le taxi avait déjà disparu au bas de la côte. Debout au milieu de nos maigres bagages, les autres pleuraient sans retenue. Moi, j'étais calme et heureuse qu'elle me laisse là; enfin la liberté retrouvée! Mais pour combien de temps? Je ne pouvais pas le savoir. Ça durerait ce que ça durerait, c'est tout.

Je pris les sacs, les autres me suivant; j'avais un peu peur que la porte soit verrouillée, peur qu'on ne veuille plus de nous. La porte s'ouvrit. Sauvée! J'étais sauvée!

Comme il n'y avait personne pour nous recevoir, nous avons pris la décision de monter chacun à notre étage puisque nous connaissions déjà le chemin. Au premier, nous avons dû sonner et une religieuse vint nous ouvrir la grande porte. Elle fut surprise de nous voir. Mais elle prit Patrick dans ses bras et disparut à l'intérieur avec lui. Au cinquième, sœur Monique vint nous ouvrir :

— Comment se fait-il que vous soyez là?

— Bien, c'est ma mère qui est venue nous porter, répondis-je.

— Où est-elle exactement?

— Elle est repartie. Pourquoi?

— C'est rien, mes enfants! Allez vous préparer pour la nuit.

Je commençai à être sérieusement inquiète. En nous rendant au dortoir, je dis à Diane :

— On dirait qu'elle veut pas de nous autres.

En pyjama, nous avons rejoint les autres filles au salon. Toutes furent très surprises de nous revoir. Bien sûr, elles nous firent le compte rendu du voyage à l'Expo que nous avions raté. Mais mon inquiétude était telle que je n'arrivais même pas à regretter ce voyage. J'avais le cœur gros et une grande envie de pleurer. Sœur Monique, qui m'observait, me dit :

— Il y a quelque chose qui ne va pas, Élisa?

— On dirait que vous ne voulez plus de nous!

— Non, c'est pas ça! Il aurait fallu que ta mère nous avertisse de votre arrivée; nous ne savions même pas que vous alliez revenir. C'est pour cela que j'ai été surprise de vous revoir. Dépêchez-vous de retrouver vos amies, car il va être l'heure d'aller vous coucher.

Diane avait cherché son amie d'avant, mais on lui apprit que celle-ci était partie et qu'elle ne reviendrait plus jamais. J'étais seule comme d'habitude, et Diane était triste dans son coin. Mais elle fut vite consolée et entourée. J'avais remarqué une nouvelle dans le groupe, une petite fille pas très jolie et boulotte, une petite fille isolée comme moi. Je me rapprochai d'elle, et au lieu de s'éloigner comme les autres, elle me demanda :

— Pourquoi es-tu ici?

— C'est parce que ça va mal chez nous et ma mère nous a emmenés ici.

Franchement, j'ignorais la vraie raison de notre séjour à l'orphelinat. Je la questionnai à mon tour et elle m'apprit :

— Moi, c'est parce que mon père et ma mère ne veulent pas de moi.

— Ne t'en fais pas, c'est presque pareil pour moi.

La journée se terminait. J'étais heureuse, le cœur gonflé de joie et j'avais des étoiles dans les yeux. J'étais de retour ici et j'avais une amie... j'avais enfin une amie. J'avais hâte à demain.

Les vacances étaient terminées. C'était l'inscription scolaire. Je devais recommencer ma troisième année puisque j'avais échoué. Je serais donc dans la même classe que ma sœur. Un frère nous enseignait; c'était la première fois qu'un homme me faisait la classe. Je me promettais de bien travailler. Chaque soir, il fallait faire nos devoirs et étudier nos leçons. Quand nous étions certaines de bien les savoir, nous allions retrouver sœur Monique pour la récitation. J'avais beau étudier, étudier encore, même si j'étais certaine de bien savoir ma leçon, dès que j'arrivais pour la réciter, j'étais incapable de sortir un son de ma bouche. J'oubliais tout en un instant. Sœur Monique m'avait dit :

— Reste calme et essaie de l'écrire, quand tu le sais.

C'était un bon truc. J'arrivais à récrire de mémoire toute ma leçon. Mais le lendemain, en classe, tout se gâchait. J'étais incapable de me rappeler quoi que ce soit. Je ne dépassai jamais le cap des cinquante pour cent. Le professeur me tapait les doigts avec une règle et me disputait, mais ça ne me faisait pas mal; c'était bien moins pire que la ceinture d'Arthur.

Le problème, c'est que j'étais dans la lune. À chaque jour, malgré moi, à n'importe quel moment de la journée, et même pendant la nuit, je m'éveillais et je repensais à ma vie à la maison. Je ne pouvais m'empêcher de songer que ma mère avait la possibilité à tout moment de revenir me chercher et mettre fin à la vie agréable et douce que j'avais ici. Cette crainte me rongeait de plus en plus, au point de m'empêcher de profiter des moments heureux que j'avais à l'orphelinat. Quand je me mettais à penser à mon retour à la maison, je devenais raide et froide comme une statue, je fixais un point et je ne bougeais plus. Sœur Monique finit bien par s'apercevoir de mon état. Elle me fit venir près d'elle et me demanda :

— Qu'est-ce qui se passe, Élisa?

— Rien, j'ai peur et j'sais pas pourquoi. J'ai pas hâte de retourner chez nous, je veux rester ici.

Je me mis à pleurer sans pouvoir m'arrêter. Comme si je pleurais pour tous les autres jours de ma vie. Je pleurais la tête sur ses genoux jusqu'à ne plus avoir de larmes, juste des sanglots dans la gorge. Elle me caressait les cheveux :

— Pleure, ma belle, c'est le meilleur remède. Tu es bloquée depuis si longtemps.

Le ménage

Ce jour-là, après déjeuner, sœur Monique et sœur Thérèse nous ont annoncé que les corvées de ménage allaient recommencer. Les vacances étaient bien finies. Chaque samedi, un groupe allait faire le ménage de l'étage, tandis que l'autre irait donner un coup de main à l'église, et cela, à tour de rôle. Comme récompense de notre travail, ce samedi, nous devions faire un pique-nique pour le souper. C'était comme une sorte de jeu et nous étions toutes d'accord. Mon équipe fut assignée au ménage de l'étage. Défaire les lits, changer les draps, les taies d'oreiller et refaire le tout. Mettre tout le linge sale dans un grand tas et transporter des piles de draps propres et frais qui sentaient bon. Épousseter partout, laver les baignoires, les grands éviers et tout, et tout. Nous étions joyeuses de faire tout ce travail ensemble. Sœur Monique me remit trois tapis en me demandant :

— Peux-tu aller porter ça dans la chute à linge au bout du corridor, c'est pour laver. Tu verras, c'est une porte en fer avec une poignée; tu les mets là-dedans et ils vont tomber jusqu'en bas où on s'occupe de laver le linge sale.

— Oui, c'est compris, j'y vais tout de suite.

Au bout du corridor, il y avait bien une porte de fer comme elle me l'avait dit, il y en avait même deux: une de chaque côté des grandes portes. Était-ce celle de ce côté-ci ou celle de l'autre côté des portes? J'hésitai un instant, j'ouvris le panneau, je jetai les tapis à l'intérieur et je refermai. Puis, curieuse, je l'ouvris une seconde fois pour voir si les tapis avaient glissé jusqu'en bas. Quelle ne fut pas ma surprise de sentir sur mon visage une grande bouffée de chaleur et de voir du feu... Il faisait très chaud là-dedans. J'ai pensé : *Mon Dieu! Les tapis ont pris en feu...*

De l'autre côté de la porte, j'ouvris le panneau, mais je n'y vis aucun feu, aucune chaleur, rien. Je me demandais bien pourquoi. Je n'y comprenais vraiment rien. Une fille passa avec une poubelle et se rendit jusqu'au premier panneau, celui qui avait vu disparaître mes tapis. Elle l'ouvrit et y jeta le contenu de la poubelle. Je pouvais voir encore le feu qui montait, je lui demandai :

— Comment ça se fait que l'autre, de l'autre bord, il ne fait pas ça?

— Tu sais pas? Celui où je viens de jeter les papiers, c'est l'incinérateur et l'autre, c'est pour envoyer le linge en bas pour le faire laver. Pourquoi tu demandes ça?

— Pour rien, c'est juste pour savoir.

À cet instant, je me sentis très mal. J'avais des sueurs froides dans le dos. Qu'est-ce que j'avais fait? J'allais me faire drôlement disputer!!! Je décidai de dire la vérité et je retournai au dortoir pour avouer ma faute. Mais en voyant les deux sœurs, le courage me manqua; je continuai de travailler avec les autres sans rien dire.

La journée se termina joyeusement par le pique-nique annoncé. C'était une journée fort agréable, mais je n'arrivais pas à oublier la bêtise que j'avais faite.

Le remords me talonna toute la semaine. Ce n'est qu'à la corvée de ménage suivante que sœur Monique aborda le sujet :

— Écoutez, les filles! Laquelle d'entre vous s'est occupée de mettre les tapis au lavage?

Évidemment, personne ne répondit. Je n'en menais pas large. J'avais sans doute le rouge au front, mais personne n'aurait pu me faire avouer mon « crime ». J'étais incapable d'ouvrir la bouche, j'avais bien trop peur. Sœur Monique expliqua:

— C'est parce que, depuis samedi dernier, nous aurions été supposées les recevoir, mais nous n'avons rien eu... Enfin! Ils doivent être rendus à un autre étage. Ils sont toujours mêlés en bas.

Je n'ai jamais avoué et elles n'ont jamais su ce qui était advenu de ces satanés tapis.

De nouveau l'enfer

La vie s'organisait agréablement. J'étais devenue

une petite fille presque comme les autres. J'avais une amie. Pourtant, je savais bien que cela ne durerait qu'un temps. Nous étions en train de répéter une danse pour la Sainte-Catherine, quand sœur Thérèse vint nous avertir que notre mère nous attendait; elle était venue nous chercher. J'avais beau m'y attendre, je ne pouvais y croire. J'avais l'impression que toute la lumière de cette journée venait de s'assombrir. Ma mère allait me ramener. J'étais devenue comme un bloc de glace. Ce n'était pas possible. Je ne voulais pas y retourner. Je regardai sœur Monique avec des yeux suppliants, mais elle détourna la tête. Il n'y avait rien à faire. Je n'avais qu'à faire face. Je n'avais qu'à obéir.

Ma mère nous attendait dans le hall d'entrée. Mes frères et mes sœurs étaient déjà là, avec leurs bagages. Du haut de l'escalier, je l'observai. Elle semblait toujours la même, petite et fière, mal à l'aise dans ce lieu qui lui était étranger. Mon cœur se serra quand elle leva les yeux vers moi; je retrouvai la même bouffée de chaleur, les tempes serrées, comme à chaque fois qu'elle me regardait.

— Bonjour! Je suis venue vous chercher.

Ce fut tout. Elle remercia la sœur directrice et nous sommes sortis. Un taxi nous attendait. Ce n'était plus nouveau à mes yeux. Je ne regardai même pas en arrière. Je savais que je ne reviendrais plus ici, plus jamais. Les autres riaient et racontaient des anecdotes de leur vie à l'orphelinat. Moi pas. J'étais comme assommée. Je revenais vers l'enfer.

Nous avions encore une fois déménagé. Nous étions revenus à la maison que nous habitions avant d'aller à l'orphelinat la première fois: celle que mon père avait voulu acheter. J'avais l'impression de revivre des images connues. À l'intérieur de la maison, Arthur nous attendait en se roulant des cigarettes, et Jean-Marc se berçait non loin de lui. Je me retins d'aller embrasser mon petit frère de peur de me faire rabrouer comme la première fois. Je lui fis un petit sourire de loin et, malgré moi, je cherchai mon père des yeux.

Comme si elle avait lu dans mes pensées, ma mère nous dit :

— Écoutez, les enfants, je vais vous dire quelque chose. Je suis séparée d'avec Gérard, votre père. Il vient plus icitte. Ça fait presqu'un mois que je n'ai pas eu de ses nouvelles. Il travaille dans le bois, il est « cook » dans un chantier. Il ne descend pas souvent. Attendez-vous pas à le voir trop, trop.

Nous la regardions tous. Je me demandais bien pourquoi elle nous disait tout cela. Ce n'était pas la première fois qu'Arthur vivait chez nous.

— Je suis séparée de lui et je reste avec Arthur. C'est lui qui va tout payer pour vous nourrir et il faut que vous l'aimiez comme votre propre père.

D'une manière ou d'une autre, ça ne changeait pas grand-chose à ma situation. Cela ne faisait que confirmer mon malheur. Richard lui dit :

— Nous le savions depuis longtemps!

Moi, je ne bougeais pas, je ne parlais pas. Tout ce que j'espérais, c'est qu'ils aient changé pour le mieux. Ma mère continua en souriant :

— Alors, dans ce cas, allez embrasser votre deuxième père.

Pour ne pas la mettre en colère contre moi, je suivis les autres et j'embrassai Arthur sur la joue, à contrecœur. Peut-être qu'en commençant avec de la bonne volonté, j'aurais la chance d'avoir un avenir plus doux et agréable. Peut-être avaient-ils changé? Ma mère me parlait sans se fâcher et me traitait comme les autres. Je pensais que nous commencions peut-être une nouvelle vie. Je m'installai dans ma chambre et passai une bonne nuit.

Le souffre-douleur

Il ne me fallut pas longtemps pour reprendre mon ancien rôle de souffre-douleur. Je redevins très vite la risée et l'esclave de ma mère et d'Arthur. Il leur fallut seulement trois jours pour recommencer à me donner des coups et à crier contre moi.

Par chance, Arthur travaillait toute la semaine en forêt, cela me permettait de respirer un peu. Entre l'école, le temps des devoirs et des leçons et l'heure du coucher, il ne me restait que peu de temps à avoir des contacts avec ma mère. Elle nous envoyait au lit vers huit heures. Mais souvent, sous n'importe quel prétexte, elle me faisait coucher à six heures, tout de suite après le souper. Pour la moindre bêtise ou simplement parce qu'elle en avait assez de me voir, elle me faisait monter à ma chambre pour dormir. Je trouvais cela injuste, mais de toute façon je n'avais toujours pas le droit de regarder la télévision comme les autres. La vaisselle terminée, je devais regagner mon coin. J'essayais bien de m'asseoir sur la pointe des fesses, au bout de ma chaise et de m'étirer le cou le plus possible; de là je pouvais voir une partie de l'écran. Mais je devais faire bien attention pour ne pas me faire attraper par ma mère.

— Toé, recule-toé. T'es pas là pour regarder la télévision. Que je te reprenne plus parce que tu vas en manger toute une...

Dans mon lit, j'étais bien. J'étais sûre de ne plus avoir à subir les attaques de ma mère, du moins jusqu'au matin. Je pouvais tout à mon aise inventer un monde où je n'étais qu'une petite fille ordinaire, belle, gentille et heureuse. Je pouvais rêver que ma mère m'avait abandonnée et que je restais à l'orphelinat pour toujours. Pourtant, un soir, je l'entendis monter pour vérifier si je dormais. Bien sûr qu'à cette heure-là, je n'avais pas sommeil. Pourtant je fermai les yeux pour lui faire croire que je dormais. J'avais toujours la même peur d'elle, sa simple présence suffisait à me donner des chaleurs. Elle entra dans ma chambre, je la sentais tout près de mon lit. J'essayais de respirer doucement, de ne pas bouger. Aucun bruit, il ne se passait rien. Je me demandais ce qu'elle pouvait bien faire. Je me demandais même si elle était encore là. J'ouvris un tout petit peu les yeux pour vérifier, mais elle était là à me regarder, son visage tout près du mien, à m'épier, à guetter le moindre mouvement suspect de ma part. Voyant que je faisais semblant de dormir, elle se jeta sur moi en me tirant du lit :

— Ma petite tabarnac, quand je t'envoie te coucher, c'est pour dormir. Tu veux veiller, tu vas veiller à ton goût.

Elle m'agrippa par les cheveux et me força à marcher derrière elle jusqu'à l'escalier. Pliée en deux, j'essayai de me protéger avec mes bras. Elle me poussa dans l'escalier. Je descendis quatre à cinq marches en tournant et en roulant, puis, heureusement, je réussis à reprendre pied et à descendre le plus rapidement possible vers mon coin. Je tremblais comme une feuille. Elle vint s'asseoir dans sa berceuse en face de moi en me regardant d'un air féroce.

— Assis-toé comme du monde. T'es pas descendue en bas pour regarder la télévision; t'es descendue pour veiller pis tu vas veiller.

Je ne comprenais pas pourquoi elle s'acharnait sur moi comme cela. Je suppliai Dieu pour qu'il change ma mère et que j'aie droit à la même vie que les autres.

Quand il fut le temps pour les enfants d'aller au lit, Richard, me regardant, demanda à ma mère :

— Pourquoi elle vient pas se coucher, Élisa? C'est pas juste, elle est plus jeune que moé et elle peut rester veiller avec vous!

— Veux-tu ben aller te coucher! C'est moi qui mène

icitte. Envoyez, montez, et que je n'entende pas un mot, sinon je vais monter avec la « strap », gronda-t-elle.

J'avais peur de rester toute seule avec elle. Elle se berçait tout en fumant une cigarette. Elle paraissait nerveuse. Je ne la quittais pas des yeux. J'attendais son verdict. Elle reprit :

— Tu vois ce que ça fait quand on écoute pas, on mange des volées.

— Mais, m'man, je vous écoute!

— Ça donne rien de parler avec toé, t'es pas parlable! J'suis aussi bien d'aller me coucher.

Elle se leva, éteignit toutes les lumières et se rendit dans sa chambre pour mettre sa robe de nuit. J'allais passer la nuit là, toute seule, moi qui avais si peur dans le noir. Je commençai à me tortiller sur ma chaise.

— Va te coucher, on réglera ça un autre jour.

Je ne me le fis pas dire deux fois et je grimpai à ma chambre.

Pendant les trois ou quatre semaines qui suivirent, je dus aller au lit tous les soirs à six heures. Elle n'avait qu'à me dire :

— Élisa, tu sais quelle heure il est, alors vas-y.

Ou bien :

— Je t'ai assez vu la face, c'est l'heure, dépêche-toé.

Bien sûr, la loi changeait avec l'arrivée d'Arthur. En fin de semaine, je devais garder tous les soirs, car ils allaient prendre une bière en ville.

— T'as assez dormi pendant la semaine, t'es capable de rester debout et de garder quand on sort.

Je devais les attendre sans dormir jusqu'aux petites heures du matin.

Les fins de semaine étaient bien dures à vivre pour moi, car même si je me couchais tard dans la nuit, je devais me lever avec mes frères et mes sœurs. Mais surtout, il y avait Arthur.

Un matin où je ne m'étais pas réveillée en même temps que les autres, c'est lui qui monta pour me faire lever. Je m'étais couchée très tard et je ne les avais pas entendus se lever. J'étais comme assommée de fatigue. Arthur était monté et, par la grâce de Dieu, je m'étais réveillée juste à temps, car il avait passé ses mains sous les couvertures afin de me toucher. Je sautai de l'autre côté du lit. Il me dit avec un grand sourire:

— Laisse-toé faire, pis j'te ferai pas de mal.

Je le regardai droit dans les yeux, essayant de lui faire comprendre à quel point je le détestais et qu'il n'avait aucune chance avec moi. Jamais il ne me toucherait...

— Ta mère m'a envoyé te chercher pour que tu te lèves. Je sais que tu m'haïs, mais je vas me faire aimer, même par des coups de pied au cul et des coups de ceinture. Tu finiras ben par m'aimer. J'te laisse cinq minutes pour faire les lits et descendre. Si t'es pas descendue dans cinq minutes, je vais revenir te chercher avec la ceinture. C'est compris?

C'est ainsi qu'Arthur entreprit de se faire aimer. Plusieurs fois, quand j'étais seule en haut, il montait et essayait encore; mais je réussissais toujours à lui échapper. Parfois il enlevait sa ceinture pour me fouetter. Je criais alors de toutes mes forces, espérant que ma mère vienne me sauver. Les premières fois, elle montait en demandant :

— Qu'est-ce qui se passe encore?

— Elle se grouille pas pour faire les lits!

Et il me donnait un coup de ceinture pour lui prouver qu'il me battait, et elle redescendait sans rien dire. À la fin, étant habituée de m'entendre hurler, elle criait à Arthur :

— Envoye, tue-la, câlisse! Qu'elle ferme sa gueule.

Alors il s'en donnait à cœur joie... Parfois il cessait de me fouetter et disait :

140

— Si tu m'écoutais et faisais ce que j'te dis, je ne te battrais pas comme ça.

Mais je ne voulais pas le toucher et encore moins me laisser toucher par lui, alors il continuait à frapper jusqu'à ce que je sois étendue par terre, sans force, roulée en boule pour protéger mon visage et mes bras...

— Laisse faire, je t'aurai bien un de ces jours. Tu feras bien ce que je te demanderai, ma petite crisse!

Et il me laissait par terre à pleurer de douleur, de peur et de chagrin.

Je savais bien qu'il faisait la même chose à mes sœurs et qu'elles se laissaient faire de peur de subir le même sort que le mien. Je décidai alors de tout raconter à ma mère pour qu'elle nous protège. Elle m'écouta en silence. Elle me dit qu'elle allait vérifier auprès d'Arthur, de Diane et Sylvie. Bien entendu, Arthur affirma que je mentais et mes sœurs nièrent en baissant la tête. Ma mère était furieuse contre moi :

— Attends-moé, tu vas voir...

Elle descendit à la cave et remonta avec un bâton.

— Ah! tu te penses si belle que tout le monde saute sur toé! Tu penses qu'Arthur a besoin d'une noiraude comme toé! Tu voudrais bien qu'il s'en aille pour que tu puisses faire à ta tête, mais tes petites menteries ne prennent pas, tes petites manigances non plus. Attends un peu, tu vas manger la plus belle volée de ta vie.

Elle se mit à me battre avec son bâton, violemment. Je la haïssais, je haïssais mes sœurs de m'avoir laissée tomber. Je haïssais Arthur encore plus. Ce jour-là, j'ai eu une raclée qu'aucun corps ne peut oublier.

Le sursis
C'est à la fin de cette semaine-là que mon père réapparut dans notre vie. C'était un vendredi et Arthur venait à peine d'arriver de son chantier quand on frappa à la porte. C'était mon père.

Nous étions plantés là à le regarder, les yeux ronds sans faire un geste ni dire un mot. J'aurais voulu lui sauter au cou, mais je n'osais pas. J'avais trop peur de ma mère pour montrer que j'étais heureuse de sa venue. J'avais envie de l'embrasser sur la joue, de me serrer contre lui et de lui demander de ne plus repartir. Pourtant, je ne bougeais pas d'où j'étais, les autres non plus d'ailleurs. Il était debout sur le tapis près de la porte, ne sachant plus très bien quoi faire, mal à l'aise.

— Bonjour, dit-il. Vous n'êtes pas contents de me revoir?

— ... Oui...

— Qu'est-ce que vous attendez pour venir m'embrasser?

C'est Sylvie qui osa la première. Alors nous nous sommes jetés dans ses bras; lui, il s'était penché, les bras grand ouverts pour nous recevoir. Il avait les larmes aux yeux et il répétait en nous embrassant :

— Mes petits enfants... Mes petits enfants...

Ma mère, témoin de la scène, parut insultée.

— Arrêtez-vous, laissez-le un peu tranquille. Laissez-lui le temps d'arriver. Vous aurez tout le temps de le voir et de le bécoter.

Mon père enleva sa veste et se tourna doucement vers ma mère.

— Bonjour, Martha, j'ai un mois de congé et je voudrais le passer ici, avec vous autres. Tu n'auras qu'à me dire combien je te devrai pour ma pension. Après je retournerai travailler dans le bois.

— Commence par entrer, on parlera de ça quand les enfants seront couchés. Ils ont les oreilles trop fines.

Mon père était maintenant pensionnaire chez nous. Je ne comprenais pas pourquoi il revenait ici, où il risquait de se faire de la peine. Pourtant sa présence me sécurisait.

Les vieilles habitudes reprirent vite le dessus. Après le souper, ils partirent ensemble pour prendre une bière à l'hôtel. Comme d'habitude, j'étais la gardienne, et comme d'habitude, je devais rester debout jusqu'à leur arrivée. Mon père fut stupéfait de me voir encore éveillée à trois heures du matin :

— Élisa, qu'est-ce que tu fais encore debout à cette heure-là? Pourquoi n'es-tu pas allée au lit en même temps que les autres?

— Je ne savais pas que je pouvais.

— Vas-y vite, il est assez tard comme ça.

Ma mère n'intervint pas. Elle se contenta de regarder, de me regarder.

Avec le retour de mon père, commença pour moi une période de calme et de paix. Pendant tout le temps qu'il fut à la maison, ma mère et Arthur me donnaient les mêmes droits qu'aux autres. Je pouvais même regarder la télévision et me coucher en même temps que mes frères et sœurs. En fin de semaine, je gardais, mais je pouvais me coucher quand j'étais trop fatiguée. Pourtant, je sentais sans cesse le regard sévère de ma mère qui me signifiait que je n'étais qu'en sursis. À chaque fois qu'il sortait, j'avais peur qu'il ne revienne pas. Mon père avait beaucoup de chagrin parce que nous l'appelions *monsieur*. Arthur était devenu notre second père et c'est lui que nous appelions *papa*. Je crois que mon père savait que nous n'avions pas le choix.

Les voisins s'étaient rendu compte que mon père était de retour et qu'il vivait chez nous avec ma mère et son amant. À l'école, les enfants se moquaient de nous :

— C'est pas croyable: vous êtes rendus avec deux pères!

J'avais honte. Je me contentais de baisser la tête et de m'éloigner. Je me rappelle qu'au début des classes, quand le professeur mit à jour notre dossier, il avait fallu donner le nom de notre père. Je ne savais vraiment pas quoi répondre. J'ai donc dit :

— Mon premier père, c'est Gérard T., et mon deuxième père, c'est...

La maîtresse m'interrompit brusquement :

— O.K.! Le premier, ça suffit.

Toute la classe rigolait et ma sœur Diane me lança des yeux furieux. Notre situation fit rire beaucoup de monde à cette époque. Les autres enfants nous traitaient de niaiseux.

Torturée

Au début de son séjour, mon père fut malade et dut se rendre à l'hôpital pour une série d'examens. Quand je vis ma mère et Arthur revenir sans lui, je sus que mon congé était terminé; ma vie allait reprendre ses anciennes habitudes. Comme à chaque fois que j'étais seule avec eux, je devenais comme un animal aux abois. Je me tassais sur moi-même, prête à saisir le moindre changement d'humeur, prête à bondir en arrière, sans repos. Je voyais tout, j'entendais tout, j'avais peur.

Mon père était à l'hôpital et je n'avais plus personne pour me protéger. J'avais repris ma vie « à part ». Comme il faisait mauvais, toute la famille était devant la télévision. Moi, j'avais regagné mon coin. C'était un après-midi calme et ennuyant. Assise sur le bout de ma chaise, j'essayais de voir ce que tout le monde regardait à la télévision. Je me tortillais et j'allongeais le cou de plus en plus quand ma mère m'aperçut. Elle se leva, très en colère et se mit à me traiter de tous les noms. Elle criait si fort qu'Arthur dut s'en mêler. Il criait lui aussi parce qu'il ne pouvait regarder son émission en paix.

— Grand talent! Maudite senteuse! Écornifleuse! Pas de génie...

Il se mit à me donner des tapes sur la tête et à m'agripper par les cheveux. Il me traîna ainsi sur le plancher de la cuisine, insensible à mes hurlements de douleur. J'essayai de me remettre debout, mais à chaque fois il me donnait des coups de pied sur les jambes et je retombais. Il lâcha prise soudainement; il avait les mains pleines de cheveux, mes cheveux.

— Câlisse! elle mue comme un chien. J'ai les doigts pleins de maudits cheveux sales.

J'en avais profité pour me relever et regagner ma chaise. Je me tassai dans mon coin. Je tremblais de peur et de souffrance. Je me tenais la tête à deux mains; j'avais des bosses partout, c'était terriblement douloureux et je ne pouvais m'empêcher de pleurer.

— Tais-toé, grande innocente, parce que si je me lève, je vas te faire passer le goût du braillage.

Je détestais ce grand cadavre méchant, imbécile et stupide. Il n'avait même pas le courage de porter son dentier. Je détestais tellement cet homme que j'aurais voulu le tuer. Je ne comprenais pas pourquoi ma mère tenait tant à lui, au point de le faire passer avant ses enfants.

L'émission de lutte terminée, il commença à taquiner et à bousculer les autres en faisant semblant de jouer à la lutte. Puis, il m'aperçut; il y avait dans ses yeux une telle méchanceté que je pris panique.

— Venez icitte, vous autres! Élisa voulait voir la lutte à la télévision et, pauvre petite, elle l'a manquée. On va lui montrer ce qu'on a vu. On va lui montrer les nouvelles prises...

Il me mit debout en me donnant des coups de poing sur les épaules. J'essayais de me protéger, de me sauver, mais il me fit basculer par terre et monta debout sur mon estomac. J'en eus le souffle coupé. Puis il me saisit par les cheveux, me releva, me força à mettre la tête entre ses genoux et sauta... J'étais

145

assommée, je voyais des étoiles. Peur et souffrance, j'étais au bord de la panique. Je me sentais devenir toute molle; j'essayais de me débattre, de résister car j'avais peur de ce qui allait m'arriver si je faiblissais. Il me releva encore une fois par les cheveux et me frappa à la figure pour que je reprenne mes sens.

Je suppliais, je pleurais, mais il m'ordonna de croiser mes mains dans les siennes et il serra. Je hurlai, je crus qu'il allait me casser les doigts. Il serrait si fort que j'en tombai à genoux en criant de plus belle. Mais plus je le suppliais et plus il serrait. Quand il fut fatigué, il lâcha. Je ne pouvais plus bouger mes doigts tellement j'avais mal. J'étais prise d'un tremblement incontrôlable. C'est alors que je me jetai sur lui et me mis à le taper de toutes mes forces. J'étais déchaînée, enragée. Je ne sentais plus les coups.

— Salaud, maudit salaud. Si j'étais aussi grande que toé, je t'en flanquerais toute une, volée. Tu saurais ce que ça fait, d'avoir mal.

Au début, mes frères et mes sœurs assistèrent à la scène en riant et même aidèrent Arthur à me rattraper. Mais quand je me retrouvai par terre, dans mon coin à sangloter de rage et de douleur, ils baissèrent la tête, les larmes aux yeux. Arthur haussa les épaules en disant :

— C'est rien qu'une maudite menteuse. Je lui ai pas fait si mal que ça... C'est pas de ma faute si elle est pas capable de se défendre. Il faut qu'elle apprenne à lutter si elle veut pouvoir se défendre dans la vie.

C'est ainsi que, sans jamais pouvoir rendre les coups, je dus apprendre à me défendre de lui et des autres enfants.

Jean-Marc
Quelques semaines plus tard, mon père revint de l'hôpital. Il avait été opéré pour le foie. Son congé était terminé, mais il ne pouvait reprendre son travail.

Il dut passer sa convalescence chez nous. D'ailleurs, Arthur non plus ne travaillait pas puisque son chantier fermait un certain temps durant l'hiver.

Nous étions en mars et Jean-Marc avait maintenant cinq ans. Le moment était arrivé où il devait passer des examens pour le cœur. Ma mère le conduisit à l'hôpital Sainte-Justine de Montréal; il devait y être opéré de toute urgence. Elle revint pour nous annoncer la nouvelle. Alors commença la longue attente. Nous étions suspendus au téléphone qui devait nous donner de ses nouvelles. La journée s'étirait lentement. Peu à peu, les enfants avaient repris leurs jeux en venant voir de temps en temps si le téléphone n'avait pas sonné. Les parents s'étaient ouvert une bière.

Quand enfin le téléphone sonna, c'était pour nous apprendre que Jean-Marc était sauvé. L'opération, bien que longue, avait réussi. Mais il fallait qu'il soit sous surveillance constante pendant quelques jours. Il ne fallait pas nous inquiéter, tout se passerait bien. Nous étions très heureux et, pour fêter cela, les parents partirent à l'hôtel pour la veillée.

C'est à l'aube que, dans un demi-sommeil, j'entendis le téléphone sonner. Je courus pour répondre, mais ma mère était déjà là, elle pleurait en écoutant. Elle raccrocha.

— Qu'est-ce qui se passe, maman?

Elle me tourna le dos sans répondre et s'enferma dans sa chambre. Je réveillai mes sœurs, et Richard vint nous rejoindre avec les garçons. Mon père était déjà levé et se berçait en pleurant, les bras croisés et la tête basse. Jean-Marc était mort... L'infirmière qui le gardait avait dû s'absenter quelques minutes et à son retour Jean-Marc avait cessé de vivre.

Ma mère pleurait, assise sur son lit. Les enfants pleuraient, les petits dans les bras des plus grands. Pas moi. J'étais comme sous l'effet d'un choc. J'avais comme une boule qui m'emplissait la poitrine, qui me serrait la gorge. Richard, qui me regardait, me dit :

— Tu n'as pas de cœur, toé, tu pleures même pas! Ça ne te fait pas grand-chose que ton frère soit mort.

Je pensais qu'il était injuste que ce soit Jean-Marc qui meure. C'était le plus gentil de tous, il ne méritait pas ça. Et parce que Richard continuait à me dire des bêtises, je me mis à me chicaner avec lui. Ma mère, le visage rouge et enflé, sortit de sa chambre pour régler la chicane.

— C'est assez, vous deux. Je l'ai toujours su qu'elle avait pas de cœur, elle peut pas en avoir plus aujourd'hui. Ça aurait dû être toé qui meures à la place de Jean-Marc. C'est ceux-là qui font pas de mal qui disparaissent, pas des faces comme toé. Il n'y a pas de danger que le bon Dieu vienne chercher des affaires comme toé! Disparais! Efface-toé de ma vue.

J'avais beaucoup de peine. Je ne pouvais pas m'imaginer que je ne verrais plus mon petit frère avec son doux sourire se bercer dans la grande berceuse. Je ne pouvais faire autrement que l'envier. J'aurais voulu que ce soit moi qui sois dans le petit cercueil blanc, débarrassée enfin, moi qui ne servais à rien, moi que personne n'aimait. J'aurais voulu que ma mère pleure sur moi et regrette de ne pas m'avoir aimée. J'aurais voulu être morte, froide et insensible.

Le profiteur

Encore une fois, nous avons déménagé. Mais cette fois, nous étions dans une toute petite maison: une chambre pour les parents, une chambre pour les filles, et les garçons couchaient dans le salon sur un divan-lit. Pas de cave, pas d'étage. J'étais contente de cette nouvelle maison, car Arthur ne pourrait continuer ses petites manigances sans éveiller les soupçons de ma mère. Je me faisais bien des illusions. Arthur avait plus d'un tour dans son sac et ma mère préférait sans doute ne rien voir. C'est à cette époque qu'il commença à revenir plus tôt et seul de la ville les soirs où je gardais.

Ce samedi-là, quand je le vis revenir tout seul de l'hôtel, je me dépêchai de filer dans ma chambre et de me coucher avec ma sœur Diane. Je m'enroulai dans mes couvertures et fermai les yeux pour qu'il me croie endormie. Je l'entendis remuer dans la cuisine, déplacer des chaises. Il cria :

— Élisa, comment ça se fait que t'es couchée, câlisse! Élisa, viens icitte!

J'avais bien trop peur pour bouger, ne serait-ce que le bout des doigts. J'espérais qu'il se « tanne » de m'appeler sans résultat.

— Élisa, viens icitte. Si tu viens pas, j'vas aller te chercher.

S'il pensait me convaincre ou me faire obéir, il se trompait.

— Élisa, viens icitte! C'est la dernière fois que je te l'dis.

Arthur se leva en faisant tomber sa chaise et vint vers notre chambre. Je remontai les couvertures sur ma tête et me tournai vers ma sœur. Il entra dans la chambre, s'approcha du lit et se mit à sacrer en essayant de m'arracher les couvertures dans lesquelles je m'étais enveloppée. Il réussit à m'agripper et à me tourner vers lui.

— Tu m'écoutes pas quand j'te parle, câlisse!

— Qu'est-ce que tu veux?

Si je le vouvoyais en présence de ma mère, je ne lui donnais jamais cette marque de respect quand nous étions seuls. Je le haïssais bien trop pour ça!

— Pis j'suis plus vieux que toé, je vas t'apprendre à me respecter.

— Je te respecte!

— D'abord, laisse-toé faire!

Jamais je n'accepterais de me laisser toucher par cet individu. Il m'écœurait trop. Il essaya de m'immobiliser sur le lit et d'arracher ma petite culotte. Je pus l'agripper par un doigt et le tordre. Il se leva d'un bond, furieux et sacrant de douleur.

— Ma câlisse! Toé tu vas regretter d'être venue au monde. J'ai pas fini de te battre. Attends de voir ta mère quand je vais lui dire que tu m'écoutes pas! Maudite gang de sans-cœur! Personne ne m'aime icitte. J'vas finir par crisser mon camp d'icitte.

Il se tut, car ma mère arrivait justement. Elle avait l'air plus que furieuse.

— Comment ça se fait que tu m'as laissée seule à l'hôtel? J'avais l'air fine comme ça; j'avais l'air intelligente en hostie! T'es pas mieux que Gérard!

— Ça je le sais que vous aimez mieux Gérard que moé! Tes enfants ont pas plus d'allure que toé. À part ça, quand je suis arrivé ici, ta grand'parche était déjà couchée. Tu parles d'une gardienne! Une chance que je vois à la famille, moé!

Ma mère vint se planter dans la porte de ma chambre :

— Toé, Élisa T., j'sais que tu dors pas. On va régler ça demain matin. Tu perds rien pour attendre!

Encore une fois, ça passait sur mon dos. Encore une fois, j'allais manger les coups. Je tremblais comme une feuille en espérant qu'elle oublie ça pendant la nuit. Je ne pouvais même pas m'expliquer. Je ne pouvais pas lui raconter ce que nous faisait Arthur, elle ne me croyait pas. Et mes frères et mes sœurs avaient bien trop peur de se faire battre pour m'appuyer.

Arthur était de plus en plus menaçant chaque jour. Il ne perdait aucune occasion de me battre, il inventait n'importe quoi pour mettre ma mère en colère contre moi. Je me tenais le plus loin possible de lui; c'était un

150

salaud de la pire espèce, je savais ce qu'il faisait à mes sœurs. Comme je l'ai dit, il revenait souvent seul de l'hôtel. En me menaçant il s'enfermait dans la chambre des filles. Je ne pouvais rien dire, je ne pouvais rien faire. Puis, avant que ma mère ne revienne, il s'assoyait à table, la tête couchée sur les bras et faisait semblant de dormir, complètement saoul. Ma mère entrait, le regardait, soupirait, et le portait à demi pour aller le coucher. Puis elle m'envoyait me coucher à mon tour. J'assistais impuissante à son cinéma.

C'est pendant cette période qu'il a commencé vraiment à faire ses ravages. Lorsqu'il était saoul, il engueulait ma mère et la battait. C'est l'être le plus abject que j'ai connu. Il lui arrivait par pure méchanceté de vider sa bière par terre, puis il pissait par-dessus son dégât. C'est moi qui devais tout essuyer. Même ma mère en pleurait :

— T'es un maudit salaud, Gérard ne m'a jamais fait ça. Même quand il était chaud. T'as pas honte de montrer ton cul comme ça? Tu montres ton cul comme ta face!

Il se contentait de rire d'elle. Parfois il devenait violent. Alors il arrachait les fils du téléphone, cassait des vitres, mettait la maison sens dessus dessous et finalement retournait à l'hôtel où il disparaissait pour quelques jours. Ma mère s'inquiétait et se morfondait et, quand il revenait, elle s'empressait de lui pardonner.

Le créancier

À cette époque où Arthur buvait beaucoup, il arriva un jour qu'un homme se présentât à la maison pour se faire payer la dette que ma mère et Arthur lui devaient. Ils n'avaient pas d'argent et pas l'intention de le rembourser non plus.

— Vous ne comprenez pas que je vais vous faire

saisir, si vous refusez de payer? Vous allez voir que vous allez me remettre mon argent!

Arthur, qui était assis au bout de la table et qui cuvait sa bière, se leva d'un seul bond, saisit l'homme par le collet et se mit à le frapper encore et encore. Ma mère essaya de lui faire lâcher prise en criant :

— Arrête, Arthur! Tu comprends pas que c'est juste un vendeur qui veut se faire payer! Arrête-toé, tu vas l'tuer!

Arthur lâcha l'homme et s'en prit à ma mère. Il lui donna une poussée qui la fit rouler contre la table.

— Toé, mêle-toé pas de ça!

Il rattrapa le vendeur et se mit à le battre de plus belle.

— Vite, les enfants, aidez-moé à les séparer.

Nous nous sommes tous précipités, nous accrochant à lui, par les mains, par les jambes et nous avons réussi à le faire tomber. Bien sûr le vendeur en profita pour s'éclipser en proférant des menaces. Arthur était comme fou furieux. Il courait partout en essayant de nous attraper. Il voulait nous corriger à notre tour. Si je n'avais pas eu si peur de lui, j'aurais pu rire de la scène. Arthur courant autour de la table pour attraper les enfants et ma mère courant après lui en criant :

— Les enfants t'aiment, ils voulaient seulement t'empêcher de faire plus de mal. Ils voulaient jouer avec toé!

Se retournant brusquement, Arthur la poursuivit à son tour, en colère contre elle :

— Quand j'vas te pogner, tu vas en manger une en hostie!

Il donna un grand coup de poing sur la table en nous ordonnant de venir le rejoindre. Mais ma mère le fit taire :

— Tais-toé, Arthur, ça va faire! Le voilà qui revient et il n'est pas seul!

Cette fois-ci, le vendeur était revenu en compagnie de deux policiers qui interrogèrent Arthur et nous demandèrent si nous avions été témoins de la scène. À ma grande surprise, c'est ma mère qui répondit :

— Laissez-les tranquilles, c'est juste des enfants. C'est moé qui va vous répondre. Oui c'est vrai qu'il a sacré la volée à cet homme. Prenez-le et mettez-le en prison, c'est tout ce qu'il mérite.

Arthur mit son manteau et sortit à la suite des policiers non sans menacer ma mère :

— Penses-y bien, Martha! C'est peut-être la dernière fois que tu me vois.

Longtemps après son départ, ma mère, qui était encore à la fenêtre, soupira :

— J'me demande comment il va prendre ça quand il va être à jeun! Et puis je m'en câlisse; ça va le faire réfléchir un peu, la prison! On serait si ben s'il voulait faire comme du monde! En tout cas, avant qu'il ne rentre icitte, je vas y mettre les points sur les « i ».

Comme toujours elle finit par s'en prendre à moi.

— C'est de ta faute ce qui est arrivé. Il faut toujours que t'énerves Arthur. T'es juste bonne à faire la chicane entre lui pis moé. Ôte-toé de ma vue, je veux plus te voir la face!

Je regagnai mon coin sans répliquer. Plus tard, après le souper, elle décida d'aller veiller.

— J'vas pas gâcher ma veillée pour Arthur B.

Les jours qui suivirent, ma mère semblait redouter un éventuel retour d'Arthur. Elle avait peur. Elle s'entoura de beaucoup de monde, multipliant les invitations à souper ou à veiller. Ce jour-là, au dîner, elle me laissa manger sans me crier après ou me donner les inévitables tapes derrière la tête. Elle semblait songeuse :

— Élisa, tu vas rester icitte cet après-midi! J'ai besoin de toé.

Ma mère n'avait rien mangé, elle fumait cigarette sur cigarette tout en se berçant. Elle réfléchissait et semblait nerveuse. En l'observant, je m'aperçus vite qu'elle était morte de peur. Enfin elle allait savoir ce que c'était que de vivre avec la peur qui vous nouait l'estomac. Elle savait bien qu'Arthur serait furieux à sa sortie de prison, qu'il risquait même de la battre ou de foutre le camp. Elle avait peur. Et moi, j'espérais qu'elle comprenne enfin comment je pouvais me sentir, moi, jour après jour, avec la peur d'elle et d'Arthur qui m'empêchait de dormir et me faisait vomir tous mes repas.

À la fin de l'après-midi, elle m'envoya porter de l'argent au poste de police pour le libérer.

— J'veux pas y aller! Tout à coup qu'il me donne une volée?

— Y a pas de danger, s'il fait quelque chose de pas correct, ils vont le remettre en prison.

Jamais de ma vie je n'ai marché aussi lentement. Je ne voulais pas qu'il revienne chez nous. Pour ma part, il aurait pu crever en prison. Au poste de police, je m'empressai de déposer l'argent et de revenir chez nous sans attendre Arthur. Ma mère était plus nerveuse que jamais.

— Mais y s'en vient-tu? Pourquoi tu l'as pas attendu?

— Vous m'aviez dit de revenir tout de suite!

Elle prépara le souper sans avoir de ses nouvelles. Il ne pouvait pas être allé bien loin puisqu'il était sans le sou. Ma mère pleurait tout en surveillant la fenêtre.

— Où peut-il bien être allé! Il n'a pas d'argent... Je l'aime, moé! Je veux pas qu'il parte!!!

À l'heure du coucher, pour ne pas rester seule à l'attendre, elle me demanda de veiller avec elle. Malgré les protestations de mon frère Richard, elle m'offrit un verre de Pepsi et des chips. Je ne comprenais plus rien! Ma mère était gentille avec moi, m'offrait des douceurs et me permettait de regarder la télévision. Parfois elle me faisait la conversation, me parlant doucement de choses et d'autres. J'en étais abasourdie. Je croyais presque au miracle. Mais, bien sûr, Arthur finit par arriver. J'avertis ma mère que j'avais entendu des pas.

— Va te coucher, ma Noire. C'est sûrement Arthur. Je ne veux pas qu'il pense qu'on se fait des caucus!

Bien cachée sous mes couvertures, je l'entendis qui entrait sans parler à ma mère et qui se dirigeait vers sa chambre. Il ouvrait et fermait des tiroirs en sacrant :

— Je fais mes bagages, je crisse mon camp d'icitte!

— Non, reste! Arthur, je veux que tu restes! Je ne veux pas que tu me laisses.

Ma mère avait dû fermer sa porte de chambre, car je n'entendis plus que des chuchotements.

Le lendemain matin, je fus fort déçue de voir que ma mère dormait avec Arthur. Il se réveilla et, me voyant au pied du lit :

— Qu'est-ce que tu fais là, toé? Tu n'as pas d'affaire icitte! Crisse ton camp! C'est de ta faute ce qui est arrivé!

— Exagère pas! C'est pas de sa faute si t'as battu le vendeur et que t'es allé en prison!

— Oui, c'est de sa faute! C'est parce que j'étais énervé à cause d'elle que j'ai perdu patience avec le vendeur. Elle passe son temps à bavasser sur mon compte à l'école et aux voisins. Elle me fait passer pour un crisse de fou. Un crisse de malade!

Et parce qu'Arthur, un après-midi qu'il était saoul, avait battu un homme, on s'arrangea pour me faire passer ça sur le dos. Ce matin-là, c'est ma mère qui me donna une raclée à coups de baguette pour brasser la peinture.

La visite de mon père

C'était l'hiver encore. Il faisait très froid. Il y avait presque trois semaines qu'Arthur était allé en prison... par ma faute, avait-on décidé. Malgré le froid intense, j'étais là, à regarder les autres patiner. Je grelottais de tous mes membres; j'étais tête nue, sans mitaines, avec un petit manteau court que je ne pouvais pas attacher, car il n'y avait plus de boutons. J'avais des bottes de caoutchouc non doublées et des collants troués. Je ne portais pas de chandail sur mon costume de classe parce que je n'en avais pas. J'aurais voulu entrer dans l'école, mais ce n'était pas permis. J'avais tellement froid que je décidai de rejoindre les autres sur la patinoire afin de me forcer à bouger pour me réchauffer. Je faisais semblant de patiner lorsqu'un ballon me frappa en pleine figure. Je trébuchai et m'étalai de tout mon long sur la glace. Je me fis très mal aux genoux. En boitant et en pleurant, je sortis de la patinoire. Au moment de franchir la barrière, je reçus le ballon derrière les jambes et je trébuchai de nouveau. Je me frappai l'œil sur le coin de la porte et les enfants se mirent à rire de moi et à m'imiter.

Il y avait là une dame qui observait la scène depuis un petit moment. Elle m'aida à me relever et me fit entrer dans l'école. Elle vérifia si je m'étais fait mal. Quand elle me toucha le front, elle s'aperçut que j'étais brûlante.

— Tu ne peux pas rester ici. Tu fais beaucoup trop de fièvre. Tu devrais être au lit.

Elle se mit à la recherche de mon professeur.

Assise sur mon banc, je me sentais vraiment mal. J'avais hâte qu'elle revienne et elle revint enfin accompagnée de ma maîtresse; elle disait :

— Voyez donc aussi comment elle est habillée! Ça n'a pas de sens avec le froid qu'il fait. N'a-t-elle pas des parents pour s'occuper d'elle?

— Oui, et j'ai sa petite sœur qui est dans la même classe, et elle, elle est très bien habillée. Je voudrais bien savoir ce qui se passe chez eux... Élisa, je vais te remettre un billet et tu vas rentrer chez vous. Tu diras à ta mère de soigner ta grippe. Je ne veux pas te voir demain, compris?

La dame resta avec moi. Elle m'aida à me rhabiller et voulut même me reconduire à la maison. Je refusai frénétiquement. J'avais bien trop peur que ma mère me voie avec elle.

— D'accord, Élisa, soigne-toi bien. Je reviendrai te voir à l'école et je te ferai un petit cadeau... N'essaie pas de parler, ça ne ferait qu'aggraver ton mal de gorge.

En effet, j'avais du mal à avaler et je me sentais très faible. Le ton de sa voix me fit pleurer, elle semblait d'une si grande bonté que je ne pus retenir mes larmes. Il était si rare que quelqu'un soit doux et gentil avec moi.

Malgré le froid qui transperçait mon manteau et me gelait jusqu'au cœur, je marchai lentement. Je n'avais nulle hâte d'arriver à la maison. Qu'allait-il y survenir encore? J'avais fait un trou dans mon collant et ma mère ne voulait pas me voir à la maison pendant la journée. Allait-elle me battre à nouveau. Je n'aurais sûrement pas la force de supporter cela. J'avais très mal à la tête et mon œil gauche était enflé.

Mais une bonne surprise m'attendait. Mon père était là. Ma mère m'accueillit aussi gentiment que d'habitude.

Qu'est-ce qui t'arrive encore? Viens icitte, je te mangerai pas...

Instinctivement, je reculai. Elle me toucha le front.

— Tu fais de la fièvre. Va t'asseoir, je vais te donner de l'aspirine.

— Il vaut mieux qu'on aille à l'épicerie, Martha, je vais lui faire une petite « ponce » avec du gin et du miel. Tu vas voir, ma fille, ça va te remettre d'aplomb.

Ils sortirent, me laissant seule avec Arthur. J'étais assise à la cuisine non loin de lui. Il se leva et se mit à tourner autour de moi. J'avais tellement peur de lui, qu'à chaque fois qu'il passait près de moi, je me tassais sur ma chaise. J'étais assise juste sur le bord, prête à détaler au moindre geste. Chaque fois qu'il passait derrière moi, je me détournais pour le suivre; j'essayais de prévoir ses coups. Me voyant faire, il riait en me singeant :

— Arrête-toé, je te ferai pas de mal. Je ne fais que passer.

J'eus beau changer de place, il ne cessa pas son petit manège. Je fus terriblement soulagée au retour de mon père. Il entra dans la maison avec une énorme boîte.

— Élisa, ôte-toé de la porte, tu vas prendre froid. Il faut que je rentre l'épicerie.

Arthur s'approcha pour voir ce que contenait la boîte. Mon père sortit encore. En son absence, ma mère lui dit :

— C'est Gérard qui a payé. Il en a acheté pour au moins un mois, ça c'est certain.

— Il est fou, câlisse, ils vont dire que c'est lui qui nous fait vivre.

— Fais-toé-z'en pas. Y faut qu'y donne sa part lui aussi. Il a des enfants et faut qu'il fournisse, c'est normal! Laisse-le faire. Ça va faire plus d'argent dans nos poches.

Mon père avait fini de rentrer l'épicerie. Il semblait très fier de lui. Il chantonnait.

— Ma belle fille, je vas te préparer quelque chose pour ta gorge.

Il me fit ma « ponce » avec de l'eau chaude, du gin et du miel.

— Prends ça à petites gorgées. Bois vite pendant que c'est chaud.

Je trouvais ça terriblement mauvais. Une seule gorgée me suffit; je n'en voulais plus. Mon père but le reste d'une seule traite sous l'œil envieux de ma mère et d'Arthur.

— Mais qu'est-ce que vous attendez pour serrer ça? Il y a de la crème glacée là-dedans et il faut la mettre dans le frigidaire.

Les autres revinrent de l'école surpris et contents de revoir notre père, mais surtout parce que l'humeur semblait être à la fête.

— Allez, les enfants! j'ai acheté des chips et des liqueurs pour vous autres... Prenez-en... Gênez-vous pas... Bourrez-vous la face.

Ma mère parut insultée :

— C'est comme si on en achetait jamais. Vous faites pitié, vous autres... On dirait qu'on vous prive! Vous êtes rien qu'une gang de crève-faim.

Mon père la fit taire en lui servant une bière. Pendant qu'il discutait avec ma mère, Arthur, lui, en profita pour aller cacher un gros sac de chips et une bouteille de liqueur dans sa chambre. Puis à un autre moment ce fut le tour de ma mère. Mon père ne se rendait absolument pas compte du manège de ces deux hypocrites. Ils comptaient sûrement sur le fait qu'il serait bientôt trop saoul pour s'en apercevoir.

Ils continuèrent dans la bière. C'est moi qui fis des sandwiches pour les enfants. Après souper, mon père me fit boire encore un petit gin au miel. Pour ne pas rendre les autres jaloux, il leur expliqua que c'était un médicament. Ma mère me regardait sans parler. Si les autres n'étaient pas jaloux, elle, elle l'était sûrement:

— Tu soignes mieux ta Grande Noire que moé, lorsque j'étais avec toé... Tu l'as toujours mieux aimée que tous les autres. C'est pour ça que je l'haïs.

Mon père se détourna vers elle, furieux :

— C'est pas vrai, Martha. Je les aime tous. Je n'ai

pas de préférence. Tu lui donnes plus de volées qu'aux autres et c'est même toé qui me montais la tête pour que j'la punisse. À tes yeux, on dirait qu'elle fait jamais rien de correct.

Il se tourna vers moi:

— Je sais bien, ma fille, que je t'ai battue souvent pour rien. Je sais aussi que ta mère t'haït; elle voudrait bien que je sois pareil à elle.

— Si tu l'aimes tant que ça, ben, fais-en ce que tu voudras. Couche avec, viole-la, pars avec, ça me dérange pas du tout. Je ne tiens pas plus à elle qu'à rien. Ça me crisse pas grand-chose ce qui peut lui arriver... Pis même toé, Gérard, tu la veux pas.

— Arrête de dire des bêtises, Martha. Je la garderais bien, mais je peux pas l'emmener dans le bois avec moi. Et puis, tu n'as pas d'affaire à parler de certaines choses, compris! T'as une crisse de gueule sale. T'as pas changé, mais depuis que tu restes avec Arthur, on dirait que t'as empiré. Arrête tes niaiseries... Pis donne-moé donc mon manteau. Je veux pas rester une minute de plus avec une maudite folle qui veut rien comprendre.

— Voyons donc. Fais pas le fou, on va parler calmement, on va changer de sujet. Reste, Gérard, tu vas voir, on va avoir du fun.

Il resta. Il se versa une rasade de gin pour se réchauffer et peu à peu ils m'oublièrent.

Ce soir-là, ce fut lui qui nous garda pendant que ma mère et Arthur se rendaient à l'hôtel. Au moment de partir, il leur remit une poignée de dollars pour qu'ils se payent un peu de bon temps.

J'étais heureuse que mon père reste avec nous. Depuis longtemps, j'attendais l'occasion de lui raconter ce que ma mère et Arthur nous faisaient. J'attendis que les autres soient couchés. Puis j'attendis que le sujet de conversation s'y prête. Mais aucun son ne

160

voulait sortir de ma bouche. Je ne parlai pas. Ce fut peut-être une bénédiction du bon Dieu, car si j'avais parlé mon père aurait demandé des comptes à ma mère et après son départ j'aurais eu la volée de ma vie. Quand il avait bu, il disait n'importe quoi.

Il nous demanda :

— S'il vous plaît, ne m'appelez plus « monsieur ». Quand ils sont pas là, au moins appelez-moi « papa ».

J'en avais les larmes aux yeux. Au moment d'aller me coucher, il m'appela près de lui. Je n'étais pas très rassurée, car il avait bu quelques bières. J'approchai tout de même.

— Ta mère et Arthur te battent-ils encore ?

J'affirmai que non. J'avais bien trop peur d'eux et de leur réaction si jamais ils apprenaient que j'avais parlé. Il sortit un dollar de sa poche. Je devais le cacher. C'était pour moi toute seule. C'était gentil; une sorte de rançon parce qu'il ne pouvait pas m'aider. Je ne voulais pas de ce dollar. De toute façon, il me serait impossible de l'utiliser puisque j'avais toujours un chaperon derrière moi. Non, je n'en voulais pas. Mais déjà ma mère revenait. Je dus enfiler le dollar dans ma poche sans pouvoir m'expliquer. Je dus aussi le séparer avec ma sœur Diane qui avait tout entendu.

À mon réveil, je n'avais plus de couverture. Je la cherchai partout dans ma chambre, mais elle semblait s'être volatilisée. Je finis par la retrouver dans la salle de bains. Je n'y comprenais rien. Je cherchai mon père dans le salon, mais il était couché dans la chambre ainsi qu'Arthur et ma mère. J'étais bien contente, car j'avais eu peur qu'il ne soit déjà parti. Au déjeuner, Richard dit :

— Savez-vous ce qu'a fait Élisa cette nuit ?

— Qu'est-ce qu'elle a encore fait ?

— Elle est venue danser sur mon lit avec ses couvertures !

Tout le monde riait, moi aussi.

— Je n'ai pas eu connaissance de ça, je vous le jure!

J'essayais de m'expliquer davantage, mais j'étais presque aphone. Mon mal de gorge avait empiré. Ma mère n'avait pas l'air de goûter la plaisanterie.

— C'est une maudite dévergondée. Puisque tu as tant de talent, tu vas nous faire une démonstration. Pis t'es mieux de faire pareil.

— M'man, s'il vous plaît! Je me rappelle pas d'avoir fait ça!

— Vas-y, j'ai dit! Montre-nous ton savoir-faire!

Je me levai et commençai à danser en titubant. J'étais affreusement gênée. J'étais furieuse contre mon frère.

— T'aurais pu te fermer la gueule, non?

J'avais parlé entre mes dents pour qu'il soit le seul à comprendre, mais ma mère veillait. Elle se leva et me donna une grande claque en pleine figure :

— T'es mieux de respecter ton frère. Il est plus vieux que toé.

Et à mon père qui essayait d'intervenir, elle lança :

— Arrête de te mêler de ce qui te regarde pas. Tu n'as aucun droit sur elle, c'est moé qui en ai la garde.

— O.K.! Je me mêlerai plus de rien. On est pas pour recommencer à se chicaner pour elle.

Je fus surprise de la réponse de mon père. Surprise et blessée. Mon père me rejetait. Que pouvais-je faire d'autre sinon accepter mon malheur. Ma mère avait même la bénédiction du père.

Pendant la semaine qui suivit, ils burent plus souvent qu'à leur tour. C'était mon père qui payait, alors ils en profitaient. Ma mère et Arthur ont caché une réserve de bière pendant cette semaine sans que mon père s'en aperçoive. Après son départ, ils en ont eu pour deux jours à faire la fête avec ce qui restait et ce qu'ils avaient caché.

Car mon père avait été obligé de partir. Il y avait maintenant neuf jours qu'il était avec nous. C'était samedi; il était saoul et dormait dans la chaise berceuse. Ma mère s'approcha tout doucement, entra la main dans la poche de son pantalon et en sortit tout l'argent qui restait. Elle lui remit quelques dollars et s'en alla cacher dans sa chambre ce qu'elle avait volé. Arthur l'avait regardé faire en riant; il approuvait.

À son réveil, mon père s'aperçut qu'on l'avait fouillé et qu'on l'avait volé. L'engueulade habituelle reprit entre eux. Ma mère y mit un terme en le jetant à la porte.

— Prends tes bagages et crisse ton camp tout de suite.

Mon père était piteux. Il regardait ce qui lui restait d'argent et semblait tout à fait découragé.

— Mais vous m'avez tout volé, il ne m'en reste même pas assez pour prendre un taxi. Au moins, Martha, passe-moi un peu d'argent. Je te rembourserai quand je reviendrai.

— J'ai pas une cenne pour toé, sors!

— Tu peux pas me crisser dehors comme ça!

— Arthur, jette-le dehors!

Arthur l'attrapa par un bras. Mon père n'eut que le temps de prendre ses couvre-chaussures et son manteau et il fut jeté sur la galerie. Nous le regardions: les deux pieds dans la neige, il essayait de s'habiller en trébuchant. Il revint frapper à la porte qu'Arthur avait verrouillée.

— Laisse-moé entrer, Martha. J'veux téléphoner à un taxi.

Il frappait comme un forcené. En voyant cela, ma mère ferma le store en lui riant au nez.

— Non! Il n'est pas question que tu remettes les pieds dans la maison.

Il finit par se résigner et partit. Par la fenêtre, nous

le regardions s'en aller. C'était glissant, il tomba. Ma mère et Arthur riaient à qui mieux mieux. Ils se sont débouché une bière pour fêter ça. Nous, les enfants, n'osions dire quoi que ce soit. Moi, je les haïssais encore plus qu'avant. Ils étaient cruels et malhonnêtes. Je priai Dieu de protéger mon père.

La bonne dame

Mon père était reparti, en chicane avec ma mère. Je savais qu'on allait être un bon bout de temps sans le revoir. Nous avons appris plus tard que mon père avait été trouvé à demi gelé dans un banc de neige. Je me sentais bien découragée sans son soutien.

À l'école, j'étais aussi le souffre-douleur des autres élèves. Je ne pouvais pas jouer comme eux, j'étais trop mal habillée. Je crevais de froid. Je n'avais pas oublié la dame si gentille qui me protégeait; souvent, elle venait me rejoindre à la sortie de l'école. Elle me souriait gentiment, en demandant de mes nouvelles. J'avais tant besoin d'un semblant de tendresse que j'oubliais ma prudence et ma promesse de ne parler à personne. Un jour, elle vint à moi en tenant un gros sac.

— Bonjour, Élisa! Est-ce que ça va bien?

— Oui!

Je n'aimais pas qu'elle me parle ainsi devant les autres. J'avais peur que Diane ou Richard ne me voie et raconte cela à la maison. Elle me tendit le sac :

— Tiens, ça c'est pour toi. C'est du linge, et je voudrais que tu le portes.

— Je ne sais pas si ma mère va vouloir, mais je vous remercie beaucoup.

Je ne savais vraiment pas comment ma mère allait prendre cela. J'étais à la fois contente et inquiète.

— Regardez, maman, une dame m'a donné ça!

Elle prit le sac, l'ouvrit et le vida sur la table. Il y

avait beaucoup de vêtements, même un manteau, et tout semblait comme neuf. Ma mère essaya quelques morceaux et me dit :

— Tout ça me fait très bien! Si elle te donne encore des choses, prends-les, ça me coûtera pas cher pour m'habiller.

Elle donna quelques morceaux à Diane et à Sylvie, et emporta le reste dans sa chambre. Je restai bouche bée, incapable de lui dire que c'était pour moi que la dame avait donné ces vêtements. J'étais tellement déçue.

Quelques jours plus tard, à la sortie de l'école, elle était là qui m'attendait. À sa vue, mon cœur se serra. Je ne savais pas ce que j'allais bien pouvoir lui dire.

— Bonjour, Élisa, je t'ai apporté d'autres vêtements. J'espère qu'ils t'iront. Est-ce que les autres faisaient bien?

Je répondis « oui » sans réfléchir. Elle me regarda d'un air songeur et ajouta :

— La prochaine fois, je veux te voir porter les vêtements que je t'ai donnés, d'accord?

Cette fois, je savais que je n'en verrais pas un seul morceau. Comme je le pensais, ma mère garda tout pour elle de nouveau. J'essayai de lui dire que les vêtements étaient pour moi, mais ma mère et Arthur se moquèrent de moi. Finalement ma mère, en colère, me dit que si la dame n'était pas contente, elle pouvait bien reprendre ses guenilles. J'étais torturée. Je pensais bien que j'allais la revoir et j'avais peur qu'elle me chicane. Je savais que j'allais perdre la seule personne gentille qui s'intéressait à moi. En effet, le lundi matin, elle était là qui m'attendait, à la sortie de l'école. Je me cachai dans le recoin d'une porte. Mon Dieu! Je ne pouvais pas l'affronter. Je ne voulais pas subir ses reproches de n'avoir pas porté ses vêtements. Je ne pouvais pas lui dire que ma mère gardait tout pour elle. J'avais le cœur battant. Je fis comme si je ne l'avais pas vue et partis en courant vers la maison.

— Élisa, Élisa, attends-moi! Pourquoi te sauves-tu?

Je me mis à courir de plus belle, faisant semblant de ne pas l'avoir entendue. J'avais envie de pleurer. Cette dame était si gentille avec moi; elle allait penser que j'étais une ingrate, que je n'avais pas de cœur, ou bien que j'étais une menteuse. J'avais honte de la désappointer, mais je n'avais pas le choix. Je retins mes larmes, car si jamais j'arrivais à la maison en pleurant, ma mère ou Arthur me battrait sûrement.

Le lendemain, une malheureuse surprise m'attendait à l'école. Pendant le cours, le professeur me dit qu'il y avait quelqu'un pour moi dans le couloir. Je sortis et bien sûr la dame était là qui voulait me parler. Je n'osais pas la regarder en face.

— Élisa, pourquoi te sauves-tu de moi? Je n'ai pas voulu te faire de la peine, seulement t'aider. Pourquoi fais-tu semblant de ne pas me reconnaître? Est-ce que je n'ai pas été gentille avec toi?

Je baissai la tête de plus en plus.

— Réponds-moi! Pourquoi te sauves-tu en me voyant?

J'étais complètement affolée; les larmes aux yeux je criai :

— Pourquoi faites-vous ça? Je ne vous ai jamais rien demandé? Pourquoi vous me faites ça? Après, ma mère va se douter de quelque chose et elle serait capable de me tuer; vous la connaissez pas. Et puis ma sœur Diane est dans la même classe que moi et je sais qu'elle va aller bavasser à mes parents que vous avez demandé à me parler.

— Tu as peur de tes parents, Élisa? Est-ce qu'ils te battent?

Je me contentai de lever les épaules et de pleurer.

166

— Dis-moi la vérité! Je ne raconterai rien à personne.

— Oui, c'est vrai qu'ils me battent, mais seulement quand je le mérite!

— Mais pourquoi ne portes-tu pas le linge que je te donne?

— Ma mère ne veut pas. Elle préfère le garder pour elle.

— Dans ce cas, il vaut mieux que je ne te donne plus rien. Penses-tu que nous pourrions juste nous voir et parler?

— Non, j'aime mieux pas. Ma mère viendrait à le savoir et elle ne veut pas que je parle aux étrangers.

— Je regrette, Élisa, que tu refuses mon aide!

— Ce n'est pas de ma faute. Je vous remercie pareil!

Le cœur gros, je la regardai partir.

Après la classe, la maîtresse nous garda, Diane et moi. Elle voulait savoir ce qui se passait chez nous. Pourquoi mes sœurs avaient des vêtements convenables et pourquoi moi, j'étais presque toujours en guenilles! Pourquoi j'étais tellement différente des autres! Comme nous ne répondions pas, elle convoqua notre mère à son bureau pour le lendemain. Elle écrivit un petit mot qu'elle remit à Diane.

Bien sûr, à la maison, ma mère ne se montra pas très heureuse de l'histoire.

— Si jamais t'as bavassé à l'école, tu peux prier pour que je file mieux demain. Sans ça tu vas en manger une tabarnac.

Je m'affolai :

— Non, m'man, j'ai rien dit, je vous le jure!

Mais elle me prit par le bras et me traîna dans sa chambre où elle décrocha « la » ceinture.

— Baisse tes culottes et allonge-toé sur le lit. Ça va t'apprendre à parler à n'importe qui.

— Non, m'man, battez-moi pas. C'est pas de ma faute. J'ai rien fait de mal...

— Dépêche-toé parce que ça va être pire.

Le lendemain, ma mère se présenta à la classe plus tôt que prévu. Les cours n'étaient pas finis. Attentive à recopier une dictée, je levai soudain les yeux et je la vis qui m'observait par le carreau de la porte. Je sursautai violemment. La maîtresse la vit aussi. Elle sortit pour parler avec elle dans le corridor. Cela dura une dizaine de minutes. Puis elle revint s'asseoir à son bureau sans rien dire. Qu'est-ce qu'elle avait bien pu raconter à ma mère? J'étais tracassée.

Sur le chemin du retour, j'avais tellement peur que je marchais dans la rue. Ça ne me faisait plus rien de mourir. J'étais fatiguée de me faire battre pour tout et pour rien. Écœurée des attaques d'Arthur. Écœurée d'être moi, tellement laide et bête que personne ne voulait de moi. Les autos me frôlaient et klaxonnaient. On me criait des bêtises, mais aucune auto ne me frappa. Même le bon Dieu ne voulait pas de moi. J'ai marché très longtemps dans les rues, mettant le plus de temps possible à revenir à la maison. Tellement que je ne réalisai pas qu'il était assez tard lorsque j'eus fini de pleurer. Je ne voyais plus d'enfants dans les rues; je revins à moi et je marchai plus vite.

À la maison, tous étaient attablés pour le souper. Quand j'ouvris la porte, Arthur se leva et m'attrapa par les cheveux. Il me secoua en me donnant des coups de pied sur les jambes. J'avais mal partout. Je m'écrasai sur le plancher, mais Arthur me releva et me donna une grande claque dans la figure, de toutes ses forces. J'avais les lèvres fendues et la bouche pleine de sang. Je suppliai :

— Lâchez-moi! Je n'en peux plus, s'il vous plaît!

Il continua à me donner des coups de pied. Ma mère intervint :

— Arrête, ça ne vaut pas la peine, elle se domptera jamais. Ça lui fait pas grand mal.

Mais Arthur était enragé :

— La prochaine fois, elle va goûter à ma ceinture. Tu vas voir qu'elle sera plus capable de s'asseoir sur ses petites crisses de fesses. Elles vont être en sang.

Je pleurais de plus belle :

— Mais j'ai rien fait.

— Ferme-la. Si t'en as pas eu assez, je vas t'en donner encore.

Ma mère me jeta mon manteau par la tête :

— Après souper, tu vas réparer toi-même ton linge. Tu vas poser des boutons à ce maudit manteau. On me dira plus que t'es habillée en guenilles.

Les jours qui suivirent, je revis la dame près de l'école. Elle ne chercha plus à me parler. Elle se contentait de me sourire, de loin. Je la voyais au moins une fois par semaine. Mais un mois plus tard, nous avons déménagé et je ne l'ai plus jamais revue.

L'esclavage

Je crois maintenant que ce déménagement était dû à la peur d'avoir des ennuis à cause des batailles incessantes à la maison. La police avait dû intervenir plusieurs fois, et l'histoire de l'école avait inquiété mes parents. Dans le village où nous allions habiter, ma mère avait trouvé un logement au second étage. Nous allions avoir des voisins. J'aidai ma mère à faire les caisses et tôt le lendemain nous sommes partis vers notre nouvelle maison. C'est nous, les enfants, qui avons dû transporter et monter les boîtes. Arthur était dans la camionnette et dirigeait les opérations, une petite bière à la main. Comme d'habitude, il criait et distribuait des coups de pied afin de nous encourager. Il nous passait les bagages :

— Allez, vous autres! Bande de maudites mémères!

Grouillez-vous, bande de bons à rien! Vous êtes pas capables de rien faire, gang de niaiseux!

Les boîtes étaient très lourdes, nous avions beaucoup de mal à les monter. Nous utilisions toute notre force à finir ce déménagement, et lui, il mettait toute sa force à nous engueuler. Heureusement, mes oncles vinrent donner un coup de main pour les meubles; on a donc eu la permission d'aller jouer, sauf moi qui devais aider ma mère à tout ranger. J'étais épuisée et ne pensais qu'à aller me coucher. Malheureusement, les parents décidèrent d'aller « étrenner » l'hôtel du village et je dus garder.

Le lendemain, nous devions poursuivre l'installation. Arthur continuait à crier et à distribuer les coups. Il décida que je devais l'aider et il m'envoya chercher l'égoïne. Je me dépêchai de m'exécuter, mais je n'arrivais pas à trouver l'outil demandé. Il sortit en criant :

— Câlisse, veux-tu te dépêcher!

— Mais je ne la trouve pas!

Furieux, il descendit. Il souleva la roue de secours et sortit l'égoïne d'en dessous. C'est alors qu'il m'en donna un bon coup sur la cuisse en disant :

— Ça va t'apprendre à t'ouvrir les yeux, maudite aveugle.

Je remontai en courant et me remis à aider ma mère à la vaisselle. Je n'avais pas entendu Arthur venir quand il me donna un grand coup d'égoïne sur l'autre cuisse. Il riait :

— Il fallait que cette cuisse-là ressemble à l'autre.

Mais ma mère en eut bien vite assez de ranger et de nettoyer. Lançant son tablier, elle nous dit :

— Moé, je touche plus à rien. Arthur pis moé, on va aller faire un tour et à notre retour vous êtes mieux d'avoir fini.

Je savais bien que, même si les autres refusaient de m'aider, ça me retomberait sur le dos. Souvent, ils me nuisaient plutôt que de m'aider. Au retour de ma mère, le ménage était loin d'être terminé. Et elle m'engueula, me traitant de propre à rien. Elle me prédit les pires malheurs : je ne ferais rien de bon dans la vie et, pire encore, je ne me marierais jamais puisqu'aucun homme ne voudrait d'une souillon comme moi. Si elle pensait qu'elle me faisait de la peine, elle se trompait. La seule chose au monde à laquelle je ne tenais pas était bien de me marier ou de partager ma vie avec quelque homme qu'il soit. Jamais je ne me marierais... jamais. Arthur, voyant que les paroles de ma mère ne me touchaient pas beaucoup, vida sa bière par terre, sur le plancher que je venais juste de cirer. De plus, il riait, le maudit cochon. Et il marcha dans son dégât en se traînant les pieds.

— Excuse-moé, Élisa! Pourrais-tu venir essuyer ça, s'il te plaît? Hon! excuse-moé, princesse!

Et il pilassait partout en étendant la saleté. J'étais découragée. Tout était à recommencer. Je m'agenouillai en soupirant pour réparer tout ça. Je ne pus m'empêcher de lui jeter un regard noir de haine. Alors, il commença à me battre à coups de pied sur les jambes, au derrière, dans les côtes, dans le ventre. Je criai, j'essayai de lui échapper. Je me retrouvai dans un coin, pliée en deux, le souffle coupé. Il me lança son reste de bière avant de sortir avec ma mère.

Cette fois, mes sœurs m'ont aidée en silence à tout refaire. Après souper, nous sommes allés jouer dehors. Moi, je devais rester sur la première marche de l'escalier au cas où le téléphone sonnerait. Ma mère vérifiait souvent si je ne sortais pas. Les enfants des alentours avaient rejoint mes frères et mes sœurs et organisaient des jeux. Moi, je restais assise sur la galerie à repenser à ma vie noire et triste. Je n'en pouvais plus d'être bafouée, maltraitée. J'aurais voulu ne jamais avoir existé. Ma mère et Arthur avaient réussi à me faire regretter le jour où j'étais née. Pourquoi moi? Pourquoi tant de souffrances? La tête appuyée contre les barreaux de la galerie, je me mis à pleurer. Ça me faisait du bien. Je ne savais plus quoi faire. Où aller? Qui prendrait soin de moi si je partais? Pour aller où? Personne ne m'aimait, personne ne voulait de moi.

Je m'essuyai les yeux. Les enfants étaient groupés au pied de la galerie et ils se faisaient des gageures :

— Lequel d'entre vous est assez brave pour sauter en bas?

La galerie était haute d'environ quinze pieds. Personne n'osait relever le défi. Il était certain qu'un enfant aurait pu se blesser gravement en sautant d'aussi haut et même se tuer. Sans réfléchir je me levai :

— Moi, je vais sauter!

Surpris, ils avaient tous les yeux fixés sur moi. J'enjambai la balustrade et je sautai. Je me cognai durement les genoux, c'est tout. En me relevant, je vis que les voisins étaient debout sur leur galerie. Triomphante, je dis :

— Lequel est le deuxième?

Ils avaient tous peur. Celui qui avait proposé le jeu reprit :

— O.K.! Tu recommences et après on le fera!

Je remontai et recommençai une deuxième fois. Mais là, j'avais très mal tombé. Je m'étais foulé la cheville et tordu un poignet. J'avais les pieds qui brûlaient. Richard s'apprêtait à sauter lorsqu'un voisin cria :

— Arrêtez-vous! Vous allez vous tuer! Si vous recommencez, je vais avertir vos parents!

Je fis entrer tout le monde dans la maison. C'est alors que je vis Richard qui bousculait et frappait mon petit frère Patrick. Je fus prise d'une rage incontrôlable et je sautai sur Richard.

— Lâche-le, as-tu compris? Tu vois pas qu'il est plus petit que toi? T'as pas fini de le taper?

Mais dès que j'eus le dos tourné, Richard prit sa ceinture et se mit à me frapper. Je réussis à lui arracher la ceinture. J'en tremblais de rage. Je n'avais plus rien à perdre. J'en avais assez, assez, assez...

Je finis par l'attraper. Je voulais l'écraser comme un pou. Il allait payer tout ce que j'endurais ici.

— Mon maudit, tu commenceras pas à me battre! Il y a assez des parents qui me traitent comme un torchon, toi, tu n'auras pas cet honneur. Tu vas t'apercevoir que je suis plus forte et plus maligne que toi, p'tit frère! Ne t'avise plus de me toucher, jamais, parce que je serais capable de t'étrangler.

Il réussit à s'enfermer dans la chambre de notre mère.

— T'as pas fini, Élisa T., je vais tout dire à maman quand elle reviendra. Tu vas voir, elle va te dompter, elle.

J'avais repris le contrôle de moi, et j'avais peur de ce qui allait m'arriver.

Le lendemain, ma mère avait tout appris. Concernant l'épisode de la galerie, elle ne fit que ce commentaire :

— Si t'avais pu te tuer, on aurait été bien débarrassés. Si tu veux recommencer, la galerie est là. Ne te gêne pas.

Pour le reste, j'ai eu une raclée bien sûr. J'avais atteint un point où j'étais comme engourdie. Les insultes, les moqueries me touchaient de moins en moins. J'avais le cœur gros à longueur de journée. Je traînais ma triste vie d'un jour à l'autre, de sarcasme en sarcasme, d'une volée à l'autre. La seule chose qui me faisait vraiment mal, c'était de voir que mon frère Patrick commençait lui aussi à être battu. Peut-être qu'ils allaient me battre pour me tuer, mais j'allais le défendre.

L'attentat

Juillet, mois de ma fête; juillet que je n'oublierai jamais. Mois de vacances, temps de terreur pour moi qui étais sans cesse à la maison. Ce samedi très ensoleillé reste gravé dans ma peau au point de m'avoir fait haïr l'été, le soleil et la chaleur. Il faisait une chaleur de four à pain, pas un souffle de vent, pas la moindre petite brise, rien! Rien que le cri aigu des cigales, et les plaintes des enfants qui avaient trop chaud. Impatiente, ma mère berçait Nathalie, le bébé, qui pleurait parce qu'elle ne pouvait s'endormir. Arthur proposa de nous emmener à la plage. Les enfants étaient fous de joie. Je proposai :

— Allez-y, vous autres, moi je vais garder Nathalie.

— Toé, tu vas venir avec nous autres, compris! Dépêche-toé parce qu'on va t'embarquer de force. Va remplir la bouteille de la petite tout de suite, pis arrête de niaiser.

Je n'étais pas très enthousiaste de partir en auto avec eux, surtout quand ils avaient pris quelques petites bières, histoire de se désaltérer. Pourtant je m'empressai de laver, brosser et remplir la bouteille avec du lait frais que j'avais pris au frigo.

Ce n'était pas très rafraîchissant d'être entassés à l'arrière de l'auto, cordés les uns sur les autres. Enfin, nous avons pu descendre; la plage était toute petite et le lac ressemblait plutôt à une mare à grenouilles. Il n'y avait personne. Je m'installai sur le sable avec Nathalie pendant que ma mère jouait dans l'eau avec les autres. Ils avaient mis la bière sur le toit de l'auto; les enfants pataugeaient dans l'eau en criant. Moi, je restai à l'écart, savourant ce moment de répit, étendue au soleil près du bébé.

— Envoye, Élisa, viens te saucer! Envoye, la Noire, ça te fera pas de mal de te tremper dans l'eau.

Ma mère s'approchait de moi en riant et en me lançant de l'eau. Je me levai et essayai de la contourner. Elle ne pouvait jamais me laisser tranquille. Je lui jetai un regard boudeur. J'étais à peine entrée dans l'eau qu'elle me saisit par le bras et essaya de me faire tomber. Comme elle ne réussissait pas, elle me lâcha et se mit à me lancer de l'eau avec ses deux mains. J'essayai de m'enfuir, mais j'étais aveuglée, j'étouffais. Arthur vint l'aider. Ils me poussaient dans les bras de l'un à l'autre, pendant que le premier continuait de m'arroser. Puis ils m'attrapèrent, l'un par les bras, l'autre par les pieds, et ils me balancèrent plus loin. Il y avait presque trois pieds d'eau, mais en crachant et en toussant je me remis debout assez facilement. Ma mère me rejoignit à nouveau et me donna une grande poussée. Je tombai la tête la première. Elle se jeta sur moi et, de ses deux mains, me maintint la tête sous l'eau. Je me débattais de toutes mes forces, j'avalais de l'eau, je manquais d'air, je faiblissais. Les tempes battantes, je fis un dernier effort et je réussis à faire basculer ma mère qui lâcha prise. Je pus nager et m'éloigner du rivage. Je ne voulais surtout pas prendre de risque avec Arthur; j'avais ma leçon. Je restai à nager dans le « creux ». Là, je pouvais reprendre mon souffle sans danger. Au bord, ma mère essayait de se relever avec l'aide d'Arthur. Elle regardait vers moi comme si elle n'en croyait pas ses yeux.

— Comment ça se fait qu'elle sait nager, elle? Comment ça se fait?

J'étais heureuse de lui apprendre et de la narguer :

— J'ai appris à nager à l'orphelinat. C'est les sœurs qui nous l'ont montré!

Je sortis de l'eau par l'autre côté de l'étang. Ma mère sacrait et criait; la baignade semblait finie. Je rejoignis l'auto en me tenant le plus loin possible d'eux. J'étais désespérée... Ma mère avait voulu me noyer... Ma mère était aussi méchante qu'Arthur. Elle me détestait, elle voulait que je disparaisse. J'étais fatiguée de cette vie. Je me cachai derrière l'auto, à l'abri de leurs regards.

— Mon Dieu, pourquoi suis-je au monde? Ayez pitié de moi, Seigneur!

Je ravalai mes larmes, car je n'aurais fait qu'aggraver mon cas. Les autres ne s'étaient aperçus de rien; ils jouaient au bord de l'eau. Ma mère ramassait ses affaires et, en passant près de moi :

— Je me vengerai bien! Et cette fois-là, je ne te manquerai pas.

Que pouvais-je faire sinon endurer et souffrir! Je savais maintenant que ma mère voulait se débarrasser de moi! Je la détestais autant qu'Arthur, plus encore, puisqu'elle était ma mère et qu'elle aurait dû m'aimer et me protéger. Qu'est-ce que j'avais bien pu lui faire pour qu'elle me haïsse autant? Je me sentais tellement misérable.

Ma mère, qui avait tout ramassé, cria aux autres :

— Venez, on s'en va! Pis, grouillez-vous.

Puis elle s'approcha de moi :

— Ça finira pas là, je vais me reprendre et, cette fois-là, tu t'en réchapperas pas. As-tu bien compris? Pour ta punition, j'ai envie que tu reviennes à pied chez nous!

— Non, s'il vous plaît!

Arthur prit place au volant. Elle fit monter les autres en arrière et ferma la portière. Puis, elle monta à sa place. J'étais là, hors de l'auto, toute seule comme un chien. Je commençai à pleurer. Ma mère était tournée vers Arthur et discutait. Mes sœurs me regardaient à travers la vitre et elles pleuraient. L'auto démarra. Je pensai : *C'est fini, je suis fichue, elle me laisse ici avec les loups et les ours. Comment je vais faire pour retourner chez nous? Je ne connais même pas le chemin...*

176

Soudain, ma mère sortit de l'auto et me dit sur un ton glacial :

— Arrive! Par chance qu'on a du cœur, nous autres, et que tes sœurs pleurent, car je t'aurais laissée là.

Elle me poussa brutalement à l'intérieur. Sans le vouloir, je bousculai Richard qui me donna des coups de coude et me coinça entre ses genoux et le siège avant. J'essayai de me relever et lui donnai un coup de poing sur les bras pour qu'il me laisse tranquille. À cause de la bagarre, Arthur se retourna, allongea le bras et m'attrapa par les cheveux en tirant :

— Ma câlisse, fais attention, je suis capable de te laisser là, moé, sur le bord du chemin!

J'étais au bout de ma résistance. Je réussis à m'appuyer en mendiant un petit espace. Je n'ai jamais été aussi heureuse d'être de retour à la maison et vivante.

Ma mère coucha Nathalie. Quand elle revint, elle était très en colère contre moi :

— T'as osé lui donner ça? Une bouteille de lait caillé!

Je ne comprenais rien. J'avais pourtant bien lavé la bouteille et je l'avais remplie de lait frais.

— Je ne sais pas, moi! Peut-être que le lait n'était pas bon! C'est pas de ma faute! Peut-être qu'il faisait trop chaud!

Je songeai tout à coup que la bouteille de la petite était restée tout l'après-midi au gros soleil. Je savais, moi, que j'avais bien nettoyé la bouteille.

Ma mère avait pris un verre et y avait vidé le contenu du biberon. Elle me le tendit :

— Puisque tu trouves ça assez bon pour ta sœur, tu vas en boire, toé aussi. Je te guette. Tu vas boire ça devant moé tout de suite.

Rien qu'à le sentir, j'avais des haut-le-cœur.

— Dépêche-toé! Bois-le vite!

Je me bouchai le nez, mais ça ne voulait pas passer.

Enfin, je réussis à en boire une ou deux gorgées. Elle m'enleva le verre et me jeta le tout à la figure :

— Tu pues, écœurante! Va te laver! Crisse ton camp!

À partir de ce moment, je n'eus plus aucune confiance en ma mère. Seulement de la haine, une haine désespérée. Je la regardais agir et je la jugeais. Elle était mon ennemie, elle avait voulu que je meure. Et moi, je la haïssais.

Nathalie

Depuis sa naissance, je m'occupais de Nathalie comme si elle avait été mon enfant. J'en ai passé des nuits blanches à la bercer! Ma mère trouvait qu'elle avait assez de travail avec nous le jour pour avoir le droit de dormir la nuit. C'est moi qui devais m'occuper de ma sœur et accourir au moindre pleur. Parfois je m'endormais tout en la berçant. Je m'installais confortablement dans la berceuse, le bébé dans les bras, et je finissais toujours par m'endormir. Mes pieds se mettaient en mouvement malgré moi, par habitude. Je la berçais ainsi une partie de la nuit. J'aimais particulièrement ma petite sœur; elle était un peu comme ma fille, car c'était surtout moi qui m'en occupais.

Nous étions à la fin de décembre et Nathalie était malade. Elle était couverte de petites plaques rouges et elle pleurait sans arrêt. Elle faisait beaucoup de fièvre. À la fin de l'avant-midi, ma mère décida de l'emmener à l'hôpital. Ils ne revinrent qu'à l'heure du souper. J'étais inquiète; je ne voulais pas qu'il lui arrive la même chose qu'à Jean-Marc. Elle faisait tellement pitié quand ils sont partis pour l'hôpital : toute rouge, incapable de manger ou de boire. Tellement fiévreuse qu'elle semblait sans réaction, se contentant de geindre. Au retour, Arthur la tenait dans ses bras; il la déshabilla et alla la porter dans sa chambre.

— Ils n'ont pas voulu la garder à l'hôpital. Il n'y

avait aucune place. Ils lui ont donné une piqûre et nous ont dit que nous pouvions repartir.

Ma mère semblait furieuse. Elle se tourna vers moi :

— Tu vois, ta pauvre petite sœur qui est couchée dans son lit, elle est malade à cause de qui? À cause de toé!

Je restai pétrifiée. Je ne voulais plus parler, je ne voulais plus entendre, me rouler en boule pour résister à ce qui allait suivre. Je ne voulais plus avoir mal...

— Tes frères et tes sœurs m'ont dit que, quand je sortais, tu laissais Nathalie n'importe où, tu la changeais de couche par terre, sans t'occuper du plancher froid ni des courants d'air. C'est de ta faute tout ça!

Nathalie était malade et c'était peut-être de ma faute. Ça me faisait l'effet d'un coup de poing dans l'estomac... Bien sûr que je la changeais de couche par terre, sur le tapis, ma mère ne voulant pas que je me mette sur les lits... Cependant, je faisais attention à elle, attention à ce qu'elle ne prenne pas froid. Pourquoi m'accusait-elle toujours de choses dont je n'étais pas responsable? Elle savait mon affection pour Nathalie! Pourquoi voulait-elle me blesser ainsi?

Ma mère décida que je devais être punie à la mesure de ma bêtise. Elle répandit des pois à soupe sur le plancher et m'obligea à me mettre à genoux, les bras en croix. Pour être bien certain que je ne bougerais pas, Arthur s'installa tout près, « la » ceinture à la main. Je serrai les dents et les poings et j'essayai de penser à autre chose. J'étais en état de panique, car je savais qu'à la moindre défaillance, Arthur n'hésiterait pas à me rouer de coups. Les pois m'entraient dans les genoux, j'avais les bras qui tremblaient; j'en voyais des étoiles. Nathalie pleurait dans sa chambre et ma mère envoya mes sœurs s'occuper d'elle.

— Elle ne veut pas nous voir! C'est Élisa qu'elle veut!

Ma mère se laissa fléchir!

— C'est bon, Élisa, tu peux y aller. C'est assez pour aujourd'hui. On reprendra ça un autre jour.

Diane revint avec Nathalie dans les bras. Sa petite pleurait et se débattait.

— J'suis pas capable de l'arrêter de pleurer. C'est tannant, ça! Elle n'arrête pas de pleurer. Prenez-la, vous!

— Donnez-la-moi! Vous êtes pas capables de rien faire.

Diane lui remit le bébé. Ma mère essayait de la consoler, mais Nathalie ne voulait pas rester sur elle. Elle criait de plus en plus tout en me tendant les bras. Excédée, ma mère me la remit brusquement.

— Tiens! Prends-la, si c'est ça qu'a veut!

Nathalie avait cessé de pleurer, la tête collée contre mon épaule.

— C'est pas normal, ça. Elle t'aime plus qu'elle aime sa propre mère.

— C'est pas de ma faute si elle s'est arrêtée de pleurer!

Arthur se leva et, tout en me donnant une tape dans le visage :

— Elle lui a sûrement fait quelque chose, ça se peut pas!

Ma mère reprit :

— Va la mettre au lit, je ne veux plus que tu t'en occupes. Il y en a d'autres ici dans la maison qui sont capables d'en prendre soin.

J'allai porter Nathalie sur le lit de ma mère. Puis je revins dans mon coin, espérant me faire oublier le plus possible. Mais Nathalie s'était remise à pleurer. Instinctivement, je me levai pour aller m'occuper d'elle, mais Arthur me fit trébucher en tendant son pied. Je me relevai en lui jetant un regard de haine.

— Maudit imbécile!

180

Je continuai mon chemin vers la chambre en prenant bien soin de marcher de reculons afin de ne pas le perdre de vue. Mais quelqu'un me fit tomber sur le dos en bloquant mon pas par en arrière. C'était mon frère Richard, et il riait. Me voyant étalée sur le derrière, les autres se mirent à rire de plus belle. Je me levai d'un bond et sautai sur Richard, en rage contre lui, mais ma mère intervint :

— Où vas-tu comme ça? Je ne t'ai pas donné la permission d'aller dans ma chambre! Va t'asseoir dans ton coin et restes-y. Diane, va lui donner une bouteille de lait!

— Vous savez bien qu'elle n'aime qu'Élisa!

— Vas-y! Élisa ne bouge pas de là.

Diane se rendit à la chambre en chialant :

— Elle est mieux de dormir cette fois, parce que j'vas me fâcher...

Ce soir-là, les parents sortirent au village. Diane et Sylvie avaient ordre de s'occuper de Nathalie. Mais il est évident que dès que ma mère et Arthur furent disparus, elles refusèrent de faire quoi que ce soit. J'étais heureuse de m'occuper moi-même de ma petite sœur. Elle était brûlante et semblait délirer. Elle n'avait même plus la force de pleurer. Je lui appliquai des compresses d'eau froide pour la soulager. J'étais très inquiète, je ne voulais pas qu'elle meure... Je ne voulais pas qu'elle meure par ma faute. Je la berçai pendant des heures en lui chantant *La poulette grise*. Si ma mère avait dit vrai... Si c'était moi la responsable de sa maladie... J'étais tellement maladroite parfois. Tout le monde le disait... J'étais une grande niaiseuse, une pas d'allure, pas de génie... Je n'étais même pas certaine d'avoir fait ce qu'il fallait... Je n'étais même pas bonne pour m'occuper d'un bébé. Je passai le reste de la nuit à marcher sur la pointe des pieds pour ne pas la réveiller; j'allais voir à toutes les dix minutes si elle dormait bien, si elle était bien couverte... J'étais tellement malheureuse, tellement inquiète. Je me sentais coupable... Coupable de tous les péchés du monde. Ma mère revint tard dans la nuit. Elle s'étonna de me voir là :

— Comment ça se fait que c'est toé qui gardes?

— Bien, Diane et Sylvie ne voulaient pas s'occuper de Nathalie. J'étais obligée.

— C'est correct! Tu pourras t'en occuper encore puisqu'elle ne veut voir que toé. On réglera ça une autre fois. Va te coucher maintenant.

Pendant plusieurs nuits, j'ai dû m'occuper de Nathalie. Au fil des jours, ma fatigue augmentait, je manquais de sommeil. Un matin, en partant pour l'école, je vis noir et je perdis conscience. Je me réveillai brusquement, ma mère m'ayant jeté un verre d'eau au visage.

Nathalie avait été très malade; elle ne marchait plus, nous devions la porter. Je la lavais dans la chambre lorsqu'un jour, en essayant de lui faire dire quelques mots, je me rendis compte qu'elle semblait ne pas m'entendre. Je répétai son nom à plusieurs reprises, mais elle ne me regarda même pas. Je l'ai assise au centre du lit et je passai derrière. J'ai frappé plusieurs fois dans mes mains en répétant son nom, mais, peine perdue, elle ne se détourna pas. Ma mère entra dans la chambre.

— Qu'est-ce que tu fais là?

— Essayez de crier son nom pour voir!

— Veux-tu t'en aller de là, crisse de folle! Elle n'est pas sourde, va t'asseoir, maudit grand talent, et arrête d'en inventer.

— Mais, mman...

— Sors d'icitte! Laisse-la tranquille! Tu l'as rendue assez malade comme ça!

Comme je me sentais coupable! S'il fallait que, par ma faute, Nathalie soit sourde!

Quelques jours plus tard, ma petite sœur semblait guérie. Elle était assise par terre et s'amusait avec ses jouets, lorsque ma mère, essayant d'attirer son attention, s'aperçut qu'elle ne réagissait pas. Elle laissa tomber un cendrier par terre, mais Nathalie ne bougea pas. Ma mère, affolée demanda à Arthur :

— Ça se peut-tu qu'elle soit sourde? Vite, Arthur, on va l'habiller et on va aller voir un médecin!

Elle courut chercher son manteau et, en passant, me donna une tape à la tête :

— Elle est mieux d'être correcte, parce que, sans ça, tu vas en manger une tabarnac.

Quand ils sont revenus, environ trois heures plus tard, ma mère confirma mes plus noires appréhensions. J'avais passé trois heures d'enfer à retourner dans ma tête ma culpabilité, mais ce n'était rien à côté de l'angoisse et de la peine que j'eus quand ma mère m'annonça que Nathalie était sourde, sourde pour toujours.

— Tu vois ce que c'est que de te laisser garder! Tu rends les autres malades.

Ma mère se mit à me battre à grandes tapes sur la tête. J'essayai à peine de me protéger tellement j'étais affolée. Tellement j'avais du chagrin. Plus tard, elle raconta à tout le monde que la rougeole était tombée dans les oreilles de Nathalie. Beaucoup plus tard, j'appris que ma sœur était allergique au médicament qu'on lui avait administré à l'hôpital. Et pendant des années, j'ai cru que j'étais responsable de la surdité de ma sœur.

De toute façon, Nathalie serait sourde pour toujours.

Michel

Ma mère, qui était enceinte, devait accoucher sous peu. Il ne lui restait que quelques semaines de grossesse. Un soir de « party » et de bière, une vive engueulade s'éleva entre elle et Arthur. Au cours de la discussion, Arthur lui donna un coup de poing en plein visage et la poussa violemment. Elle tomba à la renverse à travers les chaises. Elle pleurait de rage.

— T'es rendu que tu me bats! Vois clair! J'suis pas un enfant, j'suis une femme qui va te donner un enfant. Si tu continues, j'vas crisser mon camp. Je suis capable de faire vivre mes enfants sans l'aide de personne.

Arthur sortit. Nous pouvions le voir par la fenêtre, il marchait le long de la route en titubant. Parfois, il tombait et se relevait en s'essuyant les mains sur son pantalon. Ma mère pleurait :

— S'il voulait faire comme du monde, on serait si bien. S'il veut que je vous place, je vais vous placer. Pour lui, c'est trop dur d'élever les enfants des autres, il se sent obligé de vous faire vivre.

Mais Arthur revint. En entrant, il se précipita sur moi comme un chien enragé. Il me donna des claques partout, puis alla chercher sa ceinture dans la garde-robe en disant :

— J'vas vous crisser une maudite volée. Toé, là, la Grande Noire, baisse tes culottes et viens sur mes genoux!

— Je n'ai rien fait! J'ai même pas bougé!

C'était encore moi qui allais payer pour tout ça! Je me mis à pleurer... Maudite, maudite vie! Maudit Arthur!

— Tu vas venir, oui ou non? Ou bien tu préfères aller t'étendre sur le divan toute nue. C'est de ta faute tout ce qui arrive. Je sais que tu bavasses de moé à l'école; tes frères et tes sœurs sont tes complices. Eux autres aussi vont y passer. Vous avez pas fini avec moé!

C'était rendu que les coups ne me faisaient presque plus mal. J'étais surtout écœurée; écœurée de me faire taper dessus... Et surtout, oh! surtout que ça n'en finisse jamais. J'essayais de me rendre insensible en attendant que ça passe. Mais la douleur et l'humiliation étaient toujours les plus fortes. Je finissais par crier et par pleurer, au bord de la panique.

— À qui le tour maintenant? Je me sens en forme!

Il se leva de sa chaise pour attraper Diane. En passant, il me donna un grand coup de ceinture en pleine face.

— T'es trop effrontée, toé! Arrête de rire de moé!

Mais ma mère intervint :

— Câlisse, es-tu devenu fou? Ils ont rien fait de mal, laisse-les tranquilles!

Elle nous fit signe de sortir. Après un moment, elle alla s'asseoir sur ses genoux en lui passant les bras autour du cou et en le caressant. Arthur essaya de la repousser, mais elle continuait ses chatteries.

— Veux-tu t'enlever de sur moé! Ça va mal tourner!

Il se leva brusquement sans s'occuper d'elle, et elle tomba assise à ses pieds. Richard et Diane voulurent se porter à son secours et l'aider à se relever, mais elle les avisa, en colère :

— Vous autres, laissez-moé tranquille! Arthur, viens m'aider, je t'aime. Si ça continue comme ça, je suis capable de me tuer...

Il revint vers elle et s'assit par terre en pleurant. Il se coucha la tête sur le ventre de ma mère en disant :

— Personne ne m'aime!

— Je t'aime, moé! S'ils t'aiment pas, laisse-les faire, j'suis ta femme, alors laisse faire les autres.

Je les regardais, assis comme ça sur le plancher, lui à pleurer et elle à le caresser; quel beau couple! Arthur savait y faire. Il était vraiment le roi des hypocrites. Je maudissais le jour où ma mère l'avait connu.

Ma mère donna naissance à un petit garçon. Ils l'appelèrent Michel. Arthur l'adorait, c'était son enfant. Il nous était défendu de le prendre dans nos bras sans avoir la permission. Arthur était vraiment une mère pour Michel; il le changeait de couche, le lavait, le berçait. Il était aux petits soins pour lui. Peut-être que la vie allait changer maintenant qu'il savait ce que c'était que d'être père. Pourtant ils reprirent bien vite leurs sorties de fins de semaine. La première fois, ils prirent bien soin de me menacer des pires sévices si je ne gardais pas comme il faut mon précieux petit frère. Je ne fermai pas l'œil de toute la veillée jusqu'à leur retour. À peine les pieds dans la maison, Arthur se précipita dans la chambre pour voir si Michel allait bien.

— T'es pas capable de garder comme du monde, Michel est tout mouillé. J'pourrais te fouetter à mort pour ça!

J'eus beau essayer de m'expliquer, expliquer que je n'avais pas voulu le réveiller, c'était peine perdue. Il me fit comprendre à coups de pied comment il fallait garder son enfant.

— J'vas t'apprendre à vivre, moé. J'vas t'apprendre à obéir... Tu vas aller me chercher la bière qui est dans l'auto avant de monter te coucher.

— Mais, Arthur, j'suis juste en pyjama et j'ai rien dans les pieds. Il y a de la neige dehors...

— Envoye! Obéis! Sans ça j'vas te sortir, moé.

Je courus le plus vite possible jusqu'à l'auto; empêtrée dans les portières, je trouvai le sac de bières et revins en sautillant de froid jusqu'à la maison. Je tâtonnai après la porte sans pouvoir l'ouvrir. Je les vis qui me regardaient par la fenêtre et qui riaient. Ils avaient verrouillé la porte... Je criais, je sautais sur place en grelottant de froid. Après quelques instants, ils me laissèrent entrer. Je leur remis leurs bières en grelottant; je frottai mes mains et mes pieds pour les réchauffer. Ils riaient de moi et m'ordonnèrent d'aller me coucher et de cesser de me lamenter pour rien. Je montai en pleurant, j'étais désespérée... Je ne voulais pas qu'ils me fassent mourir.

Pervers

Dès la fin du mois de mars, nous avons encore déménagé. Ce logement au-dessus d'un autre ne leur convenait pas. Plusieurs fois nous nous sommes fait avertir à cause du bruit qu'ils faisaient. Plusieurs fois encore la police dut intervenir. Cette nouvelle maison leur convenait mieux. Un seul logement et isolé d'environ mille pieds du plus proche voisin. D'ailleurs, ma mère nous avait fait remarquer :

— Là, on va pouvoir vous botter le cul!

Avec cette nouvelle maison, elle me fit un grand cadeau. En haut, il y avait une toute petite pièce qui allait devenir ma chambre. Pour la première fois, j'allais avoir une chambre à moi! Il y avait juste de la place pour un petit lit, mais ça allait être mon royaume à moi, même si ma mère m'avait dit :

— Tiens, ça va être ta soue à cochons. Tu vas être bien toute seule, dans ta crasse.

Ce déménagement n'allait pas améliorer la vie à la maison. Arthur buvait de plus en plus. C'était encore l'enfer. Je crois qu'il devenait fou. Il était de plus en plus méchant, de plus en plus vulgaire et sordide. Dès qu'il avait bu quelques bières, il urinait partout dans la maison, cassait les vitres, brisait les chaises, faisait le plus de chahut possible. Il finissait le plus souvent par arracher le fil du téléphone pour que ma mère ne puisse pas appeler la police. Pourtant, lorsque les agents se présentaient à la maison, Arthur avait généralement pris la fuite. Ma mère leur donnait comme explication :

— Vous arrivez trop tard, il a crissé le camp. Je vous remercie pareil!

Les policiers, chaque fois, s'en retournaient, silencieux. Mais quelques heures plus tard, Arthur revenait et il s'en prenait à ma mère et à nous, les enfants. Quand il la battait et lui faisait mal, elle s'enrageait contre lui et le mettait à la porte :

— Je vais le jeter dehors pour de bon. Il boit tout son argent, j'suis écœurée de lui.

Pour se consoler, elle partait à son tour prendre un verre à l'hôtel. La querelle finissait quand ils revenaient ensemble tard dans la nuit. Et ça recommençait, chaque jour pareil. Nous, les enfants, nous préférions être à l'école; les jours de congé nous faisaient même peur.

Une nuit que je gardais, Arthur revint le premier. Il était près de cinq heures du matin; il fut très surpris de me voir debout.

— Qu'est-ce que tu fais là, toé? Et ta mère, elle, où est-elle?

— J'en sais rien!

Il s'assit au bout de la table.

— Viens icitte!

— Pourquoi?

— Je t'ai dit de venir. Arrête d'avoir peur, Élisa. Je sais que ta mère te bat, mais...

— Vous, vous ne me battez pas peut-être? Vous inventez des niaiseries, vous dites ça à ma mère, elle le croit, et ensuite c'est vous qui me battez...

— C'est parce que tu fais la mauvaise tête. Tu m'aimes pas. T'es pas gentille avec moi comme les autres.

— Pourtant, je ne fais rien de mal!

— Rapproche-toé, je vais te dire quelque chose.

— Vous pouvez me le dire de votre place. Même si je ne suis pas collée sur vous, je vais l'entendre pareil.

— Si tu ne viens pas tout de suite, c'est moé qui vas me lever et, cette fois-là, je n'irai pas par la douceur, compris!

À contre-cœur, je m'avançai vers lui.

— M'aimes-tu?

Je ne voulais pas empirer mon cas. Du bout des lèvres, je répondis :

— ... Oui. Pourquoi?

— Ça paraît pas. Tu te sauves toujours et moé, pour ça, je te donne la volée. Tant que tu feras pas ce que j'te demande, j'te donnerai la volée et ça va aller de pire en pire. Moé, je t'aime beaucoup, Élisa. Même que c'est peut-être toé que j'aime le plus icitte. Plus que ta mère encore... Si tu m'aimes un peu, tu vas me le prouver.

Il se leva debout en me tenant fermement par le bras, ouvrit sa fermeture éclair et me força à y entrer la main.

— Non, je ne veux pas! Lâche-moi! Je vais le dire à maman.

— Tu peux lui dire, elle te croira pas! répondit-il en riant.

J'essayai de me libérer, de me débattre, mais il était plus fort que moi. Il frottait ma main contre son pénis... Je recroquevillai les doigts, cela m'écœurait. J'avais comme une boule de peur et de dégoût qui me serrait le ventre. J'essayai de crier et de me débattre.

— Diane et Sylvie le font et ne disent pas un mot. Tu vas faire pareil comme les autres.

— Non! Lâche-moi, tu m'écœures!

— Ah! Je t'écœure!

Il m'attrapa par les cheveux en serrant très fort :

— Tu vas prendre mon sexe dans tes mains et le sortir.

— Non! Je vais tout dire à ma mère!

Je criais et me débattais comme un diable. Mais il me tenait encore par les cheveux. Il tenta de mettre sa main dans mon pyjama.

— NON! Pas ça!

Je ne voulais pas qu'il me touche. Je ne voulais

pas... Je réussis à lui donner un bon coup de pied sur la jambe. Il me lâcha et me claqua le visage trois ou quatre fois. Mais j'avais réussi à me dégager et je m'enfuis à l'étage des chambres. Je me cachai dans la garde-robe.

Je l'entendais qui criait comme un fou :

— J'vas crisser mon camp! Vous ne me verrez plus la face.

C'est à ce moment que ma mère revint. Comme Arthur continuait à crier et à donner des coups de poing partout, une vive discussion s'éleva entre eux. Loin de se calmer, Arthur se mit à gueuler :

— Élisa, Diane, Sylvie, Richard et Patrick! Levez-vous, gang de fainéants. J'ai affaire à vous autres et ça presse!

— Laisse-les tranquilles, laisse-les dormir.

— Descendez, câlisse, ou bien j'vas monter vous chercher!

— Arrête de crier, ça ne te donne rien de les réveiller.

La discussion continua sur un ton plus doux. Je me glissai doucement vers ma chambre, quand ma mère me cria :

— Élisa, viens icitte, dépêche-toé!

Je n'avais aucune envie de descendre. Je ne bougeai pas, faisant semblant de dormir.

— Élisa! Je t'ai dit de venir! J'ai besoin de toé! Viens m'aider à coucher Arthur!

En bas, Arthur était couché sur le plancher, un petit sourire aux lèvres.

— Il dort pas, y rit, m'man!

Tout à coup, il se leva brusquement. Je sautai en arrière de peur qu'il ne m'attrape. Ma mère, insultée, lui dit :

— Tu veux nous faire forcer comme des bœufs, tu dors pas et tu ris de ça?

— C'est seulement pour vous faire travailler un peu, dit-il en riant.

Il se tourna vers moi et me donna une grande poussée. Je tombai par terre. Il me menaça du doigt :

— Toé, ôte-toé de là, je t'haïs assez... Va-t'en que j'te voie plus.

Je remontai à ma chambre complètement écœurée et découragée. Il faisait presque jour dehors et je n'avais pas encore dormi. J'en avais par-dessus la tête de cette vie que je subissais, de cette injustice. Je désespérais de pouvoir attendre d'être assez vieille pour m'enfuir ou me défendre. J'avais des idées de mort dans la tête, des idées de mort et de meurtre. La bataille avec Arthur ne faisait que commencer. Il ne me lâcherait pas tant que je ne lui aurais pas cédé. Et moi, je n'avais pas l'intention de me laisser faire. Je me sentais un peu comme sa proie, toujours aux aguets, toujours à l'affût.

Chaque fois que l'occasion se présentait, il essayait de m'attraper; mais j'étais plus rapide que lui et je lui échappais. Il se faisait un devoir de revenir de l'hôtel avant ma mère afin de me surprendre. Cela se terminait par de belles courses autour de la table, mais comme il n'était pas capable de m'attraper, il m'injuriait en me promettant les plus horribles volées de toute ma vie, le jour où il mettrait la main sur moi. À chaque jour, à chaque instant où il était présent dans la maison, je devais me surveiller. Il voulut se servir de mes sœurs pour me contraindre à lui céder.

Un soir où, encore une fois, il était arrivé le premier, il monta directement aux chambres et réveilla Diane et Sylvie.

— Vous allez montrer à Élisa ce qu'on fait, nous autres. C'est le grand temps qu'elle sache!

Il défit sa ceinture, la plia en deux et la claqua dans ses mains. Diane et Sylvie se mirent à pleurer. Je m'avançai vers elles.

— Avancez!

— Non, Arthur, laisse-nous aller dormir!

— Baissez vos culottes. Élisa aussi! Pis grouillez-vous ou vous allez goûter à ma ceinture.

J'étais paralysée de peur. Il était assis, la ceinture à la main. Il sortit son pénis, commença à caresser Diane et Sylvie. Il prit la main de Diane et l'obligea à le caresser, ensuite ce fut le tour de Sylvie. J'avais très peur, je savais que mon tour viendrait... J'avais mal au cœur.

— T'es rien qu'un maudit vicieux!

Il essaya de toucher mon sexe. Je réagis brutalement. Je me sauvai en remontant mon pantalon. Dans ma fuite, je criai :

— Maman arrive!

Il lâcha mes sœurs et remonta sa fermeture éclair rapidement.

— Vite! Allez vous coucher!

J'ai vraiment essayé de convaincre Diane et Sylvie de tout raconter à maman. Mais elles ont toujours refusé. Elles ne voulaient pas être battues comme moi. Elles ne voulaient pas faire de la peine à notre mère et briser son ménage. Diane m'avait dit :

— Si maman se séparait d'Arthur, elle en mourrait sûrement. Elle serait capable de se tuer pour lui; elle l'aime beaucoup. Si jamais tu parles de ça et que tu brises tout, je vais t'en vouloir le reste de mes jours. De toute façon, je vais dire que tu contes des menteries.

C'est ainsi qu'Arthur put continuer son manège en paix. Quand il ne réussissait pas à m'attraper, il montait dans la chambre de mes sœurs et redescendait en vitesse quand ma mère arrivait. Elle entrait et ne se doutait de rien. Moi, je savais. Le moindre prétexte était bon pour m'attraper. Si je lui tendais un objet, il en profitait pour me saisir par le bras. Si j'allais m'enfermer dans la salle de bains, il faisait semblant de monter, mais revenait en silence se cacher près de la porte. Il me sautait dessus dès que je sortais. Il lui arriva de me contraindre un soir que Nathalie pleurait et que je la berçais. Il me tenait par les cheveux, m'obligea à la coucher...

Le samedi et le dimanche, il montait nous réveiller. J'étais tellement nerveuse que je m'éveillais aussitôt que je l'entendais monter. Je me levais et m'habillais en vitesse. Pendant qu'il était dans la chambre de mes sœurs, j'en profitais pour descendre sur la pointe des pieds. Souvent, j'avais juste le temps de me rendre à l'escalier avant qu'il ne sorte de leur chambre. Alors il me jetait un regard haineux, ne prisant pas que je lui échappe si facilement. Je devins tellement habituée que je me réveillais avant lui, m'habillais, faisais mon lit et attendais qu'il se lève. J'étais prête à me lever aussitôt qu'il montait.

Ma mère aurait dû se rendre compte de ce qu'il faisait. Il annonçait :

— Je vais réveiller les enfants!

Et il restait en haut un long moment. Parfois elle lui criait :

— Qu'est-ce que tu niaises en haut, câlisse! Ça te prend bien du temps à réveiller les enfants!

Alors il se mettait à crier après eux, en distribuant des petits coups de ceinture. En passant près de moi, il me soufflait :

— ... T'es une maudite hypocrite, t'as un visage à deux faces...

Ma haine pour ma mère s'intensifia à cette époque. Il était impossible qu'elle ne se rendît pas compte des agissements d'Arthur, mais elle fermait les yeux, volontairement. Elle était trop lâche pour protéger ses enfants; elle avait trop peur de le perdre. J'avais encore plus de mépris pour elle depuis que je me rendais compte combien elle tenait à cet homme si veule, vicieux, alcoolique et laid.

La prière (premier jour)

Avril. Arthur avait repris son travail en forêt. Je pouvais enfin respirer, car il nous quittait toute la semaine. Il était temps, car j'étais épuisée, affolée. À être toujours épiée, à toujours être aux aguets, folle de terreur, à ne pas manger ou presque, à ne pas dormir, j'en étais rendue à vivre dans une sorte d'état de transe; un état presque comateux où j'avais l'impression d'avoir des hallucinations. À l'école, j'étais obsédée par ma vie à la maison, par la terreur de ce qui m'y attendait. Au lieu d'écouter, je ruminais sans cesse chaque événement, chaque parole, afin de découvrir pourquoi ma mère me détestait tant. À la fin des cours du matin, avant d'aller dîner, nous avions l'habitude de faire une prière. Les yeux fermés, j'implorai :

— S'il vous plaît, Jésus, faites que maman me laisse un peu tranquille. Je vous en supplie, écoutez ma prière, je vous en prie.

Dans ma tête, je vis l'image de Jésus sur la croix; une image pleine de lumière et très précise. Puis l'image devint floue et disparut. La prière était finie, nous pouvions rentrer. À la maison, ma mère préparait le dîner en silence. Je mis la table sans qu'elle me dispute comme elle le faisait toujours. Elle nous servit dans un silence troublant. Elle semblait perdue dans ses pensées. Lorsqu'elle passa derrière moi, je sursautai de peur qu'elle ne me frappe derrière la tête, mais elle ne me toucha pas. Elle me demanda simplement :

— Élisa, pourrais-tu rester cet après-midi, j'ai besoin de toé!

Elle me l'avait demandé si gentiment que je n'en croyais pas mes oreilles. J'ai même réussi à manger un peu. Après le départ des autres, je desservis la table et commençai à faire la vaisselle. Elle s'approcha :

— Laisse faire. Je vais la laver. Tu n'as qu'à l'essuyer.

C'était la première fois, depuis fort longtemps, qu'elle venait m'aider à faire la vaisselle. Je remerciai Dieu de tout mon cœur. Je sentis diminuer le poids que j'avais sur le cœur chaque fois que j'étais en présence de ma mère. Pourtant elle ne parlait pas. Je me demandais si elle était malade. Elle me dit qu'elle devait partir durant l'après-midi. J'aurais à garder les deux petits.

— Je partirai pas longtemps.

— Faites-vous-en pas. Prenez votre temps. Je vais faire un peu de ménage pendant que les petits vont dormir.

— ... J'avoue que c'est toé ma plus vaillante. Tu ne dis jamais un mot et tu fais tout ce qu'on te demande.

Je n'en croyais pas mes oreilles! Elle me surprenait vraiment. Je ne cessai de me répéter intérieurement :

— Merci, mon Dieu! Merci de m'avoir écoutée! Si ma mère était toujours aussi gentille, comme on serait bien! Merci, merci, doux Jésus...

Elle revint presque en même temps que mes frères et mes sœurs. J'avais eu le temps de tout finir le ménage.

— Comme c'est propre, Élisa. Tu as vraiment fait du beau travail. Faites attention, vous autres, pour ne pas tout déplacer. Je veux pas tout refaire demain.

Que m'arrivait-il? Ou plutôt que lui arrivait-il? Je ne comprenais plus rien. Ma seule réponse était que Dieu avait entendu ma prière. Malgré tout, ma peur subsistait. Ma mère changeait si souvent d'humeur. Au souper, j'essayai de manger, mais, comme d'habitude, je n'arrivais pas à avaler. Je sentais que j'allais vomir si j'insistais. Je la vis qui me regardait pour une fois sans colère, mais avec une sorte de pitié dans les yeux.

— Maman, est-ce que je peux ne pas manger, je ne suis pas capable?

— Qu'est-ce que tu veux que j'fasse? Je n'y peux pas grand-chose. Sors de table.

Je me levai et me rendis à l'évier pour commencer la vaisselle, mais elle m'arrêta :

— Attends, Diane et Sylvie vont t'aider. T'en as assez fait pour aujourd'hui.

Mes deux sœurs se regardèrent d'un air surpris. Moi, je regagnai mon coin. Ce soir-là, elle me permit de regarder la télévision avec eux. Décidément, ma mère avait changé. Je me posai beaucoup de questions. Je ne comprenais pas le revirement subit de ma mère. Je pus veiller aussi tard que les autres. Dans mon lit, j'essayai de faire revenir la même image de Jésus, mais ce n'était jamais pareil. J'aurais tant voulu que toute ma vie ressemble à cette journée...

— Je vous remercie, Jésus, de m'avoir donné une journée aussi merveilleuse. J'aimerais que vous m'en donniez une deuxième. S'il vous plaît, faites que demain ma mère soit aussi gentille qu'aujourd'hui...

Deuxième journée...

Je me réveillai le cœur serré. J'avais peur d'avoir rêvé la belle journée que j'avais passée. J'avais peur que le cauchemar quotidien revienne d'un seul coup. Je ne me pressai pas de réveiller les autres et de faire les lits. Je descendis la dernière, comme d'habitude pour repousser le plus possible le moment des *chicaneries*. Ma mère était déjà debout. Diane et Sylvie lui dirent bonjour. J'hésitai :

— Bonjour, maman!

— Bonjour.

Il y avait bien longtemps qu'elle ne se donnait plus la peine de me répondre le matin. Je me sentis soulagée. Je m'installai pour déjeuner, mais encore une fois je ne pus rien avaler. J'avais le cœur au bord des lèvres. Ma mère m'observait du coin de l'œil, mais ne parla pas. Avec mes sœurs, je desservis la table. Je me préparais à laver la vaisselle, mais elle m'interrompit.

— Laisse, va-t'en à l'école. J'ai rien que ça à faire!

Sur le chemin de l'école, j'avais des ailes. Ma mère avait-elle enfin compris! Me faisait-elle vraiment une place parmi ses autres enfants? Je remerciai Dieu des millions et des millions de fois.

La journée fut tout aussi parfaite que la précédente. Je m'efforçai de bien faire les choses afin qu'elle garde sa bonne humeur. Elle me demanda de garder, le temps qu'elle aille faire un tour chez la voisine. À son retour, elle voulut que Richard lui fasse une commission.

— Non. C'est toujours moé qui y va.

— Tu vas y aller encore!

— Non, je ne veux pas y aller.

— Ben, mange de la marde! Va te coucher, je ne veux plus te voir.

Il ronchonnait tout en montant l'escalier.

— Vous prenez pour Élisa asteure.

À ces paroles, ma mère se tourna vers moi. Elle semblait pétrifiée. Je lus dans ses yeux une rage terrifiante. Je me recroquevillai dans le fauteuil.

— C'est pas de tes affaires, Richard T. Dépêche-toé de monter.

Il était furieux; il montait tout en faisant claquer ses pieds sur les marches. Exaspérée, ma mère envoya les autres au lit aussi.

— Non, Élisa, pas toé. Avant d'aller te coucher, veux-tu aller faire ma commission?

Elle me donna de l'argent et je sortis. En revenant, je voyais ma mère qui surveillait mon retour tout en se berçant près de la fenêtre. Je lui remis le paquet et lui souhaitai bonne nuit.

— Je voudrais que tu viennes t'asseoir et que tu regardes la télévision avec moé.

J'étais toute confuse. Je ne savais plus où m'asseoir, quoi faire, quoi dire... C'est ainsi que je passai la soirée à regarder la télévision, à manger des chips et du chocolat, tout en bavardant avec ma mère. Elle me regardait avec une certaine tendresse. Elle semblait me juger et se juger.

J'étais tellement heureuse que j'eus du mal à m'endormir...

Troisième journée...

Comme les deux jours précédents, tout se passa bien. Ma mère eut certes quelques sautes d'humeur, mais rien de particulièrement dirigé contre moi. En revenant de l'école, vers quatre heures, quelle ne fut pas ma surprise de voir qu'Arthur était de retour. Aussitôt ma peur revint totalement. J'essayai un court instant de fermer les yeux et de faire revenir l'image de Jésus pour qu'Il me vienne en aide, mais plus rien... Tout était redevenu comme avant. Ma mère m'engueula sans raison et Arthur en profita pour me donner des coups de pied avec ses bottes de travail. Ce soir-là, je n'ai pas réussi à avaler une seule bouchée. Arthur était là et ma vie avait repris son ancien visage de brutalité et de terreur. Après cette trêve, je fus encore plus découragée... J'essayai de retrouver une solution magique dans la prière. Je ne pus y trouver que le réconfort.

La souris

Juillet. L'été, les vacances et le cauchemar quotidien. J'étais dans la maison à faire le ménage, les autres étaient tous dehors. Ma mère entra. Elle tenait par la queue une souris morte. Elle s'approcha de moi, le bras tendu, brandissant la souris. Elle me poursuivit à travers la cuisine, me frôla la tête et le cou avec la petite bête morte. Je me couvris le visage de mes mains, car j'avais une terrible peur des souris. Mais finalement ma mère me lâcha et rapporta la souris près de l'évier en disant :

— J'pense que j'vas te la faire cuire. Ça va être ton souper... Eh ben non, j'vas faire mieux que ça...

Elle reprit la souris par la queue et monta en riant. Quand elle revint, la souris avait disparu.

— Tu vas voir que tu vas passer une bonne nuit!

Je devinais qu'elle m'avait joué un sale tour. Où l'avait-elle cachée? Je passai la journée à penser à cette souris. J'aurais donné ma chemise pour avoir la permission de monter dans ma chambre et la chercher, en plein jour. J'imaginais les choses les plus farfelues; la souris n'était pas vraiment morte et se mettait à gigoter dans mon lit, au beau milieu de la nuit; elle me tombait dans le cou pendant mon sommeil. J'en frissonnai de dégoût et de peur.

Ma mère m'envoya au lit plus tôt que d'habitude. Je montai sans discuter, effrayée, mais soulagée de régler mon compte avec la souris. J'ouvris ma porte tout doucement, laissant juste l'espace nécessaire pour passer la tête. Je m'attendais à la voir courir sur le plancher de ma chambre. Rien. Je sautai sur mon lit, le cœur battant je regardai en dessous en prenant tout mon temps, l'oreille aux aguets, attentive au moindre bruit. Un peu rassurée, je me mis à défaire mon lit, à secouer mes couvertures et je le refis très soigneusement, inspectant le moindre pli. Toujours rien. Je me recouchai en imaginant toutes sortes de choses. Je sursautai au moindre craquement, l'imaginant en train de gruger le bord de mon lit ou le pan d'une couverture. Je m'enroulai dans mes draps comme une momie, ne laissant le moindre espace de peur qu'elle ne puisse s'infiltrer. Malgré la grande chaleur, je dormis toute la nuit avec les couvertures sur la tête. Je fis d'horribles cauchemars de rats et de souris qui grimpaient le long des murs et après moi. Je me réveillai fréquemment, couverte de sueur, terrorisée. Au matin, ma mère voulut savoir si j'avais passé une bonne nuit :

— Puis, as-tu trouvé la souris?

— Non, j'l'ai pas trouvée!

Elle n'en parla plus. Le soir, je cherchai encore sans rien trouver. Je crus que ma mère avait voulu me faire une bonne peur ou me jouer un tour. Je cessai de chercher. Quelques jours plus tard, alors que j'entrais dans ma chambre, je sentis une drôle d'odeur. Je pensai tout de suite à la souris morte. Elle devait pourrir quelque part dans ma chambre. Je fouillai partout, mais je ne trouvai rien de rien. Les jours passaient et la senteur devenait de plus en plus forte, de plus en plus insupportable. J'avais beau fouiller, mettre ma chambre sens dessus dessous, peine perdue, je ne trouvais rien. Un matin, ma mère me demanda encore :

— Tu as dû trouver la souris, tu n'en parles pas!

— Non, je me demande bien où vous l'avez mise, ça sent mauvais dans ma chambre... Ça sent la charogne.

C'était dimanche. Il y avait presque deux semaines que cela durait. J'étais écœurée. L'odeur était insupportable. Et moi, je devais dormir là-dedans.

Ce dimanche-là, on m'avait permis d'aller à la messe comme les autres. Je voulus prendre mes bas de nylon quand je découvris la souris, là, dans mes bas, à moitié décomposée. J'avais envie de vomir. Je pris mes bas, entre le pouce et l'index, tout en me détournant pour ne pas voir; j'ouvris la fenêtre et lançai le tout dehors. Je me retrouvai, soulagée de la souris, mais sans bas pour aller à la messe. Je décidai de faire l'innocente et d'aller voir ma mère.

— Maman, je ne trouve pas mes bas de nylon!

— Tu ne sais pas où tu les as mis? Bon, je vais t'en passer une paire. Mais tu devras me les remettre après la messe. Compris!

Ma mère n'a jamais fait d'enquête au sujet de mes bas. Elle ne m'a jamais réclamé les siens. Le même après-midi, je profitai de leur absence pour aller enterrer la souris et mes bas. Personne au monde ne m'aurait fait porter ces bas-là.

Ma mère non plus ne m'en a jamais reparlé. La semaine suivante, elle m'a donné des collants neufs. Elle paraissait confuse.

Pendant cette période de temps, je fus, bien sûr, la risée de mon frère Richard.

— Ça pue en haut. Comment ça se fait que ça pue tant que ça? Pour moi, c'est Élisa qui pue de même!

Ces remarques m'humiliaient. D'autant plus que c'est ma mère qui me donnait mon bain. Avec du savon jaune. J'avais quatorze ans et je ne pouvais me laver toute seule, ni comme je le voulais, ni quand je le voulais. Je devais me laver en cachette, car elle me lavait environ une fois toutes les deux semaines et parfois même une fois par mois. Je ne pouvais me laver les cheveux, car elle aurait vite fait la différence. J'étais mal habillée et mal lavée. J'avais une drôle d'allure et les autres me fuyaient. C'est ainsi que j'allais commencer une nouvelle année scolaire.

La Polyvalente

En septembre, Richard, Diane et moi devions aller à la Polyvalente située à quelque neuf ou dix milles de la maison. Nous allions alors passer toute la journée à l'extérieur. Plus question de venir dîner. Plus question pour moi que ma mère vienne me chercher n'importe quand pour garder les petits. Bien sûr, elle prenait très mal le fait que j'échappe à sa surveillance.

— Tu vas être bien, là. Tu vas pouvoir faire tout ce que tu veux, on sera pas là pour te guetter.

Ma première journée restera toujours gravée dans ma mémoire. C'était l'inscription et il fallait avoir trois dollars pour payer sa carte d'identité; moi, je n'avais pas un sou. On m'a avertie que cette carte était obligatoire et que j'en aurais besoin durant toute l'année scolaire. Comme à chaque fois qu'il me fallait demander de l'argent, je me faisais du mauvais sang. J'étais à peu près certaine que ma mère refuserait de me donner la somme exigée.

La journée terminée, je sortis avec les autres pour prendre mon autobus. Mais comme il y en avait plusieurs, je ne savais pas lequel était le mien. Je ne voyais ni mon frère ni ma sœur. C'était énervant, parce que je savais que si je le manquais, je devrais rentrer à pied. Finalement, je repérai un chauffeur qui ressemblait à celui du matin et je montai. C'était le bon, Diane était là. En cherchant un siège, je me rappelai soudain que j'avais oublié ma boîte à lunch. Je demandai au chauffeur de m'attendre, j'allais faire le plus vite possible. Je courus jusqu'à ma case, trouvai ma boîte et repartis aussi vite. J'arrivai dehors en courant, essoufflée; mais tous les autobus étaient partis. Le chauffeur ne m'avait pas attendue. Il m'avait laissée là. J'en aurais pleuré. J'étais là, dans la cour désertée, toute seule, ma boîte à lunch sous le bras.

Il fallait à tout prix que je rentre à la maison. C'était loin, très loin. Je marchais vite, je courais, je marchais encore. Parfois, une auto ralentissait à mes côtés et on m'offrait de monter. Je disais que j'étais presque arrivée... Ou bien je ne répondais rien, regardant de l'autre côté. Ma mère m'avait suffisamment avertie de ne jamais monter avec des inconnus. Je n'avais que la moitié du chemin de fait et, déjà, j'étais très fatiguée. Une auto s'arrêta tout près de moi et une vieille dame se pencha à la portière.

— Est-ce que tu vas loin?

— Non! J'arrive presque chez nous.

— Monte quand même. Nous, on a tout notre temps. Ça va nous faire plaisir de te ramener.

— Non! Maman veut pas que j'embarque avec des inconnus!

Je continuais à marcher, mais eux me suivaient lentement. J'avais très peur. Je me tournai et leur criai :

— Laissez-moi tranquille!

— N'aie pas peur de nous. On ne veut pas te faire de mal!

J'entendis l'autre personne qui disait :

— Laisse-la, on ne peut pas la forcer à monter si elle ne veut pas.

L'auto accéléra et disparut.

Je continuai à marcher en me demandant à quelle heure j'allais arriver à la maison. Je savais bien que, de toute façon, j'allais être punie. Une autre auto ralentit à ma hauteur. Je me mis à courir afin de ne pas avoir à discuter encore inutilement.

— Élisa! viens ici on va t'emmener chez vous!

Je me retournai. C'était la tante Gagnon, la marraine de Nathalie.

— Monte! On va te reconduire!

Dans l'auto, il y avait deux hommes: Claude Gagnon et un autre que je ne connaissais pas. Ils allaient travailler au moulin à bois et c'est ma tante Gagnon qui les reconduisait. Arrivée devant la maison, je sortis de l'auto et les remerciai. Ma mère m'attendait. Elle me guettait par la fenêtre. À peine entrée dans la maison, elle m'attrapa par les cheveux et me donna des claques partout. J'en échappai ma boîte à lunch.

— J'vas t'en faire, moé, d'embarquer avec une gang de gars que tu ne connais même pas!

— Mais, maman, je les connais, c'est mon oncle Claude et ma tante Gagnon!

— T'as menti! J'les ai vus, moi aussi... Va t'étendre sur mon lit, tu vas en manger toute une! Pis j'vas tout raconter à Arthur et tu vas en avoir une autre par lui aussi quand il va revenir vendredi. Même s'il te tuait, ça ne me dérangerait pas. Mon rêve serait réalisé!

Le vendredi, au retour d'Arthur, je l'accueillis comme les autres avec un bec sur la joue. Il s'est assis à table et ma mère lui a donné une bière. Elle lui raconta comment, au lieu de revenir avec l'autobus scolaire, je me promenais en auto avec une gang de gars. Il me regarda furieusement :

— Tiens-toé prête!

Je commençai à pleurer, j'aurais voulu disparaître. Heureusement, Arthur ne semblait pas en train. Il se contenta de se lever et de me donner quelques coups de pied. Il m'obligea à le déchausser et à lui embrasser les orteils. Puis il se servit une autre bière et continua à discuter avec ma mère de choses et d'autres. Soudain :

— C'est trop tranquille icitte? Richard, crisse une volée à Élisa pour la dégourdir! Elle est trop emplâtre! Pis toé, la Noire, t'es mieux de ne pas bouger.

Richard s'approcha de moi et me donna des claques. Arthur l'encourageait :

— Envoye! Pince-la! Donne-lui des coups de poing! Pince-lui les tétons!

Ma mère se mit à rire :

— Tu lui pinceras pas grand-chose parce qu'elle a rien!

Et Richard me pinça. Je lui fis de gros yeux afin qu'il comprenne que je me vengerais dès que nous serions seuls.

— Vous voulez que je la batte, et après ça, quand vous ne serez pas là, elle me donnera la volée.

Ma mère s'avança en me pointant du doigt :

— Je voudrais bien voir ça! Qu'elle te touche une seule fois et elle aura affaire à moé, compris?

Je répondis nerveusement :

— O.K.! C'est correct!

Alors Arthur se leva, enleva sa ceinture et se mit à me frapper avec le bout métallique. Il me frappa sur les jambes, sur les bras et la poitrine et dans le visage aussi. J'avais un œil au beurre noir et des marques partout. Je me réfugiai dans mon coin en pleurant. Je pleurai sans pouvoir m'arrêter. Ma mère, qui se préparait à sortir, me dit, exaspérée :

— Arrête tes larmes de crocodile. Fais comme du monde et on va te traiter comme du monde.

Le lendemain, je demandai poliment à ma mère de me donner l'argent pour ma carte d'identité. Mais elle me répondit que je n'avais pas besoin de ça. Pourtant elle avait payé celle de Diane et de Richard.

Je traînai toute l'année cette histoire de carte. Chaque fois qu'on me demandait l'argent, je disais que je l'avais oublié. Je n'ai jamais eu cette carte d'identité. Je passais pour une mauvaise tête auprès de mes professeurs. J'avais honte. J'étais complexée devant mes camarades de classe.

Mes camarades

J'ai déjà dit que mon apparence physique, ma timidité, ma « sauvagerie » me plaçaient à part des autres enfants. Je me sentais laide, mal habillée, misérable; j'étais obsédée par ma vie à la maison. L'école n'était pour moi qu'un intermède à la violence quotidienne. J'étais tellement prisonnière de ma triste vie que je ne profitais que rarement de cette échappatoire. Je vivais repliée sur moi-même, sur ma peur. De plus, il est connu que les enfants, encore plus les adolescents, n'aiment pas les êtres différents. J'étais tellement à part que je devins rapidement leur souffre-douleur. Il n'y eut pas une journée où je fus tranquille. Même dans l'autobus, tous se moquaient de moi. Personne ne voulait s'asseoir avec moi, ayant trop peur d'être la risée des autres. Richard et Diane ne prenaient jamais ma défense; ils faisaient semblant de ne pas me connaître.

À cette époque, j'étais totalement affolée. Les reproches et les volées que j'avais à la maison me rendaient nerveuse. J'étais pâle et mal en point. Je dormais mal et jamais suffisamment. Je mangeais aussi très mal. L'atmosphère était telle durant les repas que je passais le plus clair de mon temps à vomir ce que j'avais réussi à avaler. Parfois, ma mère voulait me faire manger comme un ours. Le matin, elle me faisait un gros bol de gruau et une pile de toasts. Comme j'avais peur de sa colère, j'avais la gorge nouée, je n'avais plus faim. Alors elle me donnait des coups de baguette sur la tête pour m'obliger à manger. Plus elle tapait, plus je devenais nerveuse et je vomissais. Alors, rendue furieuse, elle me battait encore plus. Parfois, elle me donnait cinq ou six sandwiches pour dîner; je devais tout manger puisqu'elle avait chargé Diane de me surveiller. Le reste du temps, elle ne me donnait qu'une moitié de sandwich et rien à boire. Pour souper, elle me donnait un morceau de patate bouillie, c'est tout. C'était injuste et incompréhensible. Tout ça me rendait plus nerveuse encore.

Pendant l'hiver, alors qu'Arthur était sans travail, il avait découvert un petit jeu qu'il aimait beaucoup. Lorsque l'autobus arrivait, il laissait sortir Richard et Diane de la maison, puis il se plaçait devant la porte afin que je ne puisse pas passer. Lorsqu'il voyait que l'autobus était sur le point de repartir, il me laissait sortir. Je devais courir de toutes mes forces pour le rattraper. Le chauffeur me chicanait :

— La prochaine fois que tu seras pas sur le bord du chemin avec les autres, je repars sans t'attendre. Et je n'arrêterai plus.

J'étais confuse et gênée. Chaque matin, c'était le même scénario. Chaque matin, je devais m'excuser auprès du chauffeur d'autobus.

Au début de l'hiver, ma mère m'avait donné un nouveau manteau. Il était de cuirette brune. Je le trouvais très beau même si je gelais avec, car il n'était pas doublé. Comme il n'avait pas de boutons, je gardais les mains dans les poches pour le tenir fermé. Ce matin-là, comme d'habitude, je dus courir après l'autobus. Je me revois galopant sur la route, tenant tant bien que mal mes livres dans mes mains. Mon manteau ouvert battait au rythme de ma course. Quand enfin je rejoignis l'autobus, je ne pus monter. Mon manteau avait gelé pendant que je courais; il était ouvert et raide comme une barre. Je dus monter de côté et j'accrochai tout sur mon passage. Je fus accueillie par une pluie de noms les plus divers, les moqueries, les rires et les sifflements. Comme il n'y avait de place qu'à l'arrière de l'autobus, à chaque banc j'étais poussée de tous côtés. Je tombais, je me relevais. De nouveau poussée, je me relevais encore et ainsi jusqu'à ma place.

J'ai immédiatement détesté ce manteau. Il m'a rendue tristement célèbre.

Coups de couteau

Novembre. Les jours sont courts et gris. Une période de l'année qui me serre toujours le cœur. Nous étions de retour de l'école et, contrairement à l'habitude, les parents n'étaient pas dans la cuisine à nous attendre. Sylvie et Patrick n'étaient pas arrivés de la

207

petite école. Je cherchai à l'étage, dans le salon. Personne. J'ouvris la porte de la chambre de ma mère. Ils étaient là qui dormaient, ma mère, Arthur, Nathalie entre eux et le petit Michel dans son lit. Je refermai la porte tout doucement et retournai à la cuisine. J'avertis les autres de ne pas faire de bruit. Richard et Diane commencèrent leurs devoirs; moi, assise dans mon coin, je les regardais. Il m'était bien défendu de faire mes devoirs à la maison. Ma mère pensait que, de toute façon, j'étais incapable d'apprendre à l'école. Les devoirs étaient du temps perdu. Ce n'est pas ça qui me ferait vivre...

Les devoirs faisaient donc partie de ma gymnastique quotidienne. Je les faisais dans l'autobus, dans les toilettes de l'école, pendant le cours d'éducation physique que je ne pouvais suivre puisque je n'avais pas le costume réglementaire.

Quand Sylvie et Patrick arrivèrent de l'école, je m'occupai de leur faire réciter leurs leçons. Vers cinq heures trente, Richard me dit :

— J'ai faim, Élisa! Grouille-toé donc! Tu devrais peler des patates.

— J'suis pas sûre que maman va être contente!

— Fais-toé-z'en pas, ils dorment. Elle va être très contente de voir le souper commencé quand elle va se réveiller.

J'avais vraiment peur. Mais voyant que tous avaient faim, je me décidai à peler quelques patates et à les faire bouillir. Je retournai m'asseoir dans mon coin en attendant qu'elles soient cuites. Soudain, ma mère sortit de sa chambre avec Nathalie dans les bras.

— Il est tard! Trop tard pour préparer un gros souper. Vous allez manger des œufs et des toasts!

Je restai muette. Je pensais aux patates qui bouillaient.

— Mais, maman, Élisa a fait cuire des patates! s'écria Richard.

Je me sentis faiblir. Ma mère s'approcha du « poêle » et regarda dans le chaudron contenant les patates.

— Je vais les laisser cuire et les mettrai au frigidaire pour Arthur demain matin. Il aime bien ça, des patates rôties.

J'étais soulagée. Elle se mit à préparer le souper. Elle ouvrit les tiroirs, fouilla dans l'armoire. Elle cherchait quelque chose.

— Qui a pris le couteau à patates?

Je répondis sans attendre :

— C'est moi!

Elle m'appela. Je m'approchai d'elle. Elle me prit par le bras.

— Cherche-le! Et que ça ne te prenne pas toute la veillée.

J'étais nerveuse. Je regardai dans le tiroir, dans l'évier, rien.

— Je ne sais pas où il est.

Soudain, je me rappelai que je l'avais laissé dans le panier à pelures. Je me penchai, ouvris l'armoire sous l'évier et le trouvai enfin. Je lui tendis, victorieuse.

— Tenez, je l'ai trouvé.

Elle le prit d'un mouvement vif, et sans que j'aie eu le temps de réagir, elle me l'enfonça dans la cuisse gauche. Je restai stupéfaite. Sur le coup, je ne sentis pas mon mal, mais lorsque je regardai, je ne vis que le manche de bois brun qui sortait de ma cuisse; la lame était entièrement enfoncée dans ma chair. Je ne pus m'empêcher de crier. Déjà le sang giclait dans mon pantalon. Elle attrapa le manche et tira. J'étais complètement terrorisée. Je criais, je pleurais, crispant mes deux mains sur ma blessure. Je soulevai un peu les mains, elles étaient toutes rouges de sang, de mon sang. Je me remis à crier de plus belle. Mes frères et mes sœurs, qui avaient assisté à la scène, me regardaient fixement, comme paralysés par ce qui m'arrivait. Ma mère me dit :

— Vas-tu le savoir maintenant qu'on ne met pas le couteau à patates dans le panier à pelures?

Je pleurais de douleur. Je hoquetai :

— Mais, maman, je l'ai oublié là! C'est pas de ma faute!

Puis, voyant que cela saignait sérieusement, elle devint inquiète.

— Monte vite en haut, j'vas aller chercher quelque chose pour te mettre là-dessus. Dépêche-toé, j'veux pas qu'Arthur te voie comme ça!

Je marchai péniblement vers l'escalier. J'avançai en gardant mes mains crispées sur ma blessure et en pleurant. Dans le silence le plus complet, je réussis à monter et à me rendre à la chambre. Ma jambe était raide, je ne pouvais plus la plier, ça me faisait trop mal. J'entendis ma mère qui avertissait les autres :

— Pis vous autres, les grands talents, vous êtes mieux d'oublier ça au plus vite et de continuer à mettre la table. J'veux plus en entendre parler.

Et elle monta. Lorsqu'elle entra dans ma chambre, j'étais encore debout et je pleurais sans pouvoir me contrôler.

— Baisse ton pantalon et assis-toé sur le lit!

J'obéis. Je m'assis sans plier la jambe; de toute façon, je n'en étais pas capable. Elle me tendit la bouteille qu'elle avait à la main :

— Mets-toé ça dessus! Ça te fait-tu mal?

La bouteille semblait contenir de l'eau. Je l'ouvris, mais une forte odeur s'en dégagea.

— Donne, j'vas t'en verser. C'est de l'alcool à friction. C'est pas dangereux.

Elle reprit la bouteille et en versa abondamment sur ma plaie. Je me remis à crier comme une perdue. C'était comme si elle m'avait brûlée avec un fer rouge.

— Arrête de crier! Arthur va se demander ce qui se passe. Arrête de crier, Élisa! Il faut désinfecter ça! Continue à t'en mettre. Moi, il faut que je descende voir au souper.

Je regardai l'étiquette sur la bouteille, n'ayant pas très envie d'inonder ma plaie de ce liquide brûlant. Le premier mot que je lus sur la bouteille, écrit en gros caractères noirs, était le mot POISON. Ma mère voulait-elle vraiment m'empoisonner? Je me sentis faiblir, je m'allongeai sur le lit. Qu'allait-il m'arriver encore? Ma mère avait-elle voulu me tuer! Je me sentais très mal; j'avais le cœur battant, je voyais des points noirs devant mes yeux, j'étais engourdie... Puis tout devint noir, je m'évanouis. Lorsque je repris connaissance, ma mère était là auprès du lit :

— As-tu compris ce que je t'ai dit? Non!

Je me redressai sur le lit. J'étais encore tout étourdie.

— Tu vas descendre avec les autres, et essaie de pas boiter.

Elle me laissa seule. Je ne pleurais plus, mais j'avais encore très mal. Je me levai, remontai mon pantalon; j'eus besoin du mur pour me soutenir, car je me sentais toute faible et tremblante. Je réussis à avancer de quelques pieds, la jambe raide. Il m'était très difficile de ne pas boiter. Mon pantalon, rendu rugueux par le sang séché, frottait sur ma blessure et me faisait horriblement souffrir. J'en avais des sueurs dans le dos. Je sentais que j'allais m'évanouir à nouveau. Je descendis l'escalier marche après marche en me cramponnant à la rampe.

Arrivée en bas, je vis mes frères et mes sœurs qui me dévisageaient en silence. Je pus lire un peu de pitié dans leur regard. Ma mère les observait, exaspérée :

— J'l'ai pas tuée! Alors arrêtez de faire vos têtes d'enterrement!

Je me rendis tant bien que mal jusqu'à mon coin! Je gardai ma jambe droite et raide, c'était moins douloureux ainsi. Voyant cela, ma mère s'approcha, mit une main sous mon genou et de l'autre attrapa ma cheville puis me plia la jambe.

— Aie!

C'était comme si elle avait tourné un couteau dans ma plaie. J'avais envie de crier de douleur. Je ne pus retenir mes larmes, même si je savais que cela ne faisait que la rendre plus impatiente encore. La porte de la chambre s'ouvrit, laissant passer Arthur encore endormi.

— Qu'est-ce qui se passe?

Il me jeta un regard de travers. Il vit que je pleurais.

— Qu'est-ce qu'elle a encore, cette mémère-là? Elle chiale tout le temps!

Pour s'assurer que j'avais bien compris, il me donna des coups de pied sur ma jambe blessée.

— Lève-toé, maudite chialeuse. Va aider ta mère à mettre la table...

Je ne lui laissai pas le temps de continuer. Je hurlai :

— Non! Arrêtez-vous! J'en peux plus! J'en ai assez! Si vous voulez me tuer, tuez-moi. Vous allez être débarrassés. Je suis écœurée à mort de cette vie-là.

Arthur, furieux, marchait déjà sur moi, les poings sortis, quand ma mère intervint :

— Arrête-toé! Prends le temps de te lever. Elle en a assez eu pour aujourd'hui, laisse-la tranquille. Viens avec moé dans la chambre, j'ai à te parler.

Ils demeurèrent dans la chambre pendant quelques minutes. Les autres ne parlaient toujours pas. À leur retour, Arthur me dit :

— C'est ben bon pour toé! À la place de ta mère j'aurais fait pire. Tu ne mérites que ça.

Ils me promirent la pire volée si je racontais cette histoire à qui que ce soit. Je jurai que je ne dirais rien. D'ailleurs, à qui aurais-je pu raconter mon histoire? La seule qui m'approchait à l'école était Diane. Je n'avais pas d'amie, je n'avais personne.

Au souper, je ne mangeai presque rien et ils m'ont laissée tranquille. J'ai dû laver la vaisselle comme d'habitude.

Dans mon lit, le soir, j'ai pleuré. J'étais désespérée. Ma jambe était enflée; ma blessure ne saignait plus, mais mon mal était encore aussi vif, lancinant. La douleur battait au rythme de mon cœur. Je réussis à m'endormir, épuisée, d'un sommeil au bord de la conscience, d'un sommeil qui laissait la douleur intacte.

Le lendemain matin, ma jambe était raide comme une barre, la cuisse, enflée, et la blessure, au centre d'un énorme gâchis de couleurs, n'était pas belle à voir. Je touchai la plaie, c'était extrêmement sensible. Tant bien que mal, je réussis à enfiler mon pantalon. Comme il était de couleur foncée, la tache de sang ne se voyait pas. De toute façon, c'était la seule paire que j'avais.

Ma mère et Arthur étaient déjà levés. Je n'avais aucune envie de les voir, de leur parler. Je mis la table. Ma mère était assise dans sa chaise berceuse et fumait sa première cigarette de la journée. Ils me regardaient aller et venir en silence. Finalement, Arthur avertit ma mère :

— Elle ne va pas à l'école aujourd'hui. Elle boite encore et ils vont dire qu'on la maltraite. Tu sais comment elle est bavasseuse!

C'était décidé, je restais à la maison. Ça me soulageait, j'avais tellement mal à la jambe... Puisque j'étais là, ils en profitèrent pour sortir toute la journée. Au souper, ils avaient repris leur manie de me frapper derrière la tête chaque fois que l'un d'eux passait derrière moi. Le lendemain, même si j'avais encore du mal à marcher, ils m'envoyèrent à l'école. Ils m'avaient assez « vu la face ». Avant que je quitte la maison, ils m'avertirent sévèrement :

— T'es mieux de rien dire parce que ça va aller mal pour toé.

J'eus beaucoup de difficultés à monter dans l'autobus. Tout le monde me regardait en se demandant ce qui pouvait bien m'être arrivé pour que je boite ainsi. Bien sûr, ils s'en donnèrent à cœur joie. Ils m'imitaient et se moquaient de moi à qui mieux mieux. Croulant de rires, ils m'affublaient de tous les noms, pour faire rigoler les autres. Je crois que mes nerfs ont craqué. Je me suis mise à crier :

— Laissez-moi tranquille! J'en ai assez! Fichez-moi la paix...

Je ne sais plus très bien tout ce que j'ai dit. Je pleurais et criais tout à la fois. Je ne me rappelle plus. J'étais en état de crise, presque enragée. Je tremblais comme une feuille. J'aurais frappé ou griffé le premier qui se serait approché de moi. Une fille de ma classe vint près de moi et mit ses mains sur mes épaules.

— Arrêtez de l'écœurer. Laissez-la tranquille!

Un silence lourd régnait dans l'autobus. Arrivés à la Polyvalente, les étudiants se dispersèrent en évitant de me regarder. Au moment de descendre, la fille qui avait pris ma part me dit, assez fort pour que les autres entendent :

— S'il y en a qui t'écœurent encore, dis-le-moi, je vais t'aider.

Je regrettais de m'être laissée emporter. Je les regardais qui s'en allaient; j'aurais aimé trouver le courage de m'excuser. Mais j'avais peur qu'ils se moquent encore de moi. J'aurais voulu m'expliquer,

expliquer pourquoi je boitais, expliquer pourquoi j'étais si mal habillée, pourquoi je paraissais si sale, mais je n'en avais pas le courage, j'avais trop peur.

Ce fut une journée finalement comme les autres. Aucun professeur ne me fit la moindre remarque. J'aimais mieux qu'il en soit ainsi, car je n'aurais pas su quoi répondre encore une fois.

Il y avait maintenant une semaine depuis l'épisode du coup de couteau. Je ne boitais presque plus, mais j'avais encore mal. Je me sentais malade de peur, d'incompréhension, malade surtout de la certitude d'être haïe, d'être de trop, toujours de trop. Ma vie d'enfer continuait. Les coups que je recevais étaient de plus en plus durs, les punitions, de plus en plus sévères. Mon petit frère Patrick subissait à son tour leurs mauvais traitements. J'avais pitié de lui. J'aurais voulu l'aider, mais je ne pouvais rien faire. Le fait d'être seul de son bord lui aurait attiré les pires ennuis.

Comme d'habitude, je n'étais pas capable de manger tellement j'étais nerveuse. Je vomissais aussitôt. Un soir, Arthur, excédé, lança ses ustensiles sur la table :

— J'suis écœuré. Écœuré de la voir faire ça, à tous les repas. Crisse que j'suis écœuré...

Il se leva brusquement, s'approcha de l'évier, ouvrit le tiroir à ustensiles et y prit un grand couteau à viande. Il se tourna vers la table et s'avança vers moi d'un air furieux et décidé.

— Si t'es pas capable de manger par la bouche, je vais te faire un autre trou en quelque part, ma câlisse!

Affolée, je me levai d'un bond et essayai de me sauver. C'était trop tard, il était déjà sur moi. Je réussis à lui échapper, mais, en tendant la jambe, il me fit trébucher. Je tombai sur le côté et vivement je me tournai sur le dos. J'eus à peine le temps de lever la main pour me protéger le visage qu'il frappait. Je fus touchée à la paume de la main gauche. En une fraction de seconde, je saisis le couteau par la lame, l'arrachai des mains d'Arthur et le lançai de toutes mes forces sans regarder dans quelle direction. Enragé, Arthur se mit à me « claquer » la tête.

— Crisse de folle! Fais donc attention, t'aurais pu tuer quelqu'un avec ce couteau-là. Retourne t'asseoir à ta place pis mange! Ça presse!

Je m'assis en regardant ma blessure. Il m'avait presque traversé la main. Je saignais abondamment. Je pleurais de douleur et de peur. Les autres me regardaient, n'osant plus manger. N'osant plus respirer. Je n'arrivais pas à me calmer; mes épaules sautaient toutes seules et je claquais des dents. Voyant que je saignais, ma mère se leva et me lança un torchon mouillé pour que je le mette sur la blessure.

— Essuie-toé la main et arrête de pleurnicher!

Elle rinça mon assiette et me resservit une seconde portion.

— J'ai pas faim!

Je savais que je vomirais la moindre bouchée. Je ne voulais pas manger. Tous me regardaient et attendaient. Je pris ma fourchette et, ne sachant que faire, je piquai ici et là dans l'assiette. Mes mains tremblaient. Ma mère m'observait.

— Veux-tu bien arrêter de pignasser dans ton assiette!

Arthur se leva. Je sursautai. Il se rendit au poêle. J'étais sur le qui-vive, prête à me sauver au moindre geste de sa part. Je le surveillais. Il prit la casserole, éteignit le feu et contourna la table. Comme il s'apprêtait à passer derrière moi, je bondis et tentai de m'enfuir. Malheureusement, il eut le temps de me frapper avec le côté de la poêle. Malgré la brûlure, je réussis à me rendre de l'autre côté de la table. Toute une rangée d'enfants nous séparait. Il me cria, enragé :

— Viens t'asseoir au plus crisse et mange ton souper!

Debout, les bras crispés autour de mon corps, je recommençai à pleurer et à trembler. Je savais que j'empirais mon cas, mais j'étais incapable de me retenir. Il ne bougeait pas de ma place. Moi, j'étais incapable de faire un mouvement. Mes jambes refusaient de me porter. Je jetai un regard terrorisé à ma mère pour qu'elle intervienne, mais elle se détourna. Ni mes frères ni mes sœurs n'osaient bouger. Je n'avais pas le choix. Après une éternité, je revins à ma place. Aussitôt, Arthur me frappa à la tête avec le fond de la casserole. Il me frappa à deux reprises. Puis il lança la poêle qui atterrit près de l'évier. Il y avait des pommes de terre partout sur le plancher. Arthur me prit par le bras et me tira de ma chaise :

— Tu vas ramasser ça, ma tabarnac! Moi, j'vas me coucher. Elle m'a coupé l'appétit.

Je n'arrivais pas à me calmer. J'essayais de nettoyer le plancher, mais, au contact de l'eau, ma main me faisait souffrir. Je n'étais pas capable de tordre la guenille, je faisais de l'eau partout. Je sentais que ma mère allait perdre patience, elle aussi. Je finis par tout ramasser et je revins à ma place, pleurant et pleurant encore. Je pris ma fourchette et encore une fois je commençai à piquer ici et là dans mon assiette. Je n'étais toujours pas capable de manger.

— Élisa, si je me lève, tu vas finir ton souper une fois pour toutes!!!

Finalement, elle se leva, prit une cuillère et tenta de me faire manger de force. Je serrai les dents. Elle poussait tellement fort avec sa cuillère que je crus qu'elle allait me casser les dents. Un peu de nourriture était entré dans ma bouche. Avec ma langue, je la tassai contre mes joues. De ses deux mains elle me pressa les joues pour me faire avaler. Alors, je vomis tout. Elle me fit valser contre le mur.

— Monte dans ta chambre. Disparais! Efface-toé avant que je te tue!

Je me roulai en boule sous mes couvertures. Je les entendais aller et venir. Puis ma mère et Arthur sont sortis. Je respirai mieux. Un certain moment, mes sœurs vinrent me rejoindre pour me plaindre.

— C'est des maudits sauvages! Si ça continue, ils vont te rendre malade.

Je ne répondis rien. J'étais sans réaction. Je n'avais plus confiance en personne. Les parents pouvaient bien me battre à mort, aucun d'eux ne viendrait à mon secours.

Le lendemain à l'école, il y avait un cours d'art culinaire. Je me demandais comment j'allais pouvoir faire de la cuisine avec les mains dans cet état. De plus, je n'avais pas le sarrau réglementaire. Ma voisine de casier, elle, en possédait deux. Comme j'en avais assez de me faire disputer à chaque cours, j'eus l'audace de lui demander de m'en prêter un. J'étais terriblement gênée. Elle me répondit :

— T'es chanceuse, j'en ai deux. Pis ça me fait plaisir!

— Je te remercie beaucoup.

— Moi, je m'appelle Claudine, et elle, c'est Marie.

Elle me présenta la fille qui se tenait toujours avec elle. Elles étaient deux filles un peu rondes, très tranquilles.

— On aimerait ça être amies avec toi, Élisa! Tu es toujours toute seule, pourquoi?

— Je ne sais pas!

On a bavardé de choses et d'autres. J'étais contente qu'elles me parlent. Mais Claudine s'aperçut que j'étais blessée à la main.

— Qu'est-ce que tu as eu là?

— Bien... je suis tombée sur une vitre et je me suis blessée.

J'étais gênée et confuse. J'avais l'impression de bafouiller. Je me dépêchai de changer de sujet. Heureusement que le cours commençait... Le professeur nous donna à chacune une photocopie de la recette que nous devions faire. Quand elle s'approcha de moi :

— C'est pas trop joli cette main! Montre-la-moi! Qu'est-ce que tu as eu là?

J'aurais voulu disparaître sous le plancher. Je racontai la même histoire qu'à mes nouvelles amies.

— Élisa, je ne te crois pas. À chaque fois que je te vois tu as des marques. J'aimerais bien savoir ce qui se passe. En plus, tu as toujours la même tenue. As-tu des parents?

Je baissai la tête en répondant. Mais, non convaincue, elle continua à me poser des questions :

— Je vais leur téléphoner, donne-moi ton numéro!

— Non, on n'a pas le téléphone.

— Il faut que je sache ce qui ne tourne pas rond. Viens avec moi.

Je la suivis à l'extérieur de la classe.

— Mademoiselle, s'il vous plaît, écoutez-moi! Ne les appelez pas! Ne faites rien, je vous en prie! Ils vont dire que j'ai tout raconté et ils vont me donner la volée. S'il vous plaît, je vous le demande, par pitié!

— Bon, je ne vais rien dire. Mais tu vas venir à l'infirmerie avec moi. Il faut désinfecter ça. Ça n'a pas de sens!

Quand je revins dans la classe, je fus exemptée de faire la cuisine. Pour une fois que j'avais un sarrau, je ne pouvais travailler. Quelle ironie. Malgré tout, c'était une bonne journée. Je m'étais fait deux amies dont une était une nièce d'Arthur; presque de la famille quoi!

L'humiliation

Un autre jour, un visiteur, s'étant aperçu des mauvais traitements que je subissais sans cesse, menaça mes parents de tout dévoiler et leur précisa même qu'il était prêt à m'adopter. Ma mère ne le prit pas facilement et crut tout de suite que j'avais tout raconté à cet homme.

— La p'tite crisse, elle a parlé, ça, c'est sûr.

— Attends, je vais lui en donner une, tabarnac.

— Arrête, Arthur, il pourrait y avoir des écorni-fleux qui nous guettent; t'es mieux de ne pas la toucher pour l'instant, ça pourrait nous nuire.

— J'm'en câlisse.

Il s'approcha subitement de moi et m'assena un coup de poing sur la mâchoire. Il avait même réussi à me casser une dent. Je saignais d'une lèvre, j'étais un peu abasourdie. Il rajouta :

— Va-t'en, que je ne te voie plus pour le reste de la veillée.

Après avoir fait quelques sandwiches aux bananes que mon frère et moi avons mangés, je montai me coucher.

Environ une heure plus tard, ma mère donna la permission aux autres d'aller se coucher. Je l'entendis alors dire à Diane :

— Réveille donc Élisa, qu'elle vienne me voir, j'ai affaire à elle.

Ensuite mes trois sœurs entrèrent dans la chambre. Je faisais semblant de dormir; Diane me poussa un peu afin de me réveiller. J'ouvris les yeux en demandant :

— Qu'est-ce qu'il y a?

— Maman m'a demandé de te réveiller; elle a affaire à toi.

— Pourquoi?

— Vas-y vite! Je n'ai pas envie de me faire chia-ler. Vas-y avant qu'Arthur se pointe ici.

N'ayant guère le choix, je sortis du lit et me rendis jusqu'à ma mère.

— Que voulez-vous?

Ils ne parlaient pas. Ils se regardaient en souriant. Richard me regardait, sans comprendre toutefois. Ma mère se leva, se rendit à sa chambre, puis revint avec la ceinture... En se rasseyant, elle m'interpella sur un ton très clair :

— Déshabille-toi!

Je restai surprise, croyant avoir mal entendu.

— Quoi?

— Déshabille-toi, je te l'dirai pas une troisième fois.

— Mais, maman, devant Arthur et Richard?

— Qu'est-ce que je t'ai dit?

Je croyais rêver, mais, hélas, le cauchemar était bien réel. Je commençai donc à me dévêtir tout doucement et sans me presser. J'étais si gênée, si indignée.

— Dites-moi que je rêve, maman.

Ma mère se leva et, en me donnant un coup de ceinture sur un bras :

— Tu rêves pas. Envoye. Grouille-toé.

— Je me mis à pleurer en finissant d'enlever ce que je portais. Je voyais Arthur qui se délectait et Richard qui me regardait fixement, embarrassé qu'il était cependant. Complètement nue, je manquais de bras et de mains pour cacher ma dignité. Ma mère reprit :

— Ôte tes mains pour que Richard et Arthur te regardent.

Je baissai les yeux et enlevai mes mains et mes bras. Je tremblais de peur; j'étais si nerveuse et ne comprenais toujours pas cette nouvelle façon de m'humilier et de me dégrader. Ma mère n'en avait pas assez, elle m'ordonna encore :

— Promène-toé dans la maison.

J'avançai de quelques pas puis leur tournai le dos.

— Au moins, vous pourriez fermer les rideaux.

Ma mère se leva et ferma le rideau de la cuisine. Elle riait.

— Si c'est pour te faire plaisir, je peux le faire.

Richard, pour sa part, en avait assez vu.

— Je vais me coucher, j'suis trop jeune pour voir ça.

Je me retournai en suppliant :

— S'il vous plaît, maman, est-ce que je peux m'habiller?

Ma mère avança vers moi, furieuse :

— C'est moé qui prends les décisions icitte, c'est pas toé.

Elle me donna un autre coup de ceinture en disant :

— Tiens-toé droite qu'on puisse te voir comme il faut.

Richard ayant filé dans sa chambre, eux restaient là à me regarder avec mépris tels des voyeurs en manque.

— Ouais! t'es pas grosse des tétons.

J'avais tellement peur encore une fois qu'il m'était vraiment impossible de contrôler mes nerfs. Mes yeux clignotaient, mes épaules sursautaient, j'avais froid, j'avais chaud, j'étais intérieurement outragée jusqu'au plus profond de mon être. Ma mère se pencha et tira quelques poils de mon bas-ventre en disant :

— T'as pas honte de te promener toute nue dans la maison? Allez, va t'habiller et au lit.

Une fois rendue dans ma chambre, Diane, qui ne dormait pas me dit :

— Ils sont ben simples de te faire promener toute nue dans la maison. Richard doit s'être rempli les yeux. Bande de vicieux qu'ils sont.

Je me couchai sans rien dire. J'étais triste, j'étais honteuse, j'étais révoltée. Il me restait un seul refuge, le sommeil.

Vie de chien

Le printemps de cette année-là nous apporta de nombreux changements. Nous avons déménagé deux ou trois fois dans l'espace de quelques mois. Ou le logement ne convenait pas, ou les voisins s'étaient plaints du bruit et des chicanes incessantes. Je me souviens de cette période de ma vie comme d'un mauvais rêve sans fin. J'étais comme engourdie de peur, engourdie pour ne pas paniquer complètement. Ma vie avait toujours la même saveur. Des cris, des sacres, des coups. Les volées étaient de plus en plus sauvages. De plus en plus j'étais marquée. L'arrivée des vacances n'allait pas améliorer les choses. Ma mère et Arthur buvaient autant. Depuis quelque temps, ma mère avait pris l'habitude de sortir seule. Elle était de nouveau enceinte. Arthur continuait à tripoter mes sœurs. Avec moi, il n'arrivait pas à ses fins. Ça le rendait furieux; sa haine pour moi devenait dangereuse.

Un soir, ma mère décida d'aller visiter ma grand-mère. Elle emmena Richard et Diane avec elle. Supposément épuisé, Arthur dormait dans la chambre. Moi, je devais garder les plus jeunes. Après les avoir couchés, je profitai du fait que j'étais seule pour prendre mon bain. C'était rare que je pouvais savourer un tel répit.

J'avais fait couler un plein bain d'eau tiède; bien allongée dans la baignoire, je goûtais ce moment de silence et de paix. J'étais en train de me savonner quand j'entendis un léger bruit. Je levai les yeux et je vis la poignée de la porte qui tournait. Quelqu'un tentait d'ouvrir. Heureusement, j'avais poussé le verrou. Je sortis du bain en vitesse, et, sans m'essuyer, je sautai dans mes vêtements. De l'autre côté de la porte, Arthur, puisqu'il n'y avait que lui pour faire une chose pareille, essayait de forcer la serrure. Il poussait dans la porte et, comme il n'y avait qu'un petit loquet, je savais qu'il ne tiendrait pas longtemps. J'avais tellement peur que je ne pris même pas la peine de me chausser. J'ouvris la fenêtre coulissante et me précipitai tête première dehors. Je me cognai la tête en tombant, mais ça valait mieux que de le rencontrer. Je me relevai et regardai par la fenêtre. Il venait d'entrer dans la salle de bains. Je reculai dans une encoignure pour me cacher. Arthur passa la tête à ma recherche, puis referma le châssis. Je longeai la maison avec mille précautions, jusqu'à la porte d'entrée, mais je l'aperçus en train de la verrouiller. J'étais emprisonnée dehors. Pour comble de malheur, il pleuvait. Je me rendis à la fenêtre de ma chambre. Sylvie ne dormait pas. Je lui fis signe d'ouvrir. Elle ne bougeait pas, elle mit un doigt sur ses lèvres me signifiant « silence ». J'eus juste le temps de me cacher, car il était déjà là qui avisait Sylvie :

— T'es mieux de rester couchée, toé. Élisa est dehors et elle va y rester.

Je restai cachée dans mon coin de galerie. Il n'y avait plus aucun bruit. Puis, doucement, la porte s'entrouvrit :

— Élisa, rentre! il pleut, tu vas attraper la grippe! Élisa, viens-t'en! Je te promets que je te toucherai pas.

Il était sorti sur la galerie. Moi, ses belles promesses, je savais où me les mettre. Je ne bougeai pas. J'avais trop peur. Il finit par rentrer et reverrouilla la porte derrière lui. J'avais froid, je tremblais de tout mon corps. Je me repliai sur moi-même pour me réchauffer. J'étais adossée au mur de la maison, tout près de la fenêtre de ma chambre. Je ne savais trop quoi faire, mais il n'était pas question d'affronter Arthur. Je suis restée là comme un chat mouillé, environ une demi-heure, puis Sylvie ouvrit la fenêtre de ma chambre, enfin!

— Chut! Fais pas de bruit, Arthur est couché.

J'enlevai mes vêtements mouillés et me glissai dans la chaleur de mes couvertures. Je ne réussis pas à m'endormir, car j'avais bien trop peur qu'il ne vienne vérifier dans la chambre. Vers minuit, j'entendis un vacarme à la porte de devant. On frappait et on criait. C'était ma mère qui revenait et qui ne pouvait pas entrer. Je me levai pour lui ouvrir.

— Pourquoi as-tu barré la porte?

— C'est pas moi, c'est p'pa.

— Comme ça il s'est levé? Pourquoi n'as-tu pas téléphoné chez ta grand-mère? Tu voulais peut-être le garder pour toé! Maudite guidoune!

Elle ne me laissa pas le temps de répondre et fila vers sa chambre. Je profitai du fait qu'elle s'engueulait avec Arthur pour retourner me coucher. Mais c'était trop beau pour que je puisse enfin dormir. De sa chambre, Arthur me cria de venir lui faire un sandwich au jambon.

— Pis j'le veux toasté! Sers-toé du gaufrier!

Résignée, je sortis du lit pour exécuter son ordre. Ce n'était pas la première fois qu'il me réveillait ainsi la nuit, pour lui faire à manger. Je l'entendais chicaner parce que ça me prenait trop de temps. Je lui souhaitai mentalement de s'étouffer avec. Enfin, avec sa permission, je pus retourner me coucher. De peur qu'il ne veuille encore quelque chose, je fermai la lumière de la cuisine en vitesse et montai à ma chambre en courant.

Le lendemain, je fus réveillée par une bordée de jurons dans la cuisine. Arthur commençait sa journée. Aussitôt qu'elle me vit sortir de ma chambre, ma mère me pointa du doigt.

— Voilà la coupable!

— Qu'est-ce que j'ai fait?

— T'as laissé le gaufrier connecté toute la nuit... Et regarde le trou dans le mur!

Je m'approchai pour mieux voir. C'était vrai. Il y avait un gros trou dans le mur, tout près de l'évier. De la fumée s'en échappait. Avec un pot à lait, Arthur vidait de l'eau dans le trou.

— Le feu aurait pu prendre, innocente!

— C'est pas de ma faute, je ne savais pas qu'il fallait le déconnecter, personne ne me l'a dit!

Arthur venait d'acheter ce gaufrier. Je ne m'en étais jamais servi avant cette fois-là.

— Tu resteras toujours niaiseuse, hein! T'es pas sortie du boi, ma fille. Y a pas un homme qui va vouloir de toi! Pas dégourdie, pas d'allure; t'as l'air d'une vraie folle!

— Vous en faites pas, je ne me marierai jamais.

La journée commençait donc par des coups de baguette sur la tête. Le moindre prétexte me valut des engueulades durant toute la journée, et le soir, je repris mon poste de gardienne. Heureusement, ils ne revinrent pas trop tard de l'hôtel. Ma mère était encore fâchée contre moi et me bourrassa jusqu'à la dernière minute. J'allais enfin me glisser dans mon lit quand elle me rappela :

— Élisa, viens avec moé!

— Qu'est-ce que j'ai fait encore?

— Va dehors!

Je sortis, ne comprenant pas.

— Cette nuit, tu restes dehors. Tu as assez ri de moé comme ça!

Puis elle ferma la porte, mit les verrous, éteignit les lumières. Elle me laissait là, vêtue seulement de mon éternel *baby doll* de coton, les pieds nus.

Il faisait très froid. Je croyais qu'elle voulait me faire une peur et qu'elle allait m'ouvrir la porte, mais, hélas, je m'illusionnais. J'attendis. Je me repliai en « petit bonhomme » pour me réchauffer. J'avais peur que quelqu'un passe et me voie ainsi. Je pouvais voir, sur le gazon, le frimas que le froid de la nuit apportait. Je n'aurais jamais cru que ma mère pouvait me laisser ainsi à geler, sur la galerie. Je m'attendais à ce qu'elle m'ouvre la porte d'une minute à l'autre. Je grelottais. Le temps passait et rien ne bougeait à l'intérieur. Je tentai de me coucher sur la galerie tout en gardant mon dos collé sur la maison qui était encore chaude. Je cachai mes mains entre mes cuisses. Mais il y avait des séparations entre les planches de la galerie, et un petit vent glacé y passait. Je gelais littéralement sur place. Je me relevai et commençai à marcher de long en large en frottant mes bras et mes jambes. Je me risquai à frapper à la porte. C'est Diane qui, finalement, vint m'ouvrir.

— Laisse-moi entrer!

— J'peux pas. Maman nous a avertis de ne pas te faire entrer.

— Mais il fait froid, je suis gelée... Va voir maman et demande-lui.

Elle revint très vite.

— Elle veut pas. Elle dit que t'es ben dehors. Il faut que j'aille me coucher, j'peux rien faire.

Elle referma la porte en me laissant là, à pleurer. Je ne pouvais tout de même pas m'en aller en pleine nuit, à moitié nue. Pour aller où? Tout le monde allait rire de moi dans le village. Je me sentais misérable. Je continuai à marcher en me frottant les bras, en soufflant dans mes mains pour les réchauffer. J'étais désespérée. Je suppliai Dieu de m'accorder son aide ou de me faire mourir sans souffrance. Lorsque la porte s'ouvrit, les premiers rayons de soleil commençaient à apparaître. C'était ma mère :

— Entre. Dépêche-toé!

J'étais engourdie de froid et de fatigue.

— Prends le tapis près de la porte, va te coucher sur le divan et abrille-toé avec.

Je me penchai, ramassai le tapis et allai m'étendre sur le divan comme elle me l'avait dit. Elle retourna se coucher. J'étais enfin à l'abri du froid. J'ai grelotté quelques minutes puis je me suis endormie, sous mon tapis sale. J'aurais dormi des heures et des heures sous mon tapis qui sentait la poussière, mais je fus réveillée comme d'habitude par mes frères et mes sœurs qui se moquaient de moi.

Troisième partie

Le désespoir

Isabelle

L'automne suivant. La bière lui montant à la tête, je crois qu'Arthur était devenu fou... Et de plus en plus violent. Quand il avait bu, les enfants le craignaient comme la peste. Ce jour-là, nous étions en train de jouer dehors en attendant le retour de notre mère. C'est Arthur qui revint le premier de la ville. Visiblement, il était éméché et il semblait en colère. Il entra dans la maison en sacrant et en donnant des coups de poing partout. Il frappait sur les meubles, contre les murs et même dans la vitre de la porte qu'il fracassa. Puis il s'assit péniblement.

— J'ai envie de pisser. Élisa, viens m'aider à me lever! Tu vas venir avec moé. Tu vas m'aider à pisser!

— Non, monsieur! Si tu penses! C'est pas moi qui va y aller, c'est certain... Richard, vas-y, toi!

Pendant que j'argumentais avec mon frère, Arthur semblait s'être assoupi sur le bord de la table. En chuchotant, je les exhortai à sortir dehors. Nous avancions sans bruit quand soudain Arthur se leva :

— Vous allez rester dans la maison; je vous ai pas dit de sortir. Depuis quand vous m'écoutez pas?

Il s'approcha de nous. Ce fut un sauve-qui-peut général. Il réussit tout de même à attraper Patrick par un bras. Il le serrait tellement fort que mon frère en tomba à genoux.

— Tu m'aimes pas, mon p'tit crisse! Tu ressembles à Élisa, toé!

Patrick pleurait et criait de peur. Les autres criaient à Arthur de le lâcher. Mais Arthur le tenait fermement. Avec sa main libre, il essayait de m'attraper, moi qui voulais libérer mon petit frère. Mais je fus plus vite que lui, et lui agrippai la main en lui écartant les doigts de toutes mes forces. Il réussit à se défaire de mon emprise et, sans que j'aie eu le temps de réagir, m'attrapa par les cheveux, me tira à reculons et me fit tomber sur le dos. Je n'étais plus capable de me relever, car il me tenait couchée sur le plancher. Alors mes sœurs se jetèrent sur lui en le tirant par-derrière. Surpris, il lâcha prise. Je me relevai en vitesse et m'enfuis en criant aux autres :

— Vite, vite! Allez dehors!

Nous avions réussi à lui échapper! Dehors, Richard faisait le ménage avec le râteau; nous sommes allés le rejoindre. Mais quand nous vîmes qu'Arthur sortait de la maison plus enragé que jamais, nous sommes tous partis en courant, abandonnant le râteau derrière nous. Je tenais Patrick par la main pour lui permettre d'aller plus vite. Entre-temps Arthur avait ramassé le râteau et s'était lancé à notre poursuite. Je regardai en arrière pour voir s'il venait de notre bord, mais Patrick qui courait devant moi me fit trébucher. Déjà, Arthur était sur moi et me frappa d'un grand coup de râteau entre les omoplates avant que j'aie le temps de lui échapper. Je sentis une vive douleur au dos, mais cela ne m'empêcha pas de m'enfuir, ma peur étant plus forte que ma douleur. Il finit par se décourager de nous courir après et rentra dans la maison.

J'avais très mal au dos. J'étais en train de faire vérifier par Diane si je ne saignais pas quand ma mère revint en auto. Lorsqu'elle s'aperçut que nous étions tous dehors, elle nous demanda :

— Voulez-vous me dire ce que vous faites tous là?

— C'est à cause d'Arthur, il est viré fou.

— Je vais entrer dans la maison, moé! Et qu'il me touche pour voir! Tabarnac!

Elle entra.

Nous attendions en silence pour voir ce qui allait se passer. Au bout de deux minutes, elle ressortit en tenant le râteau à la main. Elle le lança près de la maison. Nous pouvions rentrer, le danger était passé. À l'intérieur, Arthur était assis à table et dormait la tête posée sur ses bras.

— Vous allez m'aider à le transporter sur son lit!

Je savais, moi, qu'Arthur faisait semblant de dormir, mais je ne parlai pas. J'avais trop peur. Diane, Sylvie et moi avons dû l'aider à coucher « notre père ». Quel hypocrite. Quel salaud de faire forcer ainsi ma mère qui était de nouveau enceinte et presque à son terme.

Quelques jours plus tard, en effet, elle donna naissance à une petite fille. Elle resta trois jours à l'hôpital et Arthur resta trois jours avec nous à la maison. Il s'était calmé et se montrait même très gentil. Mais il continuait à nous poursuivre, mes sœurs et moi, pour qu'on le caresse et qu'on se laisse caresser. Il emmenait Diane et Sylvie avec lui dans sa chambre; parfois l'une, parfois l'autre, parfois les deux ensemble. Puis ce fut le tour de Richard et de Patrick ensemble. Moi, la première journée, il ne me toucha pas. Il ne me disputa même pas. De la même manière, il était correct avec les deux petits, Nathalie et Michel, son fils.

La seconde journée, j'avais une vilaine grippe. Très doucement, Arthur me dit de rester au lit et de me reposer. Je finis par m'endormir, je faisais beaucoup de fièvre. Je me réveillai peu de temps après, quelqu'un me frottait le dos. Je me retournai vivement : c'était Arthur.

231

— Pauvre p'tite, t'es brûlante! Je vais chercher le *Vicks* et je reviens te frictionner.

— Non! J'en ai pas besoin. Je suis correcte comme ça!

Il sortit de la chambre. Je croyais l'avoir convaincu. J'allais me rendormir quand il revint avec un bocal d'onguent *Vicks* à la main. Il s'assit sur le bord du lit et me dit en souriant :

— Arrête de t'en faire! Je veux seulement te frictionner le dos afin que tu respires mieux. Ta mère ne sera pas contente de moé si j'te laisse malade comme ça sans te soigner. Tourne-toé!

Je me sentais trop malade et trop faible pour discuter. Je me retournai. Il leva mon haut de *baby doll* et commença à frotter. Il tenta de passer la main sous moi pour me toucher les seins.

— O.K.! C'est assez! J'suis correcte!

— Non, retourne-toé que je te frictionne en avant.

— J'en ai pas besoin!

Il m'agrippa par les épaules et me tourna de force sur le dos. Il était rouge de colère.

— Câlisse! Tu vas m'écouter! Tu commenceras pas à m'embarquer sur la tête. Tu vas faire ce que je te dis, parce que, là, je suis en forme pour te sacrer une maudite volée.

Il me força à enlever mes bras que je tenais fermement contre ma poitrine puis me massa les seins. Il respirait fort, il avait le visage rouge et les mains chaudes et mouillées sur ma peau. J'avais mal au cœur. Je sentais que j'allais vomir, je le suppliai :

— Arrête! T'as pas le droit de faire ça. Lâche-moi!

— Ferme ta gueule, câlisse! Pis bouge pas!

Je roulai sur moi-même et me retrouvai debout de l'autre côté du lit. J'en avais assez.

— Toi, sors de ma chambre que je puisse m'habiller. Je suis écœurée de toi.

J'avais parlé très fort. Arthur sortit sans discuter. Il ne voulait probablement pas que les autres viennent voir dans la chambre. J'étais écœurée de ses manigances avec moi, mais aussi avec mes sœurs et mes frères. Je n'étais plus capable de le supporter. Je m'habillai en vitesse et rejoignis les autres dans la cuisine. En passant, je le vis qui était étendu sur le lit de ma mère. Je m'approchai de Diane et Sylvie :

— Venez dehors, j'ai affaire à vous autres!

J'étais décidée.

— Vous êtes pas tannées de vous faire taponner par Arthur? Moi, je suis écœurée. Si vous voulez, on va tout raconter à maman. Elle va pas le laisser faire. Écoutez, c'est la seule solution. À moins que vous aimiez ça, vous autres? C'est la seule façon... Il faut lui en parler.

Diane et Sylvie restaient silencieuses. Je savais bien qu'elles avaient peur de se faire réprimander, peur de faire de la peine à notre mère, peur de la chicane entre elle et Arthur. Je savais bien qu'elles avaient peur d'avoir des raclées, comme moi. Je n'arrivais pas à les convaincre de parler.

— Ça alors! Quelle sorte de filles êtes-vous donc? Moi, je veux lui dire dès qu'elle reviendra. Et il faut que vous veniez avec moi, parce que, moi, elle ne me croira pas! Maudit! Réveillez-vous!

Elles n'eurent pas le temps de me répondre. La porte s'ouvrit, laissant apparaître Arthur qui vint vers nous. Nous devions avoir l'air coupables, toutes les trois, plantées là! Il ramassa une planche et nous en donna un coup sur les cuisses.

— Rentrez dans la maison au lieu de vous cacher pour bavasser.

Vivement, à l'intérieur, Diane me glissa :

— O.K.! Je suis prête à parler et Sylvie aussi. Mais c'est toé qui va lui parler la première.

— D'accord. Mais vous êtes mieux de tout dire.

Le troisième jour, après souper, Arthur devait aller chercher ma mère à l'hôpital. Toute la journée, à l'école, j'avais essayé d'élaborer un plan afin de tout raconter à ma mère et qu'elle nous croie. Je profitai de l'absence d'Arthur pour raffermir leur résolution. J'avais vraiment peur qu'elles changent d'avis. Alors je serais seule comme toujours et Dieu sait ce qui m'arriverait. Nous avons discuté et décidé qu'il serait plus facile d'attendre un moment où Arthur serait absent.

Ma mère arriva en tenant le nouveau bébé dans ses bras. Elle semblait contente d'être de retour à la maison. Nous étions curieux de voir cette nouvelle petite sœur. Nous la suivîmes dans la chambre, faisant attention de ne pas faire trop de bruit. La petite fille dormait. C'était un minuscule bébé, une autre enfant d'Arthur, un autre bébé que j'allais garder. C'est Arthur, en sa qualité de père, qui allait devoir choisir le nom de sa fille. Nous voulions lui demander le nom qu'il avait choisi quand il fit irruption dans la chambre.

— Vous n'avez pas d'affaire à vous fourrer le nez dans ma chambre. C'est pas à vous autres, ce bébé-là! Sortez, pis vite!

Nous sommes revenus à la cuisine, piteux et silencieux. Ma mère vint nous rejoindre.

— Il est fâché parce que vous ne l'avez pas félicité, et pourtant, c'est lui le père. Envoye, Élisa, grouille-toé. Fais les premiers pas.

Encore une fois, c'est moi qui devais être le porteparole du reste de la tribu. Je le félicitai et lui dis que c'était une belle petite fille. Ma mère s'empressa d'ajouter :

— Vu que c'est toé, le père, tu devrais lui trouver un nom!

— Je l'ai trouvé depuis longtemps. Elle va s'appeler Isabelle.

Arthur avait repris son rôle de père-lion, comme il l'avait fait pour Michel.

— Je vous défends de toucher au bébé sans ma permission. C'est moé qui va tout faire, la laver, la changer... C'est ma fille à moé et je veux pas vous voir la face près d'elle. Surtout toé, la Noire.

Mais ma mère ne l'entendait pas de cette façon. Elle ne pouvait pas rester toute seule avec deux bébés sur les bras. Il la rassura :

— J'vas rester, moé, une semaine!

— Tu peux pas lâcher ton travail, on a trop besoin d'argent. J'vas garder Élisa avec moi. Elle sait tout faire dans' maison.

J'étais surprise que ma mère me fasse confiance à ce point. Mais Arthur me haïssait bien trop pour me laisser prendre soin de ses enfants.

— Non, t'as bien menti! c'est pas elle qui va toucher à mes enfants. Elle ne salira pas mon bébé avec ses grandes mains sales!

Mais ma mère était bien décidée à faire à sa tête. Chaque nuit, j'entendais le bébé pleurer. Je ne bougeais pas jusqu'à ce que ma mère me dise d'y aller. Je devais le changer et le faire boire. C'est moi qui devais me charger des horaires de nuit.

— Mais je croyais qu'Arthur ne voulait pas que je m'occupe d'Isabelle?

— Laisse faire Arthur! Dépêche-toé pour pas qu'elle réveille Michel et Nathalie.

Je savais bien comment m'occuper d'un bébé. Je l'endormais très vite. Ces nuits-là, pendant que je le berçais, j'ai tourné et retourné dans ma tête la façon dont j'allais aborder le problème avec ma mère. Il fallait faire vite, car je savais que mes sœurs finiraient par vouloir se taire encore une fois. Le temps des aveux était arrivé.

Je profitai du premier dimanche après le retour de

ma mère pour lui raconter les méfaits d'Arthur. Il était sorti et les enfants jouaient dans la cour. Je fis signe à mes sœurs. C'est Diane qui parla la première :

— Moi et Sylvie, on est écœurées d'Arthur; il nous laisse jamais tranquilles... Il fait juste nous poignasser... Pis, il veut qu'on le touche et qu'on le caresse...

Je savais à quel point Diane pouvait être mal à l'aise. C'était gênant et on avait honte, toutes les trois. Ma mère restait silencieuse. Elle nous fit répéter toute l'histoire. J'ajoutai :

— Il m'a déjà dit qu'il m'aimait et qu'il vous aimait juste pour jouer aux fesses! Une autre fois, il m'a dit qu'il se foutait de vous et que vous étiez juste une crisse de folle!

— C'est ça qu'il pense de moé, lui! En plus, il abuse de mes propres filles! J'aurais jamais dû lui conter l'histoire du bonhomme Beaulieu... Est-ce que ça fait longtemps qu'il vous fait ça?

— Presque depuis qu'il habite avec nous.

Ma mère était stupéfaite, en colère et stupéfaite. Elle nous dit que nous aurions dû l'avertir au début. Elle ne voulait pas se rendre compte que j'avais essayé plusieurs fois de lui parler et de lui ouvrir les yeux. Elle avait toujours préféré ne rien voir de tout ça. Mais là, elle ne pouvait plus reculer. Elle prit le téléphone et appela la police. C'est à ce moment qu'Arthur rentra. Nous étions devenues muettes, au milieu de la cuisine.

— Qu'est-ce qui se passe?

En le voyant, ma mère se mit à pleurer.

— Quand je pense que t'as abusé de mes filles. Je ne te croyais pas comme ça! Avoir su, tu serais resté où tu étais... Dans la rue, câlisse!

Arthur ne prononça pas un seul mot. Il nous regarda à tour de rôle, puis il s'enferma dans sa chambre.

Nous l'entendions ouvrir les tiroirs de bureaux. Ma mère alla le rejoindre. Richard et Patrick étaient rentrés et se demandaient ce qui se passait. Je me demandais bien ce qui allait arriver entre ma mère et Arthur. Je sentais que déjà mes sœurs fléchissaient. Diane voulait revenir sur sa décision :

— Vois-tu ce qu'on lui a fait? Je l'aime, ma mère, moi. Et Arthur aussi.

Je me sentais comme dans l'eau bouillante. Je ne voulais pas me retrouver toute seule face à ma mère et à Arthur. Déjà elle ressortait de la chambre, son manteau sur le dos. Elle semblait pressée. Elle ferma les rideaux de la cuisine. Arthur apparut, le bébé dans les bras. Elle habilla le petit Michel et nous pressa de nous préparer.

— Préparez-vous pour partir, faites vite!

Tout le monde sortit au pas de course et s'engouffra dans l'auto. À peine les portières refermées, l'auto démarrait. Je compris que nous nous sauvions avant l'arrivée de la police. Bien entendu, c'est contre moi que cela tourna.

— Toé et tes maudites menteries, j'en ai assez! Attends que je sois plus forte. Tu vas avoir affaire à moé! J'vas te placer dans une école de réforme! Eux autres, ils vont te faire passer le goût du vice.

J'aurais dû m'attendre à ce que l'histoire se termine comme ça. J'aurais dû savoir qu'Arthur finirait par embobiner ma mère. Elle avait bien trop peur de le perdre et préférait de beaucoup se raccrocher à la moindre explication de sa part. Mon seul espoir était que mes sœurs maintiennent leur déclaration. Arthur ajouta :

— Oui, c'est elle qui invente tout ça pour qu'on se sépare. Elle est jalouse de toé. Elle m'a déjà dit qu'elle m'aimait et qu'elle savait quoi faire pour prendre ta place.

J'étais insultée et découragée de tant d'audace.

— Vous voyez pas clair? Vous me mettez ça sur le dos! Vous pensez que c'est moi qui ai tout fait, mais vous vous trompez! Vous pensez qu'il est un ange, mais...

— Dis donc, toé! Tu prends pas mal de piquant et même que t'es effrontée! Arthur pourra faire de toé ce qu'il voudra. Qu'il te crisse une volée pour que tu ne te relèves plus jamais. Quand je pense que j'ai fait venir la police! Une maudite chance qu'on s'est parlé, Arthur pis moé! Vois-tu ce que t'allais faire? Tu voulais que je me sépare de lui, mais tu n'auras pas cette chance-là! Si tu veux un chum, on va t'en trouver un pour te contenter. Après, tu vas peut-être laisser Arthur tranquille.

Rendus à la maison, elle demanda à Diane et Sylvie si j'avais inventé tout ça. Mes sœurs n'ont pas répondu. Et ma mère n'insista pas. Encore une fois, c'était moi la coupable. C'était plus facile ainsi. Ça lui évitait de prendre des décisions. Étrangement, et d'un accord tacite, ils n'en parlèrent plus. Je n'eus pas de volée non plus pour mon soi-disant mensonge. Ils se hâtèrent de fêter leur réconciliation à l'hôtel.

La semaine suivante, alors qu'Arthur travaillait et que j'étais seule avec ma mère à la cuisine, elle revint sur le sujet :

— Est-ce que c'est vrai que t'as essayé d'exciter Arthur? Que tu t'es déjà déshabillée plusieurs fois quand j'étais pas là?

— Jamais de la vie! Je me suis déshabillée uniquement lorsque vous m'avez forcé à le faire devant Arthur et Richard. C'était quand il m'a donné une volée à coups de ceinture; j'étais toute nue, mais vous étiez là... Pis même si je vous dis la vérité, vous ne me croyez pas. Vous ne me croyez jamais. Vous me mettez tout sur le dos.

— T'es rendue, la Noire, que tu réponds assez sec! Fais bien attention, Élisa T., tu vas t'apercevoir qu'il y a un maître ici. C'est pas toé qui vas gouverner dans cette maison. Fais bien attention qu'Arthur te crisse dehors. Je pense qu'il est ben tanné de vous autres. Il vous loge, vous nourrit et vous lui faites manger de la marde derrière son dos. Sais-tu combien d'argent il a dépensé pour vous autres?

Je ne répondis rien. Ça n'en valait pas la peine. Ma mère ne croyait et ne voyait que ce qui faisait son affaire. Je voyais bien qu'elle ne voulait pas rester toute seule avec ses enfants, sans un homme dans son lit. On ne comptait pas beaucoup pour elle, et moi, encore moins.

À l'école, on commença à dire que je voulais voler le *chum* de ma mère. Les gars se moquaient de moi, me demandaient si j'étais encore vierge, si je voulais coucher avec eux. C'était l'enfer et l'humiliation. Je soupçonnais mon frère Richard d'être à l'origine de ces calomnies.

Le coussin

À l'école, je suivais un cours de tricot. Il fallait payer la laine, mais ma mère avait toujours refusé de me donner de l'argent pour une chose qu'elle considérait comme inutile. Sœur Florence, mon professeur, me donnait tout de même de la laine pour que je puisse faire comme les autres. Les autres filles pouvaient apporter ce qu'elles faisaient à la maison. Mais moi, comme je travaillais avec de la laine prêtée, je laissais mes travaux à mon professeur. Je n'avais pas le choix de ce que je pouvais tricoter, ni des couleurs. Elle me faisait faire des choses qu'elle pouvait offrir à des personnes choisies d'avance. Ça limitait mon intérêt pour le tricot. Nous étions un peu avant les vacances de Noël. Les filles de ma classe avaient entrepris de confectionner des coussins de laine qu'elles allaient offrir en cadeau. J'aurais donné n'importe quoi pour en faire un, moi aussi. Je n'avais pas d'argent et je savais qu'il était inutile d'en demander à ma mère. Pourtant il devait bien y avoir un moyen...

À la fin du cours, je traînai un peu pour rester seule avec Sœur Florence. Je ne voulais pas que les autres m'entendent. Je lui dis mon désir de fabriquer un de ces beaux coussins. J'essayai de me faire convaincante; je savais exactement quel modèle et quelle couleur je voulais.

— Mais, Élisa, ça coûte environ dix dollars de laine!

— Je vous en prie! Je vous le paierai un peu plus tard! Je voudrais tant faire un cadeau à ma mère!

— Je ne peux pas te donner la réponse tout de suite. Je vais y penser. Je te dirai ça plus tard!

— Je vous le promets que je vais le payer...

— J'ai dit que je te donnerais la réponse plus tard. Va-t'en! J'ai un autre cours à donner.

J'étais terriblement déçue. Je pensais que si je pouvais faire ce cadeau à ma mère, elle verrait combien je l'aimais. Elle n'avait pas souvent de cadeaux, elle non plus. Puis elle serait contente de voir comme j'étais habile...

La semaine suivante, Sœur Florence me donna tout le matériel nécessaire à la fabrication du coussin. Je flottais de joie. J'étais bien inquiète quant à la façon de le payer. Peut-être qu'en le recevant, ma mère serait si contente qu'elle cesserait de me battre et de me chicaner! Peut-être même allait-elle accepter de me donner un peu d'argent pour payer ma dette. J'avais des ailes aux doigts pour tricoter. J'ai pris le temps de cinq cours pour finir mon coussin. Et j'en étais très fière! Il était doré; un amas de pompons dorés. C'était vraiment joli! Même mes compagnes vinrent me dire à quel point j'avais bien réussi. J'étais très excitée. Pour la première fois de ma vie, j'avais hâte de revenir à la maison.

En arrivant, comme ma mère était sortie, j'en profitai pour montrer mon cadeau à mes sœurs et à mes frères. Ils le trouvèrent fort beau et se montrèrent même un peu jaloux. Ils disaient que notre mère allait être très contente. Je cachai soigneusement le coussin dans ma chambre en me disant que j'allais trouver le temps bien long jusqu'à Noël.

À son retour, ma mère semblait de mauvaise humeur. Elle était impatiente et trouvait le moindre prétexte pour me chicaner. Je voulus lui faire plaisir. Je voulais qu'elle change d'humeur avec moi. Je voulais qu'elle soit patiente avec moi. Je voulais qu'elle m'apprécie un peu. Je voulais... je voulais tant de choses!

— Maman, je vous ai fait un beau cadeau.

Elle se tourna vers moi, souriant.

— Ah! oui? Montre-moé ça?

Elle ne me l'a pas répété deux fois. Je courus jusqu'à ma chambre et revins avec le coussin que j'avais mis dans un sac pour augmenter sa surprise.

— Qu'est-ce que c'est que ça?

— C'est moi qui l'ai fait à l'école, c'est un coussin.

— Il est très beau... Viens avec moé pour voir ce que je vas en faire.

Elle se leva avec le coussin dans les bras et se dirigea vers la descente de cave.

— J'en veux pas, de tes cadeaux, la Noire. Descends avec moé!

Je ne comprenais pas. Je la suivis comme un automate. Dans la cave, nous avions une grosse fournaise au bois qui chauffait la maison pendant l'hiver. Elle ouvrit la porte et jeta le coussin dans le feu. Je restai figée sur place. C'est comme si elle m'avait jetée, moi, dans le feu. Je remontai en courant. Je pleurais, pleurais. J'avais peine à respirer; j'avais la gorge tellement nouée que je manquais d'air.

— J'en veux pas, de tes cadeaux. T'as vu où je les mets! Je veux rien qui vienne de toé. Si ça avait été un cadeau d'un autre de mes enfants, j'aurais été tellement heureuse de le garder. Mais comme ça vient de toé, j'en veux pas. Je t'haïs assez la face comme ça, je ne garderai aucun souvenir de toé.

Je pleurais sans contrôle. J'essayais de me boucher les oreilles et de ne plus entendre ses paroles tellement elles étaient méchantes. Pourquoi? Pourquoi me faisait-elle ça? J'étais si heureuse de le lui offrir, pourquoi? Pourquoi me haïssait-elle tant? Pourtant j'essayais tellement de lui faire plaisir! Pourquoi? La peine et la douleur me pliaient en deux. Je sanglotais.

— Arrête de chialer!

J'essayais de me contrôler, mais j'en étais incapable. Plus j'essayais, plus je hoquetais.

— Je t'ai dit d'arrêter de chialer, vas-tu la fermer?

Elle me donna une grande poussée dans le dos qui me fit trébucher. Je me frappai la tête contre le coin de la table en tombant. Au lieu de me calmer, je me mis à crier et à pleurer de plus belle. Je m'étais blessée en tombant. Il y avait une fente près de l'œil gauche et je saignais. Ma blessure enfla en un rien de temps. Je me relevai et m'assis à ma place. Je pleurai pendant toute l'heure du dîner malgré les avertissements de ma mère. Je n'ai pu avaler une seule bouchée. Elle avait brisé le très fragile lien de tendresse et l'espoir d'une relation améliorée qui restaient entre elle et moi. Je me retrouvais avec une grande peine au cœur et surtout une immense haine pour elle qui était si dure, mais aussi pour moi qui n'arrivais pas à me faire apprécier. J'étais toute seule, toute seule contre elle qui me rejetait, toute seule contre Arthur qui me maltraitait. Je n'avais rien dans la vie, nul endroit où j'étais bien, personne pour m'aimer... Personne pour m'aider...

Quand vint le temps de prendre l'autobus scolaire, je tentai de cacher ma blessure avec ma frange. J'avais le visage rouge et boursouflé, les yeux enflés. Je montai derrière Diane et Richard en gardant la tête basse. Je pleurais en silence; tout était embrouillé. Je tremblais comme une feuille et j'avais un hoquet nerveux. Tout le monde me regardait curieusement, mais personne n'osa se moquer de moi. J'étais assise toute seule et j'essayais de me raisonner pour arrêter de pleurer. Mon frère, assis derrière moi, se pencha en avant pour me chuchoter :

— Arrête, tu nous fais honte!

Quel imbécile! Il était bien de la même race que les autres. Il ne pensait qu'à lui sans se soucier de ce que je pouvais ressentir. À la Polyvalente, j'attendis pour sortir la dernière de l'autobus. Malheureusement, mes deux amies m'attendaient près de la porte. Je ne voulais pas qu'elles me voient dans cet état. Je passai près d'elles, la tête basse, en faisant semblant de ne pas les voir. Mais elles m'ont suivie en criant mon nom. Je m'arrêtai et me tournai brusquement vers elles. Je leur criai en relevant mes cheveux sur mon front :

— Regardez! C'est ça que vous vouliez voir? Vous êtes contentes maintenant? Laissez-moi tranquille.

Je les laissai en plan et m'enfuis vers les casiers. Ma sœur Diane vint me retrouver et voulut me réconforter. Je lui dis le plaisir que j'avais eu à faire le coussin et la blessure que m'avait infligée ma mère par son acte impitoyable. Je lui dis ma détresse d'être l'éternel souffre-douleur, et combien la haine de ma mère me désespérait. Je lui dis tout cela d'une seule traite, sans pouvoir m'arrêter de pleurer.

— Pis le pire, c'est que la laine du coussin est pas payée. Sœur Florence va m'étriper.

— Fais-toi-z'en pas! Des fois, Arthur me donne de l'argent. Je vais t'aider à payer Sœur Florence. Je veux t'aider. J'aimerais être ton amie, même si des fois tu reçois des volées à ma place.

Il était fatal que Sœur Florence me demande de la payer, quelques jours plus tard. Mais je n'avais pas d'argent et je m'en excusai. À chaque cours de tricot, elle me rappelait ma dette. J'étais très mal à l'aise. J'en étais venue à craindre et à détester ce cours qui me plaisait tant auparavant. Je ne savais vraiment plus quoi lui dire. J'allais passer encore une fois pour une mauvaise tête. J'essayais de l'éviter le plus possible; j'arrivais au cours à la dernière minute en me faufilant et en repartais au premier son de cloche. J'avais beau me creuser la cervelle, je ne savais pas comment rembourser. À la fin, Sœur Florence ne me demandait plus d'argent. Elle se contentait de me fixer avec un air sévère.

Je pensais que les vacances de Noël allaient arranger les choses. Mais au retour, pendant un cours de français, mon professeur étant malade, Sœur Florence vint la remplacer. Nous étions en train de travailler dans nos livres, quand je me levai pour tirer les rideaux. Le soleil m'aveuglait et j'avais du mal à lire dans mon cahier. Comme je retournais à ma place, Sœur Florence s'approcha de moi en disant :

— Qu'est-ce que tu fais debout?

— J'ai fermé les rideaux, j'avais le soleil dans la face.

Sans que je m'y attende le moins du monde, elle me donna une claque dans la figure. Je restai sidérée; puis une grande chaleur m'envahit, une immense colère. Sans réfléchir, je lui rendis son geste en criant :

— Laissez-moi la paix! Il y a assez de mes parents qui me battent, vous commencerez pas à me battre vous aussi, non jamais!

— Assieds-toi à ta place. Ça ne finira pas là.

Je suis retournée à ma place sans répliquer; je regrettais mon geste, mais c'était trop tard.

Durant l'après-midi, je fus demandée au bureau du directeur. Il voulut des explications. Je n'avais rien à lui dire. Je baissai la tête sans répondre. À bout d'arguments, il me tendit une lettre. C'était une lettre de renvoi. Mes parents devaient la signer pour que je puisse revenir à l'école.

J'avais carrément la frousse de rentrer à la maison. J'étais certaine que ma mère ne voudrait pas signer ça. J'étais certaine qu'elle ne voudrait pas me garder à la maison. J'allais encore être prise dans une situation absurde.

Bien sûr, elle m'engueula, refusa de signer et menaça de m'envoyer à l'école de réforme. Puis, finalement, elle me remit le papier signé.

— J'vas signer juste pour ne plus voir ta crisse de face dans la maison. Tu mériterais pire que ça, ma câlisse!

Le directeur accepta que je revienne dans ma classe. Je retrouvai mes amies et je m'excusai de mon attitude. Sœur Florence ne me parla plus jamais d'argent. Elle ne me parla plus du tout d'ailleurs.

Artifices

Entre-temps, pendant les vacances de Noël, nous avions encore déménagé. Cependant, nous n'allions jamais assez loin pour changer d'école. J'aurais aimé pourtant; si mes compagnons et mes compagnes se moquaient de moi, mes professeurs, eux, avaient beaucoup de choses à me reprocher. Mes devoirs étaient mal faits, sans soin, j'étais distraite pendant les cours, ne démontrant aucun intérêt pour les matières scolaires. Depuis longtemps, j'avais démissionné. Je n'avais jamais d'argent pour payer les livres et fournitures scolaires; il me manquait toujours quelque chose. On me gardait à la Polyvalente par charité, parce que, l'école étant obligatoire, on ne pouvait me renvoyer pour des raisons de *manque*. Manque d'attention, manque d'intérêt, manque de livres, manque de vêtements convenables, manque de bonne humeur, manque de coopération...

Quant à la nouvelle maison, c'était désespérément la même chose. Un logement trop petit où nous étions entassés les uns sur les autres. Un logement où les chambres des enfants étaient à l'étage et où Arthur pouvait continuer ses manigances. Une maison où j'avais encore mon *coin*. Ce logement avait bien ceci de particulier : une cave où il y avait des souris et des rats, ce qui permit à Arthur de m'y enfermer bien des fois. Il m'est arrivé même souvent d'y demeurer prisonnière pendant des heures, terrorisée, avec la certitude de sentir bientôt les souris me grimper le long des jambes. Ce logement était, à mes yeux, un piège, une prison.

Quant à l'école, je dus retourner à la même Polyvalente, avec les mêmes élèves et les mêmes professeurs. C'était toujours pareil : j'étais toujours en guenilles, mal coiffée, sale. Plus je vieillissais, plus j'avais honte de moi. Je manquais toujours de tout. Je devais voler mes crayons et mes gommes à effacer aux autres élèves. Il m'est arrivé de devoir effacer un ancien cahier écrit au plomb afin d'en avoir un nouveau. J'étais tellement fatiguée de toujours quêter, de toujours me justifier, de toujours me sauver. Heureusement que j'avais mes deux amies. Je crois qu'elles avaient compris ce qui se passait à la maison. Elles étaient toujours gentilles avec moi, essayant de me rendre service et allant même jusqu'à me fournir les cigarettes que je ne pouvais m'acheter. Je me sentais gênée de tant leur devoir.

À la maison, j'allais de raclées en humiliations.

Rares étaient les matins où je ne montais pas dans l'autobus scolaire le visage rouge et les yeux gonflés d'avoir trop pleuré.

Un matin, ma mère avait posé sur la table un gros sac de linge. Quand je vins déjeuner, elle me dit en fouillant dans le sac et y prenant une boule d'éponge :

— Tiens! J'ai quelque chose d'extraordinaire pour toé! Tu vas être contente.

Elle prit des ciseaux et coupa la boule en deux. Elle s'approcha de moi avec les deux éponges; elle riait. Je ne bougeai pas. Elle leva mon gilet et mit les boules dans mon soutien-gorge.

— Garde ça! Touches-y pas!

Je voulus les enlever, mais elle me dit sévèrement, en me tapant sur les doigts :

— Laisse ça là! Ça te fait grossir les seins. T'es assez plate comme ça; ça ne te fera pas de tort.

— Non, je ne veux pas garder ça!

— T'es pas contente des cadeaux qu'on te fait? Tu vas m'écouter, un point c'est tout. Tu vas rester comme ça et tu vas aller à l'école comme ça aussi. Pis toé, Diane, tu vas la guetter et me dire si elle les enlève.

Tout le monde à table riait comme des fous! Pour moi, c'était loin d'être drôle. Hier, je n'avais presque pas de seins et aujourd'hui j'avais l'air d'une nourrice.

— S'il vous plaît, maman, ne me laissez pas aller à l'école comme ça. C'est trop gênant. Les autres vont rire de moi! S'il vous plaît!

— Je me crisse de ce que les autres vont dire. C'est moi le « boss » et tu vas m'obéir.

J'ai dû partir à l'école comme ça. Mon manteau me cachait un peu et je me demandais comment je pourrais le garder une fois rendue dans la classe.

À l'école, j'essayai de convaincre Diane de me laisser les enlever. Mais elle avait trop peur de se faire attraper par ma mère. Elle trouvait cela très drôle de me voir arrangée comme ça.

Je laissai mon manteau dans mon casier et pris mes livres en les serrant sur ma poitrine. À ma grande surprise, la journée se passa bien. Certains me regardaient curieusement, mais ne parlèrent pas. Dès que je devais changer de cours et même pendant la récréation, je prenais mes livres contre ma poitrine pour me cacher.

J'ai dû porter ces bourrures pendant un mois. Un très long mois...

Les jours suivants, ma mère me fit cadeau d'une jupe neuve. Moi qui n'en portais jamais, j'étais vraiment gênée. D'autant plus qu'elle était trop courte pour moi. Une mini-jupe à la limite de la décence. Avec mes bourrures et cette jupe qui me frôlait le ras des fesses, je n'étais vraiment plus la même. Je me sentais ridicule, c'était atroce. Quand je descendis pour déjeuner ainsi attifée, mes frères et Arthur se mirent à siffler. Bien sûr, Richard ne put s'empêcher d'y mettre son grain de sel :

— Ça lui va pas bien. Diane et Sylvie, ça leur fait bien, une minijupe, mais pas elle. Elle a l'air d'un squelette.

Ma mère me regardait d'un air critique :

— Ton chandail ne va vraiment pas avec ta jupe. Non, ça fait dur!

Je crus qu'elle me permettrait de remettre mon vieux pantalon. Mais elle revint de la chambre avec une blouse de nylon. Elle me la lança.

— Enlève tes bourrures et ta brassière et mets ça. Ça va aller avec l'allure que t'as.

Je suis allée dans la salle de bains et j'ai enfilé la blouse comme elle l'avait dit. En me regardant dans le miroir, je vis que cette satanée blouse était presque transparente. Je lui dis :

— Maman, je ne peux pas mettre ça, elle est trop transparente!

— C'est pas grave, t'as rien à montrer. T'as pas honte? T'es faite comme une planche!

Je baissai la tête. J'étais assez malheureuse comme ça. Je le savais bien que j'étais laide et maigre. J'aurais pu me passer de ses commentaires. C'est pourtant ainsi accoutrée que je partis pour l'école. Ce fut ma journée de gloire. J'avais tellement honte. Tout le monde me regardait en rigolant. Certains s'approchèrent de moi en disant :

— T'as bien une belle jupe, Élisa? On dirait que t'as fait du cheval!

Un attroupement se fit autour de moi. Je ne pouvais m'enfuir. Sous leurs sarcasmes, je me mis à pleurer.

— Tiens, elle n'a plus ses bourrures!

— Elle a dû les oublier sur son bureau!

— Elle ne porte même pas de brassière!

Ils riaient et sifflaient. Je n'en pouvais plus. À coups de poing et de coude, je me frayai un chemin et je me sauvai en courant à travers les allées de casiers. Je pleurais de rage et de honte. Je me maudissais, je me haïssais. J'étais laide, maigre et ridicule. Si j'avais été comme les autres, peut-être qu'on aurait pu m'aimer. Mais avec mes grandes dents et mes longues mèches de cheveux noirs, je comprenais ma mère de me renier. J'étais comme le vilain petit canard de sa couvée. Un jour, j'ai essayé de m'arracher les dents avec des pinces. Si je n'ai pas réussi, c'est que je n'étais pas assez forte et que cela faisait trop mal.

Mais j'en avais assez d'avoir honte. Je décidai de remettre mon soutien-gorge. Ma mère devrait me battre au sang pour que je retourne à l'école ainsi attifée. J'en avais assez de me promener à moitié nue et de faire rire de moi. J'ai dû finir l'année en minijupe, jusqu'à ce que je rapporte à la maison le costume que j'avais fait au cours de couture. Quand j'arrivai chez nous avec le vêtement, ma mère me dit :

— Qu'est-ce que c'est que ça?

— C'est le costume qu'on a fait au cours de couture. Le professeur nous l'a donné. Me permettez-vous de le mettre pour aller à l'école?

— T'es pas fière pour porter ça. Moé, j'le mettrais même pas pour aller à l'étable. Mais c'est toé qui décides. Fais ce que tu veux. Si tu veux avoir l'air folle, c'est ton affaire.

Je ne m'attendais certainement pas à ce que ma mère soit fière de moi. Je ne m'attendais plus à rien de sa part. De plus, qu'elle haïsse mon costume me prouvait qu'il avait de l'allure. De toute façon, j'aimais mieux porter ce costume décent qu'être vêtue de cette mini-jupe trop courte et de cette blouse de nylon trop transparente.

Les épingles

Cette époque de ma vie n'aura été que violence. Un mauvais rêve. Je ne savais pas comment en sortir. J'étais incapable de m'imaginer autrement. J'étais véritablement emprisonnée dans un cocon d'humiliation, de violence et de souffrance. J'étais incapable de réagir, sans cesse préoccupée à me protéger, à surveiller et à prévoir les attaques d'Arthur et de ma mère. J'avais peur. Une peur maladive. J'avais peur et je n'avais aucune confiance en moi. Je ne me voyais aucune qualité, aucune intelligence. C'était injuste mais vrai. Personne au monde n'aurait pu m'aimer. À la maison, on continuait à me harceler sadiquement. Combien de fois suis-je restée emprisonnée dehors, en pyjama, souvent l'hiver, pendant que ma mère et Arthur m'observaient par la fenêtre de la cuisine en riant. Je connaissais bien cette bonne vieille farce de la bière oubliée dans l'auto que je devais aller chercher pour eux. Je savais bien comment cela finirait; mais je n'avais pas le choix. Si j'avais refusé d'y aller, on m'aurait sortie de force. J'étais fatiguée, découragée; je dormais peu, je mangeais encore moins. Je me sentais sans force et tellement, tellement déprimée.

Un jour, à l'école, j'entendis les autres raconter un fait divers. Une femme était morte après avoir avalé une épingle. Toute la journée, j'ai été distraite en pensant à cette femme. Le soir, je dormis à peine. Cette histoire me hantait. S'il pouvait m'arriver la même chose. Si je pouvais avoir le courage...

Le lendemain, au cours de couture, je volai une boîte d'épingles. J'étais tellement découragée de ma vie que j'avais décidé d'en finir. Je passai la journée avec le précieux talisman dans ma poche. À tout moment, je passai mes doigts sur la petite boîte, la petite boîte magique qui allait solutionner mes tourments. J'avais entouré la boîte d'un Kleenex pour ne pas qu'on l'entende tinter. C'était comme une petite bête très douce tapie au fond de ma poche, une bête trompeuse et maléfique qui n'attendait qu'un ordre de ma part pour me mordre.

Rendue à la maison, j'avais presque hâte que ma mère m'envoie au lit. Je les regardai à tour de rôle, mes sœurs, mes frères : peut-être que demain ma place serait vide. Je savais que je ne manquerais à personne. Je savais que je n'avais plus rien à attendre de la vie.

Dans ma chambre, assise sur mon lit, j'étais seule. Je repensai à ma vie en regardant la boîte que je tenais à la main. Je ne ressentais rien. J'étais tellement fatiguée de vivre aussi tristement. Tout ce que je voulais était de quitter cette vie d'enfer. Je n'étais pas triste mais fatiguée, seulement fatiguée. J'ouvris la boîte, en sortis une épingle et la mis dans ma bouche. Je la sentais toute froide sur ma langue. Je l'avalai... Je n'avais rien ressenti. Je décidai d'en avaler plusieurs afin d'être certaine de ne pas manquer mon coup. J'en avalai une quinzaine, l'une après l'autre, puis cachai la boîte sous mon lit. Demain, je vais être morte... Je me couchai et me mis à pleurer. Adieu, tout le monde... Je ne regrettais rien. Je fis ma prière comme d'habitude, demandant à Dieu de me pardonner toutes mes fautes. Je dormais presque quand les autres sont montés se coucher. Nathalie vint se coucher près de moi. Je fis semblant de dormir.

Au matin, je me réveillai comme si rien ne s'était passé. J'étais affolée. Mon Dieu! Comment se fait-il que je sois vivante? Je dois certainement être près de la mort? Peut-être allais-je mourir à l'école?

En tout cas, j'étais bien vivante et je devais descendre pour préparer le déjeuner. Je m'habillai et pris la boîte d'épingles que je remis dans ma poche. Je ne voulais pas que ma mère trouve ma boîte pendant mon absence. Je ne voulais prendre aucun risque.

À l'école, je racontai à mes amies ce que j'avais fait. Elles, ne me crurent pas. Profitant de l'absence du professeur, j'avalai d'autres épingles devant tout le groupe.

— Mais t'es folle! Pourquoi tu fais ça?

— T'es si malheureuse que ça!

Personne n'osa se moquer de moi. J'avais même suscité un certain respect. Toute la journée, je les sentais qui me surveillaient. Elles devaient s'attendre à me voir tomber d'une minute à l'autre, mais rien n'arriva. À la maison, Diane raconta tout à ma mère. Celle-ci se mit à rire.

— Tu crois ça, toé? Pas moé.

C'était comme si elle m'avait giflée. De peine et de dépit, je sortis la boîte de ma poche, l'ouvris et me mis à avaler des épingles.

— Vous ne croyez pas que je veux mourir, ben regardez!

Elle me regardait, les yeux ronds. Mais elle se reprit bien vite.

— Avale toute la boîte si tu veux, ça me dérange pas. Je me crisse de ce que tu fais. T'as vu, je me suis même pas levée pour t'arrêter. Je tiens pas plus à ta vie qu'à rien, comme tu vois. Meurs, câlisse! Il n'y a pas de danger que tu me fasses ce plaisir-là. Même le bon Dieu ne veut pas de toé!

J'avais beau m'y attendre, chaque fois j'étais blessée douloureusement. Je la haïssais tellement. Si j'avais eu un fusil chargé entre les mains, je me serais tuée sur-le-champ, devant elle. J'aurais surtout voulu lui crier ma haine.

— Je vous déteste, je vous déteste, je vous déteste...

J'aurais hurlé de peine. Je ne comprenais rien à rien. J'avais avalé une vingtaine d'épingles et je vivais normalement. Les filles de ma classe m'ont laissé la paix pendant près de deux mois. Puis, tout est redevenu comme avant.

Espoir

Un soir d'hiver, Arthur et ma mère étaient saouls et se disputaient. Comme j'étais là dans la cuisine à les regarder faire, ils me tombèrent dessus. Ma mère était particulièrement en colère. Elle m'ordonna de m'en aller. J'enfilai mes bottes et mon manteau lorsque ma mère rajouta :

— Je ne veux pas te voir dans la cour. Efface-toé! Crisse ton camp où tu voudras, je ne veux plus te voir la face!

J'ouvris la porte et sortis en pleurant. Il faisait noir et il neigeait. J'étais si découragée, là, toute seule, ne sachant que faire, ni où aller. Je sortis de la cour comme ma mère me l'avait ordonné et me mis à marcher sur la route. Je me sentais misérable... Où aller? Je voulais mourir. Je marchais en plein milieu de la route, espérant qu'à cause de la tempête la première voiture qui passerait me frapperait, sans avoir eu le temps de m'éviter. J'aurais voulu mourir comme dans les films, marchant vers un point lumineux pendant qu'une dame habillée de bleu et d'étoiles me prendrait par la main en me disant :

— Courage, Élisa!

J'étais engourdie de froid, je titubai de fatigue. Je me mis à courir, les bras écartés, me répétant : *Ne fais pas ça! La vie peut être belle un jour! Garde espoir, Élisa, aie la foi!*

À travers le vent, j'entendis qu'on criait mon nom. C'était Richard qui m'appelait :

— Élisa! Élisa!... Reviens, Élisa!... Maman fait dire de revenir! É-L-I-S-A!

Je me rendis compte soudainement de ce que j'allais faire. J'eus à peine le temps de me tasser sur le bord de la route qu'un gros camion passa en trombe. Il roulait à toute allure dans une bourrasque mêlée de neige et en faisant un bruit infernal. Une seconde plus tôt, il m'aurait fauchée comme rien. J'avais failli mourir en me jetant sous ses roues... Pourtant, je me sentais étrangement calme et paisible. Je revins à la maison d'un pas très lent. Il faisait si bon dehors.

Je n'étais pas aussitôt rentrée que ma mère se remit à m'engueuler. Sans me presser, j'enlevai mon manteau et mes bottes. Leurs insultes me laissaient indifférente. Ils étaient si loin de moi maintenant. Je ne pouvais que penser à ce qui m'était arrivé. Comme d'habitude et machinalement je lavai Nathalie et Michel. Puis ma mère m'envoya au lit, parce qu'elle ne pouvait vraiment plus me supporter.

Railleries

Samedi saint, la veille de Pâques. Toute la famille se préparait à aller à la messe. J'aurais dû rester pour terminer le ménage, mais ma mère me dit de rejoindre les autres.

— Grouille-toé! Je ne veux pas t'avoir icitte pendant que les autres sont à la messe. J'ai assez de te voir la face tous les soirs et pendant les fins de semaine. Débarrasse! Et que ça ne te prenne pas une demi-heure, car Arthur est prêt à partir.

Je montai à ma chambre. J'hésitai à choisir, car je trouvais tous mes vêtements si laids. Finalement, je mis les premiers qui me tombèrent sous la main. Les autres m'attendaient, il fallait faire vite. Je descendis aussi vite que je le pus. Arthur était près de la porte, impatient. Je passai devant lui pour rejoindre les autres quand il m'assena un coup de poing sur la bouche. Je tombai à la renverse, étourdie. Je saignais des lèvres et des gencives. Je crus qu'il m'avait cassé des dents. Il me dit :

— J'vas t'en faire, moé, de nous faire attendre! On va être en retard à cause de toé. Câlisse!

Ma mère, voyant que je saignais sérieusement, m'empêcha de partir.

— Elle peut pas y aller comme ça, avec la gueule enflée, le monde va la remarquer.

Arthur sortit en sacrant, les autres suivaient. Je me relevai en tâtant mes dents :

— Un bon jour, je vais me tuer. J'en ai assez de cette maudite vie!

— Pauvre p'tite. Veux-tu dire qu'on te maltraite? Toutes les volées que tu as, tu les mérites. Viens pas te plaindre, ça ne marche pas avec moé! Essaie de te plaindre à Arthur pour voir ce qu'il va te dire. Pis si tu décides de te tuer, viens pas mourir dans ma maison.

J'avais un grand froid au cœur. Je ne la pensais

pas capable de dire de telles choses. Je la détestais! Je souhaitais sa mort et celle d'Arthur aussi. Moi aussi, j'aurais voulu être débarrassée d'eux.

Lorsqu'ils revinrent, le temps du souper était venu. J'avais mis la table. En attendant d'être servi, Richard se mit à agacer Patrick en lui donnant des coups aux épaules. Bien vite, Patrick, qui n'était pas de taille, se mit à pleurer. Arthur et ma mère firent cette constatation :

— Il est comme Élisa, celui-là. Ils sont tous les deux dans le même sac. Deux crisses de faces pareilles!

Richard, se sentant épaulé par les parents, continuait de plus belle. Il faisait vraiment mal à Patrick. Je n'osais pas intervenir, sachant bien ce qui allait m'arriver. Patrick criait et pleurait. À la fin, ma mère, excédée par le bruit, leur dit d'arrêter. Mais Richard ne voulait pas lâcher.

— Ça me dit de me battre!

La bataille réglée, elle nous fit tous passer à table. Richard lâcha Patrick qui vint s'asseoir à sa place en pleurant. Ma mère lui demanda en riant :

— Patrick, as-tu l'intention de te tuer, toé aussi?

Il ne répondit pas, se contentant de secouer la tête. Mais Arthur, qui ne comprenait pas :

— Pourquoi tu lui demandes ça?

— Demande donc à ta Grande Noire ce qu'elle veut faire!

Je les regardai tous les deux. Trop méchants et indignes d'avoir des enfants.

— Je vous jure qu'un bon jour, je vais me tuer. J'en ai assez de tous vous autres, je suis écœurée!

J'éclatai en sanglots. Arthur se leva :

— Veux-tu que je t'aide? Ça me ferait plaisir!

— Non, je suis capable toute seule! J'ai pas besoin d'aide.

— Pauv' p'tite, va!... Envoyez, les enfants, on va faire une séance de lutte avec Élisa. Ça va nous donner de l'appétit.

Il me prit par le bras et me poussa au centre de la cuisine.

— Grouillez-vous, parce que je vais aller vous chercher et vite!

Les autres s'approchèrent; ils n'avaient pas le choix. Ils se mirent à me tirailler sans grande conviction. Arthur était là derrière à distribuer des coups de pied et des claques à ceux qui n'osaient pas me toucher. Ça ne faisait pas vraiment mal, mais, d'énervement, je me mis à pleurer. Je recevais des coups de poing, on me tirait les cheveux. Aveuglée de larmes, je trébuchai. Arthur cria :

— Ça va faire, gang de niaiseux! J'vas vous montrer, moi, comment on fait. Toé, la Noire, t'es mieux de te laisser faire, sans ça tu vas en manger une maudite!

Il m'immobilisa et se mit à me tripoter les seins. Je voulus lui enlever les mains, mais il me frappa en pleine figure. Je regardai ma mère pour qu'elle intervienne, mais elle ne bougea pas. Elle se contenta de regarder. Arthur était déchaîné, il cria :

— Richard! Viens poigner les tétons de ta sœur, ça va les faire pousser.

Puis il obligea mes frères et sœurs à faire pareil. Je fermai les yeux, humiliée, blessée. Il me traîna au milieu de la cuisine pour terminer sa séance de lutte. Il essaya sur moi toutes les prises qu'il connaissait. Enfin, il me lâcha. Je me relevai, malade de haine. Comme je le haïssais; comme je les haïssais, lui et ma mère. Quelle sorte de mère avais-je donc qui me laissait poignasser et humilier par ce salaud? Je n'avais même plus la force de pleurer. Je ne l'avais pas vu arriver derrière moi : soudain il passa un bas de nylon au-dessus de ma tête, le glissa autour de mon cou et serra.

257

J'étouffais, je n'étais pas capable de crier, pas capable de respirer. J'essayais de passer mes doigts entre le bas et mon cou, mais c'était trop serré. J'étais paniquée... J'allais mourir. Je me sentais faiblir, étourdie, je voyais des étoiles. Il serrait de plus en plus; ça faisait horriblement mal. Je m'évanouis.

Je m'éveillai en recevant un verre d'eau glacée à la figure. Je retrouvai mes sens péniblement. Je toussais, j'avais mal à la gorge. Chaque bouffée d'air me brûlait la gorge. Je me relevai de peine et de misère, j'avais mal partout. Les autres regardaient, horrifiés. Ma mère brisa le silence :

— Viens manger! Le souper est prêt. Pis cesse tes simagrées. Arrête de te lamenter!

Je lui jetai un regard de détresse et de haine. Je lui tournai le dos et montai à ma chambre. Pour une fois, ils me laissèrent tranquille. Assise sur mon lit, je regardai en pleurant la marque que j'avais au cou. C'était une grosse marque rouge violacé, très large, qui me faisait le tour du cou. En me débattant et en voulant enlever le bas, je m'étais griffée au visage.

Tremblante de peur et de solitude, je me roulai en boule sous les couvertures.

Cette histoire s'est reproduite souvent, hélas! Il me serrait le cou jusqu'à ce que je m'évanouisse, mais pas assez pour que je meure. Je souhaitais qu'il ne s'arrête pas à temps. J'en avais assez de souffrir. De plus, Arthur me tripotait les seins à chaque fois qu'il le pouvait, sous prétexte de me battre. C'était devenu une vraie obsession. Il poussait mes frères et mes sœurs à faire la même chose. Et parfois ma mère se joignait à eux. Elle me pinçait les seins en les tordant. C'était douloureux. Douloureux et humiliant. Ma haine pour eux ne connaissait plus de bornes. J'avais du mal à les regarder en face. Ma fatigue aussi était immense. Je n'avais plus grand-chose qui me retenait à la vie.

L'hôtel

Avril. Le printemps revenu, Arthur était retourné au chantier. Comme il était parti toute la semaine, cela me donnait une sorte de répit. Ma mère était plus calme, plus patiente avec nous.

Ce soir-là, à l'heure du coucher, ma mère, par signes, demanda à Nathalie si elle voulait coucher avec elle. Nathalie répondit négativement tout en lui signifiant, par gestes, qu'elle voulait dormir avec moi. C'était une habitude qu'elle avait prise depuis que nous avions emménagé dans ce logement. J'insistai auprès de Nathalie pour qu'elle accède au désir de ma mère. J'étais heureuse de la tendresse de ma petite sœur, mais j'avais peur que ma mère ne soit fâchée.

Nathalie répéta les mêmes gestes, puis s'approcha de moi et me prit par la main. Ma mère était furieuse :

— Câlisse! Tu l'as rendue aux femmes. T'es rien qu'une crisse de lesbienne. Tu vas voir! T'as pas fini! Je vais le dire à Arthur... T'es une crisse de vicieuse! T'as tous les vices. Quand on est menteur, on est voleur, quand on est voleur, on est vicieux. C'est ton vrai portrait!

Je ne savais quoi dire. J'étais peinée, mais je ne répliquai pas; j'avais trop peur d'elle. Ma mère reprit :

— Vas-y te coucher, maudite lesbienne.

Je suis montée avec Nathalie sans broncher. J'étais insultée, stupéfaite et malheureuse. Je n'en revenais pas de ce que ma mère pouvait inventer à mon sujet. J'avais beau réfléchir, je ne voyais pas ce que j'avais fait de mal. J'eus beaucoup de peine à m'endormir.

Le lendemain, ma mère fit quelques appels en ma présence. Elle racontait à tout venant que j'étais lesbienne et que j'avais rendu Nathalie comme moi, aux femmes...

— Mais, maman, je ne la touche même pas. Nous avons chacune notre couverture.

— Essaie pas de te réchapper. Je sais ce que t'es. T'es bien mieux de fermer ta gueule si tu veux pas aggraver ton cas.

C'est ce que je fis. Elle avait raison, ça ne servait à rien de me défendre : elle avait toujours raison. Je me disais intérieurement que c'était probablement elle qui était lesbienne. Elle semblait s'y connaître. Elle avait peut-être déjà touché à Nathalie lorsque celle-ci couchait avec elle et ça pouvait expliquer le refus de ma sœur; mais je ne pouvais en être sûre, et j'aimais mieux ne pas y penser.

L'inévitable vendredi nous ramena Arthur. Ma mère s'empressa de tout lui raconter. Il prit la chose d'un air moqueur.

— Ça fait longtemps que j'sais ça. C'est pas nouveau, elle pense rien qu'à ça. J'te l'ai toujours dit.

Ils continuèrent de placoter à mon sujet; que de mensonges on inventait alors. Je me faisais toute petite afin qu'ils oublient ma présence.

Ce soir-là, ma mère décida de m'emmener à l'hôtel avec elle et Arthur. J'étais surprise et surtout je n'attendais rien de bon des idées subites de ma mère.

— Mais, m'man, qu'est-ce que je vais aller faire là?

— Rouspète pas pis dépêche-toé.

Il n'y avait rien à faire, je devais suivre. Comme elle me l'avait dit si souvent : le « boss », c'était elle. Elle me donna, comme linge de sortie, un T-shirt rouge et une mini-jupe violette. Avec mes vieilles chaussures grises qui n'avaient plus qu'un petit bout de lacet, j'étais vraiment belle à voir.

Rendus à l'hôtel du village, ma mère me présenta à beaucoup de monde. J'étais gauche et mal à l'aise, moi qui étais la timidité même. Je repris un peu sur moi lorsque nous nous sommes assis à une table. Je pouvais me cacher un peu et essayer de passer inaperçue. Arthur commanda trois bières dont une pour moi, mais je n'y touchai pas. Rapidement des hommes vinrent se joindre à nous. Tandis que ma mère et Arthur bavardaient, l'homme assis près de moi engagea la conversation.

— T'es la fille à Martha ?

— Oui...

— C'est quoi ton nom?

— Élisa...

— J'pensais pas que Martha avait des belles filles de même!

— Moi, ça?

— Oui, toé, pourquoi? T'aimes pas ça?

— Vous êtes bien le premier à me dire ça!

Il continuait à parler, mais je ne l'écoutais plus; j'aurais voulu retourner chez nous... sans attendre. Il parlait, parlait, en se rapprochant toujours un peu plus. Je me tassai sur ma chaise. Puis il tenta de passer son bras autour de mes épaules. Je le repoussai brusquement. Ma mère s'en aperçut.

— Va-t'en à ta table et laisse ma fille tranquille. Elle aime pas les hommes... Seulement les femmes...

Le gars fronça les sourcils :

— T'as pas honte de parler de ta fille comme ça? Elle mérite pas d'avoir une mère comme toé.

— Va donc chier, câlisse! Tu veux-tu t'en aller t'asseoir ailleurs?

Arthur tenta de la calmer, mais elle continua de dire des bêtises jusqu'à ce que le gars décide de changer de place. Voyant qu'elle était en colère, Arthur se leva et sortit de l'hôtel. Elle le laissa partir sans essayer de le retenir. J'avais tellement honte. J'aurais voulu disparaître, m'évaporer!... Ma mère était déchaînée; elle se mit à parler très fort à mon sujet.

— S'il y en a un qui veut ma fille, elle est à vendre! S'il y en a un qui veut l'acheter, j'la vendrais pas cher... même pour le prix d'une bouteille de bière!

261

Tout le monde nous regardait. J'avais peur. Je me sentais terriblement sans défense. J'aurais voulu mourir sur place, disparaître en une fraction de seconde, me trouver à des milliers de milles de là. Gênée, honteuse, je sentais le sang bouillir dans mes veines jusqu'à mon visage, jusqu'à mes oreilles... J'en devenais presque sourde à entendre battre mon cœur si fort. Puis ma mère se mit à crier pour que tous puissent l'entendre :

— Qui la veut? J'la vends pas cher!

Le serveur s'empressa à notre table.

— Arrête-toé, Martha, t'es pas toute seule icitte! Si t'arrêtes pas, je vais être obligé de te sortir.

— Câlisse...! Toé, la Noire, habille-toé pis viens-t'en. On s'en va d'icitte. J'ai pas besoin d'ordre de personne pour sortir.

Je ramassai mes affaires et courus vers la porte. Elle me suivit bientôt avec un gars qui devait venir nous reconduire. Nous sommes montées dans son auto, moi à l'arrière, et avons mis le cap vers la maison. Bien sûr, c'est contre moi que ma mère était fâchée.

— Tu me fais honte. Tu te laisses poignasser par n'importe qui.

— Quoi! Parce qu'il voulait mettre son bras autour de mes épaules... Vous l'avez vu; je l'ai poussé. J'l'ai même pas laissé faire. Même que je trouvais qu'il était laid...

— Penses-tu que t'es belle pour parler des autres? Il n'y a pas un maudit gars sur terre qui voudrait de toé. Ma plus belle, c'est Diane; elle va être bien bâtie. Pas un chicot comme toé. C'est pas toé qui vas plaire aux hommes...

Peinée, je répondis, en baissant la tête :

— J'le sais, maman, que je suis laide.

— Alors t'as pas besoin de dire aux autres qu'ils sont laids. Regarde-toé avant de parler.

Le reste du voyage se fit en silence. Tassée dans mon coin, j'étais écrasée de fatigue, de chagrin, de honte. J'avais peur de notre arrivée à la maison, peur de ce qu'elle allait raconter à Arthur... peur de la suite de ce cauchemar. Mais nous étions rendues; il a bien fallu que je descende. Elle prévint son ami de l'attendre quelques instants, elle repartirait avec lui. Nous sommes entrées dans la maison. De mauvaise humeur, elle était de mauvaise humeur et maugréait :

— Moé, j'reste pas icitte! J'ai pas besoin d'Arthur pour sortir.

C'était Richard qui gardait. Elle lui dit que je le remplacerais et qu'il devait aller avec elle. J'étais debout, immobile comme une statue de plâtre, bête et idiote, ne sachant plus où me mettre. Je la regardais aller et venir; furieuse, elle ouvrait et fermait des tiroirs, replaçait une chaise... Puis elle monta l'escalier qui allait aux chambres, sans doute pour vérifier si Arthur y était. Moi, je n'en pouvais plus. Je ne comprenais pas pourquoi elle s'acharnait à vouloir m'humilier. Qu'est-ce que je faisais qui lui déplaisait tant. Pourquoi moi? Pourquoi toujours moi? Il fallait bien que je sache un jour. Lorsqu'elle passa devant moi pour sortir, je lui demandai soudainement :

— Maman, j'ai quelque chose à vous demander.

Surprise, elle s'arrêta.

— Quoi? Dépêche-toé, j'ai pas le temps d'écouter tes niaiseries. Alors, qu'est-ce que tu veux?

— M'man, je... je...

— Vite, accouche!

J'avais très peur de la réponse, mais je devais savoir, absolument, maintenant.

— Je voudrais savoir si vous m'aimez!

— Pourquoi cette question à soir?

— Je vous demande si vous m'aimez... Ça a beaucoup d'importance pour moi, je veux le savoir, s'il vous plaît!

— Tu veux vraiment le savoir?

— Oui.

— Ouvre-toé bien les oreilles. Je vais te le dire rien qu'une fois et je ne te le répéterai plus. Non, je ne t'aime pas. J'te considère même pas comme une de mes filles. Tu le sais maintenant. Veux-tu savoir autre chose?

Elle sortit.

Elle sortit sans un regard, sans un geste, rien. Un grand vent glacé était entré dans mon cœur. J'étais figée sur place. C'était comme si elle m'avait donné un coup de couteau en plein cœur. Je n'oublierai jamais ses yeux durs et froids. Je souffrais terriblement... J'avais l'impression de manquer d'air. Je m'attendais bien à un simple *non*. Mais pas à être ainsi anéantie, annulée, effacée! Je savais maintenant que ma mère ne m'aimait pas. Je n'étais pas *son* enfant. Je n'étais rien; une erreur; un oubli; un vide... Rien.

Mes jambes tremblaient, je me sentais faiblir! Je me suis assise dans mon coin, sur ma chaise tout près de la porte d'entrée et j'éclatai en sanglots... Je pleurais sans retenue. J'étais une nullité, sans personne pour m'aimer, sans place, celle qui était toujours de *trop*, la laide, celle qu'on voudrait effacer, oublier. Je n'étais ni aimée ni digne d'être aimée. Combien de fois ma mère ne m'avait-elle pas répété que personne ne voudrait jamais d'un *agrès* comme moi. Je voulais mourir... Arrêter la peur, la souffrance... Oui, mourir...

Je me rappelai les pilules que ma mère gardait dans l'armoire. Elles étaient pour mon père quand il avait des crises de foie. Je savais que plusieurs personnes s'étaient enlevé la vie en prenant des pilules. Comme une somnambule, je réussis à attraper le flacon. J'en versai une dans ma main. Elle était grosse, ovale et orange! Je la regardai pendant cinq minutes. Bien sûr que j'avais peur. Mais j'étais rendue à bout. Au bout de moi et de ce que je pouvais supporter de la vie. Je remplis un grand verre d'eau, mis la pilule sur ma langue et bus. Puis une autre et une autre... Jusqu'à ce que j'aie pris la dizaine qui restait dans le flacon.

Je retournai m'asseoir, il ne me restait plus qu'à attendre. Je me sentais calme, je ne pleurais plus.

— Adieu, tout le monde, mes frères et mes sœurs...

J'espérais que ma mère et Arthur regrettent un jour tout le mal qu'ils m'avaient fait.

— Cette fois, mon Dieu, viens me chercher, s'il Te plaît!

Puis je ressentis un malaise à l'estomac; une grande brûlure. Ça empirait de seconde en seconde. Une tempête de feu au milieu de mon ventre. Je me mordis la main pour ne pas hurler de douleur. La pièce se mit à tourner, j'avais mal au cœur, et ce feu, ce feu qui me ravageait le ventre.

Je vomis plusieurs fois avant de tomber et de perdre connaissance. Lorsque j'ai ouvert les yeux, j'étais étendue par terre dans la salle de bains. J'avais tellement mal au ventre et à la tête; je crus éclater de toutes parts. Je me sentais perdue. Je priai Dieu de venir me chercher vite, d'arrêter ma souffrance. Je passai la nuit à vomir, les mains agrippées à mon ventre. Mais peu à peu les douleurs s'estompèrent. Je pus de nouveau m'asseoir sur ma chaise. J'étais sans force, j'avais envie de dormir.

— Même Dieu ne veut pas de moi! Ni rien ni personne! Même la mort ne veut pas de moi!

Je me haïssais tellement! Je pleurai encore et encore. J'étais si malheureuse de vivre dans la peur, sans jamais savoir quelle nouvelle torture ils allaient inventer; sans espoir d'une vie meilleure. Même mes nuits étaient remplies de cauchemars.

Je remis la bouteille vide à sa place. Et j'attendis le retour de ma mère en pleurant sur moi-même.

Dehors, il faisait presque jour...

Le garage

Le chantier où Arthur travaillait étant fermé pour une semaine, il décida de construire un garage. Il faudrait donc l'aider dans nos temps libres.

— Oui, je vais bâtir un garage et, vous autres, vous allez m'aider parce que j'n'engage pas personne, c'est certain.

Nous nous sommes tous regardés, les yeux grand ouverts... Nous savions que nous allions alors subir ses colères. Il était tellement paresseux que, lorsqu'il était obligé de travailler, il le faisait en sacrant sans arrêt.

— Élisa! Viens avec moé, pis grouille-toé l'cul!

Il me saisit par le bras et me poussa vers la porte d'entrée. Comme il n'y avait que la porte moustiquaire et qu'elle ne *clenchait* même pas, elle ne put me retenir et je me retrouvai sur le ventre en bas de la galerie. Ma sortie fut saluée par les éclats de rire des autres et Arthur qui se pavanait, fier de lui. Je me relevai et le suivis à bonne distance. Je savais trop ce qu'il en coûtait de s'approcher de ce fou.

— On va mesurer le garage que je vais faire!

Je l'aidai à placer quelques planches en un rectangle qui devait représenter la forme du garage. Puis il me donna le bout du ruban à mesurer en me précisant où je devais le tenir. Jusque-là tout allait bien. Arthur marmonnait pendant qu'il travaillait, mais j'étais habituée à ses manies. Ayant fait le tour, il me demanda quelles mesures il avait prises.

— J'sais pas, moé! Vous me l'avez pas dit!

— Câlisse de niaiseuse! Comment veux-tu que je m'en souvienne?

Furieusement, il attrapa un bout de planche et se mit à courir derrière moi en sacrant. Je fis le tour de la maison à toute allure, Arthur derrière moi, armé de sa planche. Ma mère, qui avait vu le drame, sortit :

— Arrête-toé! S'il y a des chars qui passent, ils vont se demander ce que tu fais là!

— Viens, câlisse, on va recommencer, par ta faute.

Je n'étais pas très brave. Je courus à la maison chercher du papier et un crayon pour marquer les mesures. Heureusement, ma mère resta avec nous pour aider.

Je dus passer toute la journée avec lui à démêler des planches, à les ranger, le tout ponctué de quelques bons coups de pied, question de mieux me faire comprendre ses directives.

Heureusement, le lendemain, il décida d'aller chercher un homme pour l'aider. Nous avions bien hâte de voir le malheureux qui aurait à subir son vilain caractère. Quand l'homme sortit de l'auto, nous fûmes bien surpris de reconnaître notre père. Nous étions tous un peu gênés. Ça faisait si longtemps que nous ne l'avions pas vu. Comme les autres fois, il nous avait apporté des bonbons et des liqueurs. Pendant qu'il était à l'intérieur avec ma mère, Arthur nous avertit :

— Vous êtes mieux de rester tranquilles même si votre père est icitte! Ça m'empêchera pas de vous donner une volée! Pas de bavassage, pas de caucus, compris!

Je ne comprenais pas pourquoi mon père était revenu ici. Bizarrement, il travaillait en harmonie avec son ancien rival. La journée se passa bien, le garage commençait à prendre forme. Je restais à l'écart, à surveiller mon père. J'aurais voulu courir l'embrasser, mais je savais bien que ma mère et Arthur me guettaient. Je ne comprenais pas comment mon père faisait pour travailler avec l'homme qui l'avait volé et qui l'avait battu. J'imagine qu'il avait voulu revoir ses enfants...

Mais la seconde journée se passa moins bien. Ils burent plus de bière qu'ils ne posèrent de clous. Ils finirent par se chicaner. Finalement, mon père ramassa ses affaires.

— Martha, dis à Arthur de venir me reconduire. Je m'en vas. Pis en même temps, qu'il me paie ce qu'il me doit.

Nous allions rentrer nous coucher, quand Arthur revint du village.

— Élisa, viens ici, tu n'as pas ramassé les outils. Depuis quand on laisse ça là?

Il semblait de bonne humeur, mais je me tenais loin de lui. Je n'avais pas envie de recevoir un coup de planche ou bien d'égoïne sur les cuisses. Tous les outils étaient rassemblés.

— Où voulez-vous que je mette ça?

— Il n'y a plus de place dans le coffre. Viens, je vais te montrer où tu peux les ranger.

Je le suivis dans le portique arrière. Je devais mettre les outils sur une tablette qu'il avait posée à cet effet. Il faisait très sombre dans ce portique puisque la journée se terminait. Je me hâtai. J'essayais de rejoindre la tablette qui était un peu haute pour moi, quand soudain il se colla derrière moi et me saisit par les seins. Je me débattis, mais il me tenait ferme en me poussant contre les tablettes. Je voulus crier, mais il mit violemment une main sur ma bouche et de l'autre il me touchait partout. Il me serrait très fort et promenait sa main partout sur mon corps. Je me débattais de toutes mes forces, je pleurais. Je réussis à lui mordre les doigts.

— Lâchez-moé! J'en ai assez!

Je lui donnai des coups de talon sur les jambes et sur les pieds, mais sans grand résultat. J'essayai de lui écarter les doigts, mais il me donnait des coups de genoux par-derrière... Et sa main comme une grande araignée poilue qui me tripotait... Et son souffle fort et rauque dans mon cou...

« Mon Dieu, comment vais-je faire pour m'en sortir? »

Il respirait de plus en plus fort, il me faisait mal à me tenir si serrée. Il tenta de passer sa main entre mes cuisses. J'étais sûre qu'il allait me violer. Soudain, j'entendis ma mère crier :

— Qu'est-ce que vous faites là, dans le portique? Ça vous prend bien du temps?

Arthur me lâcha aussitôt et se tourna vers les tablettes derrière lui en faisant semblant d'y mettre de l'ordre. Ma mère ouvrit la porte. Elle me donna quelques claques derrière la tête, puis me tira par l'oreille :

— Rentre dans la maison!

— Oui, m'man, j'y vais.

J'entrai sans rouspéter. Je suis montée à ma chambre en pleurant. Je ne pouvais m'empêcher de penser à ce que je venais de vivre dans le portique. Je me sentais sale, souillée; j'entendais encore son râle dans mes oreilles. Même s'il m'avait touchée par-dessus mes vêtements, j'aurais voulu me laver, me frotter encore et encore jusqu'à ce que j'oublie le souvenir même de cette histoire. Non, au contraire, j'étais contrainte de rester comme j'étais, avec ma honte et ma souillure. Je tremblais, j'avais l'impression qu'il était là, à me guetter.

Les jours suivants, ma mère m'interdit d'aider Arthur au garage. Elle avait du travail pour moi à l'intérieur. J'aimais mieux subir les sautes d'humeur de ma mère que les attaques sournoises d'Arthur.

L'oncle Alfred

Comme un malheur n'arrive jamais seul, nous avons

eu, ces jours-là, un invité. L'oncle riche d'Arthur, Alfred, nous honora de sa visite. C'était bien le même, un peu plus vieux, certes, mais toujours le même vieux dégoûtant. Il soupa à la maison avec nous. Ma mère se fendait en quatre pour lui. Il me regardait bien souvent en disant que j'étais sa préférée. Après le souper, il avisa Arthur qu'il aimerait bien faire une promenade en auto; je devais les accompagner.

— Non, je ne veux pas. Je reste ici. C'est moi qui garde d'habitude.

Mais ma mère ne l'entendait pas de cette manière.

— Va t'habiller! C'est pas toé qui mènes icitte!

J'enfilai mon manteau et je les rejoignis. Je dus prendre place à l'arrière avec l'oncle Alfred. Ma mère rigolait en regardant Arthur. L'auto démarra. Je m'enfonçai dans le siège, espérant que cette promenade se termine le plus vite possible. L'oncle passa son bras par-dessus mes épaules :

— Colle-toé un peu contre moé!

Je repoussai son bras et, à chaque fois, il recommençait. Il sentait le vieillard et le tabac. Ses mains décharnées tachées de brun me dégoûtaient. Allait-il me laisser tranquille à la fin? Il essayait de me serrer et je le repoussais; ce petit jeu-là, je l'ai fait pendant tout le trajet, pendant que ma mère riait sur le siège avant.

— T'es mieux de te laisser faire! T'es mieux de t'habituer parce qu'il m'a demandé ta main.

— Quoi! Qu'est-ce que vous avez répondu?

J'étais complètement affolée. Ma mère était bien capable de me vendre à cet individu. L'oncle Alfred confirma mes pires appréhensions.

— Elle m'a répondu oui. On va se marier dans à peu près trois mois.

— Êtes-vous tous devenus fous? Plutôt que de me marier avec vous, j'aime mieux mourir.

Ce vieux dégoûtant avait près de soixante-dix ans. J'espérais que cette plaisanterie prenne fin le plus vite possible.

— Il faut que tu t'habitues, ma fille, parce que moé, je t'aime!

— Moi, je vous aime pas. Vous m'écœurez!

Il tenta de m'embrasser.

— Non! Lâchez-moi!

— Embrasse-moé!

— Non! Maman, dites-lui qu'il arrête ou bien je me jette en bas de l'auto.

Ma mère ne se retourna même pas. Elle semblait indifférente à ce qui se passait à l'arrière. Il ne me lâchait pas, alors je lui donnai un coup de coude à l'estomac.

— Voyons, ma tigresse! Je saurai t'apprivoiser!

— Combien d'argent ma mère vous a demandé pour m'avoir?

Ma mère se retourna vivement. J'avais touché juste.

— Maudite mal élevée. T'as pas à te mêler de mes affaires. T'as qu'à obéir, compris! Pis reste polie! Quand je te dis que tu vas te marier avec lui, tu le feras!

— Ça n'arrivera jamais. Je me tuerai avant.

— Elle est sauvage, cette enfant! Écoute-moé, Élisa; je te donnerai tout ce que tu voudras. En échange, je veux que tu t'occupes un peu de moé.

Je me tus, tassée dans mon coin. On allait bien voir si j'allais me laisser faire par ce vieux fou. Comme nous étions de retour à la maison, je courus rejoindre les autres. Je m'offris à laver les petits et à les coucher. Je ne voulais pas être obligée de veiller au salon avec l'oncle Alfred. Je les entendais discuter du logement qu'Arthur finirait pour nous en haut... Comme nous serions bien installés... Ma mère pourrait venir nous

271

voir tous les jours... Ils avaient de bien grands projets. Mais je me jurai que jamais, jamais au grand jamais, l'oncle ne porterait la main sur moi. Je me tuerais avant et cette fois je ne me manquerais pas.

— Élisa, viens dire bonsoir! L'oncle Alfred s'en va!

— Non!

— Forcez-la pas. Elle viendra bien d'elle-même. À bientôt, ma petite Noire. Sois pas inquiète, je vas revenir te voir!

À leur retour, Arthur et ma mère étaient en grande colère contre moi. J'étais mal élevée et ingrate. Ils allaient m'en faire voir.

— M'as te montrer à écouter ta mère, moé! Viens icitte, Élisa T.!

Arthur me lança sa bouteille de bière à la tête. Elle me frôla d'un cheveu. Je me réfugiai derrière la chaise, où Sylvie berçait la petite Isabelle, pour me protéger. Mais Arthur était enragé. Il me lança une seconde bouteille qui faillit assommer son bébé. La vitre derrière la chaise fut fracassée d'un seul coup. Je réussis à me sauver en haut. Il lançait des chaises à travers la pièce en hurlant des menaces à mon égard. Il finit par se calmer et par aller se coucher. Derrière la porte de ma chambre, je surveillais l'évolution de la crise, prête à me sauver à la moindre tentative d'Arthur de monter à ma chambre.

Heureusement, je n'eus pas à m'inquiéter bien longtemps de ces projets de mariage. L'oncle Alfred est décédé quelque temps après. J'en avais été quitte pour une bonne frousse.

La barre de fer

Le lendemain, l'humeur d'Arthur à mon égard n'était pas tellement meilleure. J'essayais de me faire oublier. J'étais en train de laver la vaisselle, les autres regardaient la lutte à la télévision. Je ne sais pas ce qui se passait, mais tout le monde criait et tapait des mains. Je ne pus contenir ma curiosité, et je m'avançai, sur la pointe des pieds, pour jeter un œil à l'écran. Malheureusement, j'arrivai nez à nez avec ma mère.

— Qu'est-ce que tu fais là? Va mettre ton nez dans la vaisselle!

— A va-tu finir par écouter ce qu'on lui dit, elle, câlisse! A va-tu finir par nous sacrer la paix!

Il se leva brusquement et sortit en faisant claquer la porte. Ma mère me fit les gros yeux en me disant :

— Pour moé, tu l'as fait fâcher pour de bon!

— Parce que j'ai regardé ce qui se passait à la télé?

— Pour moé, c'est pas rien que ça! Il a pas digéré l'affront que tu as fait à son oncle. T'as fait déborder le vase, la Noire!

Je me disais que, si Arthur ruminait sa colère depuis hier, ça ne présageait rien de bon pour moi. J'avais peur. Soudain, il rentra à toute allure, tenant dans ses mains une petite barre de fer. Il s'élança sur moi en frappant de tous côtés. J'avais été tellement surprise par son attaque que je n'eus pas le temps de réagir. J'essayais de me protéger avec mes mains, mais c'était impossible d'empêcher tous les coups. Il frappait de toutes ses forces. Je crus qu'il allait me briser tous les os. Il se mit à me frapper sur la tête et au visage. Je perdis conscience et tombai par terre. C'est la douleur qui me réveilla. Il frappait toujours. Je me couvris le visage de mes mains, j'étais trop faible pour faire autre chose. Il frappait et frappait sans cesse. Je ne sentais presque plus les coups. J'étais comme engourdie de douleur. Mon corps n'était plus qu'une seule et grande blessure. Je pensai que j'allais mourir. Enfin il s'arrêta.

— Câlisse! Est pas mourable! À sa place, ça ferait

longtemps que je serais morte. C'est pas tuable, ces gibiers-là!

J'étais tout étourdie. Je n'étais plus capable de bouger, mais il fallait que je me relève. Si je restais là, j'allais mourir. Je savais que j'allais mourir. Je croyais que j'avais les jambes cassées, mais je pouvais encore les bouger. Je saignais de la bouche et du nez. Mes jambes n'obéissaient plus. Je rampai vers la chaise la plus proche et m'agrippai à elle pour me relever péniblement. Les autres étaient regroupés dans la porte du salon pour voir ce qui se passait dans la cuisine. Arthur ouvrit la porte et lança la barre de fer à l'extérieur, puis il retourna s'asseoir à la télévision. Diane, Sylvie, Patrick et Nathalie me fixaient intensément. Ils avaient les larmes aux yeux.

— Inquiétez-vous pas. J'ai rien de cassé.

Mes sœurs s'approchèrent pour m'aider à me relever, mais ma mère intervint :

— Laissez-la, elle est capable de se relever toute seule.

Elles ont reculé pour ne pas la contrarier. Je les regardai durement. J'en avais assez de ces témoins silencieux et impuissants. J'en avais assez d'être le spectacle de la maison. Je réussis à me lever et à m'asseoir quelques instants. Je remuai doucement les doigts pour vérifier s'il y en avait de cassés. Avec d'infinies précautions, je tâtai mes jambes, mes bras et ma tête. J'avais des bosses partout. Je n'avais même plus la force de pleurer. Les autres me regardaient faire sans dire un mot. Ma mère mit fin au spectacle.

— O.K.! C'est assez! Vous avez tout vu, alors allez vous asseoir.

Toujours sans un mot, et d'un seul et même mouvement, les autres sont retournés s'asseoir au salon. Je savais qu'ils avaient trop peur pour rouspéter. Je réussis à me lever debout et en boitant je retournai à ma vaisselle. J'eus beaucoup de mal à faire obéir mes doigts, j'étais meurtrie de partout. Je voulais me cacher dans un coin, disparaître, ne plus voir, ne plus entendre, ne plus souffrir surtout...

Le lendemain matin, j'étais presque paralysée dans mon lit. Mon corps avait l'air coulé dans le béton. Je ne pouvais bouger ni mes bras ni mes jambes sans aide. Je réussis finalement à me lever en descendant mes jambes une à une, en bas du lit. Elles étaient raides et douloureuses. En serrant les dents, je réussis à les plier et à les bouger. Je me levai en m'agrippant à ma tête de lit. Je devais prendre de grandes respirations pour ne pas m'évanouir. Je réussis à m'habiller lentement, mouvement par mouvement. Je marchais difficilement et en boitant. Puis je descendis l'escalier en me tenant contre le mur. En me voyant, ma mère dit à Arthur :

— J'peux pas l'envoyer à la messe comme ça! Qu'est-ce que le monde va penser! Tu vas rester icitte, Élisa, et m'aider avec les petits.

J'étais contente de n'avoir pas à bouger. Mais en me voyant dans le miroir de la chambre, je restai estomaquée. J'étais méconnaissable : fendue sous l'œil gauche, l'œil droit cerné d'un grand cercle bleu et mauve, et ma lèvre inférieure était démesurément enflée. Mes jambes et mes cuisses, mes bras et mes épaules étaient couverts de bleus. J'avais aussi très mal au ventre.

Je me pressai de m'occuper de la petite Isabelle et de sortir de la chambre pour ne pas me faire chicaner par ma mère. Les autres me regardaient curieusement. Ils ne pouvaient s'empêcher de m'observer à la dérobée. J'aurais voulu ne plus bouger, me cacher sous mes couvertures, attendre que le mal finisse... J'essayais d'aider du mieux que je pouvais. Mais à la moindre occasion, je regagnais mon coin pour m'y reposer. Je me faisais toute petite sur ma chaise; j'avais ramené mes cheveux sur mon visage pour qu'ils cessent de me regarder comme une curiosité.

Après le dîner, j'eus la permission d'aller dehors. Je m'éloignai des autres et m'assis dans le sable chaud, tout près de la maison. Je regardai le ciel en priant. Combien de temps allais-je encore endurer tout cela? Par quelles douleurs, par quels sévices devrais-je passer avant que le ciel me fasse la grâce de venir me chercher. Je me mis à pleurer, malgré moi. Mes sœurs, l'ayant remarqué, vinrent me trouver.

— Pauvre toé! Pleure pas, Élisa! T'es pas la seule qui les haït, nous autres aussi... C'est pas juste.

— Que voulez-vous que j'y fasse? On dirait que je suis venue au monde rien que pour ça!

Soudain, Arthur apparut au coin de la maison. Il courut chercher un bâton. Les autres se sauvèrent. J'essayai de me relever pour me sauver aussi, mais je n'étais pas capable de courir. Je serrai les dents pour me forcer à marcher plus vite. Mais il me rejoignit facilement et me donna quelques coups de bâton dans le dos puis me laissa m'enfuir. Il criait :

— Câlisse! T'en as pas assez eu hier? Faut que tu fasses encore des caucus? Fais attention, j'suis capable d'aller chercher ma barre de fer et t'en sacrer une autre.

Je sentis ma peau se hérisser le long de mon dos.

— Non! Non! Je vous en supplie! Ayez pitié!

Il lança son bâton et rentra à la maison. Je me sentais comme un chien malade. Je me rendis derrière le garage pour m'y cacher, pour pleurer et y couver mon mal, sans que personne me voie.

Il a bien fallu que je retourne à l'école, le lundi matin. Je marchais un peu mieux et ma mère ne voulait pas me voir la face une minute de plus dans la maison. Il faisait chaud et je ne portais qu'une mini-jupe et un tricot à manches courtes. Mes blessures étaient plus qu'apparentes. Pourtant elle m'envoya à l'école malgré tout. J'avais la tête baissée, les yeux cachés par mes cheveux. J'avais l'impression que si je ne les voyais pas, les autres ne me verraient pas non plus. J'aurais voulu être invisible. Je ne pouvais supporter les regards curieux. À l'école, je me cachai entre les casiers, afin de laisser les autres monter à leur classe; je ne voulais plus me faire remarquer. Malheureusement, le directeur, qui faisait sa ronde, me trouva là, à travers les casiers.

— Qu'est-ce que tu fais là?

— Moi? Rien! Justement j'allais à mes cours, j'avais oublié quelque chose dans mon casier.

Il me regardait des pieds à la tête d'un air interrogateur. J'étais vraiment gênée.

— Je veux que tu viennes t'expliquer dans mon bureau. Mais attends que je te demande à l'interphone!

— Oui, monsieur le directeur!

Et il partit. J'avais si peur que je me remis à grelotter. J'étais incapable de me contrôler. Mon tic de la bouche et des yeux me reprit. Je n'en pouvais plus. Je devais pourtant aller à mon cours. J'avais à peine mis un pied dans la classe que le professeur m'apostropha.

— Élisa, as-tu rapporté la paire de ciseaux et le patron que je t'avais prêtés?

Je balbutiai d'une façon incompréhensible. Les sons ne voulaient pas sortir de ma bouche tellement je tremblais.

— Non, j'ai oublié!

— Viens avec moi dans le corridor. Je ne te crois plus. Veux-tu me dire la vraie raison, s'il te plaît?

— Je voulais finir mon travail... Ma mère... veut pas... je peux pas travailler à la maison... dans la poubelle... elle l'a jeté dans la poubelle... toutes les affaires de l'école... dans la poubelle... je les ai plus... ma mère veut pas...

J'étais parfaitement incohérente. Plus je voulais être claire, moins elle semblait me comprendre. Ma mère m'avait avertie que si je rapportais du travail scolaire à la maison, elle le jetterait à la poubelle. C'est ce qu'elle avait fait pour le patron et les ciseaux. Je n'avais pas pu lui dire la vérité, elle ne m'aurait pas crue. Elle me dit alors très doucement :

— Calme-toi, Élisa! Je ne vais pas te chicaner. Mais je voudrais que tu m'expliques ce qui ne va pas chez toi.

J'avouai toute l'histoire des ciseaux en pleurant.

— C'est pas grave, je vais les payer et on en reparlera même plus. Tout ce que je veux savoir maintenant, c'est ce qui se passe chez vous.

— ...

— Tiens, prends une cigarette! Ça fait assez longtemps que tu es dans ma classe, j'ai bien remarqué que tu portais des marques très souvent. Je voudrais que nous soyons amies. Si tu veux parler, je suis prête à t'écouter.

Encore une fois, je me sentais coincée. Je ne voulais pas parler. Je ne pouvais pas parler. Je commençai à pleurer.

— Parle, Élisa. Ça va te faire du bien. Je vais t'aider.

Sans réfléchir, comme on se jette à l'eau, je lui racontai ce que ma mère et Arthur me faisaient. Mais je ne pouvais arrêter de pleurer. Elle me laissa me vider le cœur. Je cessai de pleurer peu à peu.

— Il faut que tu ailles continuer ton travail. Si tu veux, on en reparlera encore, une autre fois.

— Oui, mais à une seule condition... Si vous me promettez de ne rien dire à personne.

— Ne t'inquiète pas.

Je séchai mes yeux et remis de l'ordre dans ma tenue. Je pus enfin regagner ma classe. Pourtant, j'étais très nerveuse. Je pensais au directeur. S'il fallait qu'il me mette encore à la porte! J'allais me faire battre.

La journée était presque terminée et j'étais sans nouvelles. En me croisant les doigts, je me mis à espérer que le directeur m'ait oubliée.

— Doux Jésus, faites qu'il m'ait oubliée!

Pourtant, vers trois heures, j'entendis mon nom à l'interphone. Il m'attendait dans son bureau. Je me levai et sortis la tête basse. Mes jambes et mes bras se remirent à trembler de nervosité. Mon cœur battait très fort. J'aurais voulu mourir subitement, là, dans le corridor; mais je savais bien que ça n'arriverait pas. J'étais trop malchanceuse pour ça...

J'étais toute seule avec lui dans son bureau. Assise sur ma chaise, j'avais l'impression qu'il entendait mes dents claquer tellement j'étais nerveuse. Il prenait son temps, replaçant des choses sur son bureau. Il finit par s'asseoir, leva la tête et me regarda.

— Ça fait longtemps que je t'observe. Si je t'ai fait venir à mon bureau, ce n'est pas pour te réprimander. J'ai l'impression que quelque chose ne va pas. J'ai l'impression qu'il se passe quelque chose chez vous!

— Non, monsieur le directeur, tout va bien. Pourquoi me dites-vous ça?

— Je me doutais un peu de ta réponse. Les enfants qui sont battus répondent tous la même chose que toi. Pourquoi? Aurais-tu peur de moi?

— Non.

— Je t'ai fait venir à cette heure pour que tu puisses parler. Si tu ne veux rien dire, tu ne sortiras pas d'ici jusqu'à ce que tu aies parlé. M'as-tu bien compris?

— Il faut que je m'en aille chez nous. Il faut que je sois à l'heure à la maison, sans ça, je vais me faire tuer.

— Si tu parles, tu sortiras en même temps que les autres.

J'éclatai en sanglots. J'en avais assez.

— Ma mère ne reste plus avec mon père, elle reste avec un autre et ils me battent pour des riens... J'ai peur, je voudrais mourir, ils vont finir par me tuer, j'en suis sûre... Ils n'arrêtent pas de me maltraiter, ils me battent avec n'importe quoi, je suis fatiguée, tannée, écœurée de la vie...

— Bon! Arrête-toi, Élisa! C'est assez! Prends ces Kleenex et essuie-toi. Je vais te laisser seule. Reste ici, et quand la cloche sonnera la fin des cours, tu pourras t'en aller. D'accord?

— Oui... Mais ne parlez pas de ça à mes parents, s'il vous plaît, parce que si jamais ils savent ce que je vous ai dit, ils sont capables de me battre à mort.

Il me sourit en me mettant la main sur les épaules.

— Qui t'a fait ces marques-là?

— C'est mon deuxième père, avec une barre de fer!

— Comment ça?

Je lui racontai la scène de la veille. Il avait le visage crispé. Il se tourna et sortit sans rien dire. Je ne savais pas si j'avais eu tort de trop parler. De toute façon, rien ne pouvait empirer mon cas. Si ma mère et Arthur me tuaient, ils ne pourraient le faire qu'une fois; après je ne souffrirais plus.

De retour à la maison, je ne faisais qu'y penser. J'avais des remords de conscience. J'étais en train de peler les patates quand ma mère me poussa :

— T'as rien compris, tête de cochon?

Elle me saisit par les cheveux et, je ne sais pourquoi, je la saisis à mon tour. Elle tirait et je tirais plus fort encore.

— Tu vas me lâcher?

— Non! Vous me ferez tout ce que vous voudrez! Frappez-moi, battez-moi, ça ne me dérange plus. Les coups, je ne les sens plus. Vous m'avez donné une volée ce matin et je n'ai rien senti. C'est à votre tour maintenant de me lâcher, car je suis capable de tout. Faites attention...

Elle me lâcha, je fis de même. Elle recula de quelques pas. Elle avait peur de moi. Elle avait peur de moi... Je me mis à pleurer, je tremblais de tout mon corps. Je ne voyais plus rien, n'entendais plus rien. Je me mis à crier, crier, crier... Je crus devenir folle. J'eus soudain une violente crampe à l'estomac. La douleur me plia en deux. Que m'arrivait-il? La douleur était intolérable.

— Maman, s'il vous plaît! Aidez-moi!

Mais elle recula davantage. Je réussis à m'asseoir, les deux bras repliés, croisés sur mon ventre. Le mal disparut doucement. Je me remis à trembler de plus belle. Une grande peur m'envahit. Je ne pouvais plus contrôler mes mouvements. Je me levai en courant et en criant. Je hurlais comme un animal effrayé. Je ne savais plus ce que je faisais. Ma mère s'élança sur moi et me donna une claque en plein visage. Je me calmai.

— Es-tu folle, câlisse! Tu délires? Tu me feras pas croire que t'as peur de nous autres. Tu peux être sûre que j'vas avertir Arthur de la façon dont tu m'as traitée ce soir.

C'est comme si elle m'avait brûlée au fer chaud. Je fus parcourue d'un grand choc, une grande vibration électrique. Je me remis à crier comme une folle :

— Va-t'en! Va-t'en! Va-t'en... J't'haïs! J't'haïs!

Je ne sais plus combien de fois je l'ai répété. Ma mère disparut. Je me retrouvai toute seule dans mon coin... Je me calmai...

Le lendemain, à la récréation, Diane en profita pour venir me parler :

— Élisa, monsieur le directeur m'a fait demander à la salle pastorale. Il n'était pas seul, il y avait deux femmes que je ne connaissais pas, un juge, et même monsieur le Vicaire.

— Qu'est-ce qu'ils voulaient?

— Ils m'ont posé des tas de questions sur toi, sur moi. J'ai tout raconté ce qui se passait pour toi chez nous; j'ai tout dit.

— Pourquoi as-tu parlé? Si jamais maman sait cela, tu sais ce qui va nous arriver; ils sont capables de tout. Cette fois-ci, ça ne sera pas rien que pour moi, toi aussi, Diane. Sais-tu dans quel pétrin tu t'es embarquée? Tu le sais, ça?

— Ça ne me dérange pas. Tout ce que je veux, c'est t'aider. Tu me fais assez pitié, Élisa. Si tu pars pas, j'ai peur que tu meures. Je t'aime, je ne veux pas te perdre!

Nous avions, toutes les deux, les larmes aux yeux.

— Pleure pas, Diane. Les autres vont te voir. Ne t'en fais pas, maintenant que c'est fait, c'est fait.

À la fin de l'après-midi, je fus demandée au bureau du directeur. Mon professeur me regarda en souriant; je sortis. J'étais très nerveuse. Je me rongeai les ongles. Il y avait beaucoup de monde dans le bureau du directeur; ce qui me rendit quelque peu craintive. Aussitôt entrée et en voyant tout ce monde, je voulus fuir.

— Non! je m'en vais.

Mais une des femmes intervint :

— Reste! On sait tout de toi. Tout ce qu'on te demande, c'est que tu confirmes ce qui se passe chez toi. Personne ne te posera de questions. On va seulement t'écouter. O.K.?

Je repris confiance. Je n'étais pas là pour être malmenée. Je m'assis sur la chaise qu'on m'avait assignée. J'étais nerveuse et angoissée, mais je savais que je devais parler un jour. Le temps était venu de m'expliquer, de raconter mon enfer à des gens qui pouvaient peut-être m'aider. J'avais peur cependant que tout cela se retourne contre moi. La vie m'avait enlevé toute confiance dans la parole des adultes. Je leur racontai des bouts de mon histoire; les volées, les coups de couteau et ma vie récente. Je racontai, et les larmes coulaient sans que je puisse les arrêter. Je parlais, je pleurais mais je continuais de parler. Mais jamais, jamais je n'aurais osé parler des « poignassages » d'Arthur. J'avais bien trop honte. J'ai parlé ainsi pendant environ une quinzaine de minutes, mais je ne pus continuer, je pleurais trop. On me laissa me calmer. Tout le monde était silencieux dans le bureau. Une des femmes présentes vint vers moi :

— Elle et moi, nous travaillons toutes les deux pour les services sociaux. On s'occupe des enfants maltraités comme toi. On veut t'aider, Élisa. On veut que plus jamais personne ne te batte. Tout est possible maintenant. Même que toi, Diane, ta mère et cet homme passiez devant la cour. Penses-tu que tu serais capable de passer en cour?

— Je ne sais pas. J'ai peur, vous ne pouvez pas savoir comment!

— Veux-tu que je t'aide à sortir de chez vous?

— Oui, je le voudrais bien!

— Il va falloir que tu nous aides.

— Si je vais en cour, est-ce que ma mère va être là? Parce que je ne pourrai pas parler devant elle, c'est certain. Je ne serai pas capable.

— Ne t'inquiète pas. Ta mère n'y sera pas; elle va rester dans une autre pièce et elle ne pourra pas t'entendre, je te le promets. Je vais venir te voir à toutes les semaines jusqu'à la fin des classes. On va te faire surveiller; même toi, tu ne t'en apercevras pas parce qu'il faut le plus de preuves possible. Ce ne sera pas difficile. Tu en as déjà sur toi. Même ta sœur en a dit beaucoup. Te souviens-tu s'il y a des amis ou des parents qui auraient pu s'apercevoir que ta mère ou Arthur te battait?

— C'est difficile à dire, parce que, lorsqu'il vient du monde chez nous, mes parents font voir de rien; ils me traitent comme les autres. Ils ne m'ont jamais battue devant la visite.

— Ne t'en fais pas. Rien ne sera dévoilé à ta mère ou à Arthur. Tu peux nous dire les noms sans danger. Nous serons très prudents et très discrets.

C'était fini. J'avais ouvert comme une grande porte sur une vie possible et maintenant ils me laissaient là, toute seule, à continuer mon existence habituelle. J'avais dénoncé ma mère, mais je devais retourner vivre avec elle. J'espérais de toutes mes forces que ces femmes ne m'abandonnent pas. Avant de sortir, elles m'avaient remis un bout de papier sur lequel était inscrit un numéro de téléphone. Je pourrais toujours les appeler en cas de besoin, en cas d'urgence. Je serrai le petit rouleau de papier dans mon poing fermé. C'était mon talisman, ma lanterne magique, ma raison d'espérer...

Je les remerciai et je sortis. Je me retrouvai toute seule dans le corridor, toute seule avec quelques chiffres inscrits sur un bout de papier serré dans ma main. J'étais soulagée d'avoir parlé. J'étais inquiète surtout.

Comme elle me l'avait dit, elles sont revenues à chaque semaine pendant le reste du mois de juin. Ça me rassurait et me donnait confiance. Mais les vacances arrivèrent et me laissèrent plus démunie et perdue que jamais. Qu'allais-je devenir? Elles m'assurèrent qu'elles ne m'oublieraient pas.

Étranglements

Une de mes tâches de vacances était le « bain » des plus jeunes. Quand je dis « bain », je veux dire le lavage quotidien sur le comptoir de la cuisine, à la débarbouillette. Je lavais les bébés et même Patrick qui avait neuf ans. J'avais bien essayé de faire comprendre à ma mère qu'il était assez grand pour se laver tout seul, mais ça ne servait à rien.

Ce soir-là, comme d'habitude, il était assis sur le comptoir, près de l'évier, et je le lavais. Patrick était terriblement chatouilleux. Il n'arrêtait pas de rire et de bouger. Plusieurs fois, Arthur, qui se roulait des cigarettes, nous avait avertis d'un *ça va faire* tonitruant. Mon frère essayait bien de se calmer mais il n'y pouvait rien. Je l'effleurais à peine qu'il se mettait à se tortiller en rigolant. Soudain, Arthur se leva et me repoussa :

— Câlisse! C'est moé qui va le laver!

Il le frottait de toutes ses forces. Patrick faillit tomber. En colère, Arthur l'agrippa à la gorge et le serra en l'adossant contre les armoires. Patrick battait des mains et des pieds, essayant désespérément de se dégager. Il ne pouvait même pas crier tellement Arthur serrait fort. Il avait les lèvres bleues et les narines pincées. Je me mis à crier :

— Lâchez-le! Vous allez le tuer!

J'avais beau crier, il serrait de plus belle. C'est ma mère qui, arrivant en courant, le fit lâcher prise.

— Lâche-le! Il est sans connaissance. Lâche-le, Arthur!

Enfin, il lâcha prise. Je dus retenir mon frère pour qu'il ne tombe pas. Il essayait de reprendre son souffle, mais en vain. Il était tout mou. Je criais, je pleurais :

— Il est en train de mourir!

Ma mère le saisit et lui mit la tête sous le jet d'eau froide. Puis elle lui tapa dans le dos jusqu'à ce qu'il semble aller mieux, jusqu'à ce qu'il respire à peu près normalement.

— Bon, c'est fini. Toé, Élisa, continue à le laver.

Je me sentais terriblement coupable de ce qui arrivait. Par ma faute, il aurait pu mourir. Je continuai à le laver en pleurant et en m'excusant auprès de lui. J'étais en train de nettoyer l'évier et de ramasser les serviettes quand Arthur me prit à la gorge :

— Toé, ma p'tite crisse, je vais t'apprendre à énerver les autres!

C'était mon tour. Il serrait très fort, trop fort. Il me serrait avec toute la haine qu'il avait pour moi, en me criant des insultes. Je me sentais défaillir. Tout devenait de plus en plus noir. Mes jambes flanchèrent. Même tombée par terre, Arthur m'étranglait encore. Je me sentais mourir. Je mis tout ce qui me restait de force à m'agripper à son pouce pour lui faire lâcher prise. Je voulais écarter ces doigts qui m'empêchaient de respirer. J'étais devenue sauvage; je me cramponnais à son pouce avec l'énergie du désespoir. Je réussis à le lui écarter; je l'aurais cassé si j'avais pu. Tout ce que je voulais, c'était qu'il lâche prise, et, en effet, il me laissa brutalement tomber en criant :

— Elle m'a cassé le pouce, la câlisse!

Je roulai sur le côté pour me mettre à l'abri de ses coups. Je toussai et toussai en me tenant la gorge. Je réussis à gagner le pied de l'escalier. Nathalie vint me rejoindre et se mit à me caresser les cheveux. Mais je la repoussai. Je ne voulais pas qu'Arthur la batte pour m'avoir témoigné de la tendresse. Mais Nathalie ne voulait rien comprendre. Elle s'assit sur mes genoux et me prit par le cou. Ma mère vint pour la chercher, mais ma sœur se mit à se débattre en faisant comprendre qu'elle voulait rester avec moi.

— Viens icitte! C'est à moé que tu dois obéir!

Nathalie se caressait la joue en me montrant pour dire que c'est moi qu'elle aimait.

— Tu m'aimes pas, moé!

Ma sœur était catégorique. C'était NON. Ma mère, en colère, la repoussa violemment.

— Reste avec elle, moé non plus, je t'aime pas.

Et ma mère s'en prit à moi :

— C'est d'ta faute. Tu essaies de l'avoir pour toé. Je ne sais pas ce que tu lui as fait, mais elle t'aime mieux que sa propre mère. J'te la donne, tu lui achèteras à manger et du linge... J'veux plus avoir affaire à elle.

Arthur décida de s'en mêler. Il enleva sa ceinture et commença à frapper Nathalie sur les jambes en lui montrant d'aller s'asseoir à table. Encore une fois, je portais malheur à ceux qui prenaient ma défense. Je devais être maudite. J'apportais le malheur avec moi. Arthur prit ma sœur par un bras et l'assit durement sur une chaise. Le salaud. Elle était toute petite et sans défense. Je lui jetai un regard rempli de haine.

— Qu'est-ce que t'as à me regarder de travers? Maudite lesbienne! Maudite écœurante! Tu penses rien qu'au vice.

Il se mit à me donner des coups de ceinture. J'étais sans réaction. J'étais si lasse de cette vie d'enfer. Quoi que je fasse, bien ou mal, ça finissait toujours par des coups et des menaces. Je me consolai dans mon coin en pensant aux dames des services sociaux. Mon Dieu! Qu'elles ne m'oublient pas! J'avais si hâte que mon jour de délivrance arrive.

La visite

Au beau milieu de l'été, ma mère décida d'organiser une grande fête pour sa famille. Les frères, les sœurs de ma mère étaient présents, mes cousins et mes cousines et même les grands-parents. Les enfants jouaient en faisant un chahut terrible. Moi, j'étais debout dans la cuisine et j'écoutais les conversations des grands. À un certain moment, je vis que ma mère et une de ses sœurs se chicanaient. Je ne pouvais comprendre pourquoi elles se disputaient, je sais seule-

ment que le ton montait et qu'elles se criaient des inju-
res. Tellement que le grand-père dut intervenir. Ce n'était
pas nouveau. Ma mère ne s'entendait pas avec ses
sœurs. Chaque fête familiale se terminait en désastre.

Pour changer l'atmosphère, tout le monde sortit
dans le jardin installer des tables pour le souper. J'étais
très contente que la visite reste. Ça nous changeait de
notre vie monotone.

Ma mère me prit à part, dans la cuisine :

— Tu iras t'habiller autrement que ça! On se chi-
canera plus pour ta maudite face. Pis toé, Arthur, tu
vas arrêter de la battre! Tout ça me passe sur le dos.
Élisa, va mettre un pantalon et une blouse avec des
manches que je n'entende plus parler de tes maudits
bleus!

Et on se mit à préparer le souper. C'était agréable.
Nous, les filles, devions préparer les sandwiches, et
les garçons aidaient Arthur à dresser des tables de
fortune. À un moment donné ma tante Luce me demanda d'aller lui montrer les lapins. Je la suivis près
des clapiers. Mais dès que nous avons été seules, elle
me dit :

— Élisa, dis-moi la vérité. Est-ce que ta mère et
Arthur te battent encore?

Je fus très surprise. Je ne savais pas quoi répondre. Si j'avouais, je finirais par avoir une bonne raclée
de ma mère. Je me contentai de baisser la tête.

— Les coups que tu portes, c'est eux qui les ont
faits?

— Oui.

Je me mis à lui raconter ce qui se passait chez
nous. Pour moi, bien sûr, mais aussi pour Patrick et
Nathalie qui étaient maltraités également. Je voulus
lui montrer les dents qu'Arthur m'avait cassées. Mais
à ce moment, je vis que ma mère me regardait par la
porte de la cuisine. Je restai saisie.

— Ma tante, ma mère me regarde! J'ai peur! S'il vous plaît, ne dites rien!

— Fais-toi-z'en pas, t'as bien le droit de me montrer les lapins.

Je me sentis soulagée et je lui souris. Je me tournai un peu pour voir ce qui se passait avec ma mère, car je redoutais le pire. Elle chuchotait à l'oreille d'Arthur. Il sortit de la maison précipitamment et vint vers nous. J'aurais voulu mourir. Je me sentais faible, je devais avoir l'air coupable.

— Il sont beaux, tes lapins, Arthur! Élisa m'expliquait comment tu en prenais soin!

Ma tante Luce m'avait sauvée. Arthur ne savait plus très bien quoi dire. Ma tante changea de sujet en criant à ma mère :

— Martha! On va-tu manger bientôt?

Il a donc fallu que j'aille donner un coup de main à ma mère dans la cuisine, Arthur derrière moi. Une fois dans la maison, il fit part de ses craintes à ma mère.

— Moé, j'pense qu'elle a tout bavassé à ta sœur. Elle passe son temps à placoter dans notre dos.

Il voulut me frapper, mais ma mère l'arrêta.

— Arrête! Si quelqu'un entrait, t'aurais l'air fin! Tu t'en occuperas quand tout le monde sera parti. Mais là, souris!

Elle l'embrassa sur la joue et sortit pour le souper. Moi, je n'avais soudainement plus le goût à la fête. Je savais qu'il y aurait un *après,* un moment où je serais seule, à leur merci.

Après le souper, les tantes voulurent aller danser. L'une d'elles suggéra que Diane et moi venions aussi. Mais ma mère ne voyait pas ça du même œil.

— Il n'en est pas question. Je passe toute la semaine avec eux et je tiens, pendant mes fins de semaine, à rester seule avec Arthur... À part de ça, pourquoi me proposes-tu d'emmener justement ces deux-là?

— Ben, Martha! Ce sont les deux plus vieilles. Puis emmène qui tu voudras; qu'est-ce que tu veux que ça me fasse?

— Moi, je ne sors plus. Je reste icitte. Ça va être plus simple comme ça!

— Voyons, Martha! On est venus souper pour avoir du plaisir ensemble, pas pour se chicaner!

— T'es venue souper pour me placoter dans le dos avec ma fille! Tu penses que je ne le sais pas? Je ne suis pas si folle que tu penses.

— Dis-moi pas qu'on est plus capables de parler à tes enfants? T'as peut-être peur qu'ils disent quelque chose? Aurais-tu des remords, par hasard?

— Je n'ai rien à me reprocher. Demande à Arthur!

— Voyons! Vous êtes tous les deux dans la même poche.

— C'est ça, tu veux savoir si je bats ma Grande Noire? Mais demande-lui donc, elle te le dira elle-même!

— La chose est déjà faite!

— Pis, qu'est-ce qu'elle ta répondu?

Je ne me sentais pas bien du tout! Je savais que c'est moi qui allais payer pour cette discussion. J'avais peur de la réponse de ma tante.

— Elle m'a dit que vous ne la battiez pas, qu'elle était heureuse, mais moi, je n'y crois pas.

Je ne pus entendre la suite. Arthur me fit entrer dans la maison.

— Maudite écornifleuse! T'as pas besoin d'écouter ce qu'elles se disent pour aller bavasser ça à tout le monde. Tu perds rien pour attendre. Attends à demain! En attendant, fais la vaisselle, ça va t'occuper!

Il fit entrer mes sœurs aussi. Il nous distribua des claques par la tête pour nous donner du cœur au travail. Diane et Sylvie étaient en colère contre moi. Elles me tenaient pour responsable de la corvée et des coups.

— Mais c'est pas de ma faute s'il est fou! J'en ai assez de vous autres, de toute la famille. Je suis vraiment écœurée. Pour qui me prenez-vous, maudit?

Je me sentais humiliée et blessée. Personne ne s'occupait de moi, sauf pour me battre ou pour se servir de moi pour régler ses chicanes. J'étais nerveuse, angoissée, j'aurais voulu ne jamais avoir existé. Je commençai à perdre espoir que ça change un jour. Je racontais ma vie pour que quelqu'un m'aide, mais je ne réussissais qu'à monter davantage ma mère contre moi. J'aurais voulu me taire pour toujours.

Patrick

L'été allait passer et ma vie ne connaissait aucun changement. Je croyais maintenant qu'il était impossible que quelqu'un s'intéressât à moi au point de vouloir affronter ma mère et me sortir de cette maison maudite. J'étais pas mal découragée. Je me trouvais beaucoup trop insignifiante pour que quelqu'un s'attachât à moi. De toute façon, j'imaginais que ce serait la même chose partout ailleurs. Je gardais maintenant presque tous les soirs. C'étaient de belles vacances que j'avais là. Durant le jour, j'aidais ma mère dans les tâches de la maison et, le soir, je gardais. Entre-temps, je me faisais chialer et battre. Et pas question d'aller jouer dehors avec les autres ou de m'asseoir au soleil.

Il était presque quatre heures du matin. Je me berçais dans la chaise de ma mère en attendant le retour des parents. Une auto entra dans la cour. Je bondis vers mon coin, car je n'avais pas la permission d'utiliser la berceuse de ma mère. D'un coup d'œil, je m'assurai que tout était en ordre. Mais Arthur était seul. Le connaissant suffisamment quand il était saoul, je me levai brusquement et me dirigeai vers l'escalier pour monter à ma chambre. Mais il fut plus vite que moi et me bloqua l'accès à l'escalier.

— Donne-moé un bec avant d'aller te coucher!

— Laissez-moi tranquille!

— On est tout seuls, la Noire! J'vas te pogner, ça sera pas long!

— Essayez-vous pour voir!

Je courus derrière la table. L'éternelle lutte allait recommencer. Je n'avais plus de force pour me sauver encore une fois. Seulement, la haine féroce de cet homme me galvanisait, me donnait un surplus d'énergie pour ne pas me laisser faire. Je me sauvai à travers la maison avec Arthur derrière moi. J'étais plus vive que lui et je réussissais toujours à lui échapper. Mais il finit par me coincer. Il m'attrapa par un bras et m'enlaça. Je me débattais de toutes mes forces et réussis à lui donner un coup de poing dans le visage. Je me débattais tellement, à coups de poing et de pied, que je réussis à me libérer. Je repartis à toute vitesse dans la cuisine. Encore une fois, j'allais être piégée. Il éteignit les lumières. Seules les lueurs du petit jour éclairaient la cuisine. Il rigolait en s'approchant de moi.

— Cette fois-là, ma belle, tu pourras pas m'échapper.

Affolée, je reculai vers le comptoir. Une fois là, je ne pourrais plus m'enfuir. Près de l'évier, il y avait un couteau, un grand couteau qu'on avait oublié de ranger. Mes doigts se refermèrent dessus. Je tenais mon couteau fermement, je n'avais plus peur de lui. J'allais me défendre.

— Approche pour voir! J'suis capable de te tuer!

J'étais vraiment décidée; rien ne pouvait m'arrêter. Il avança pas à pas, sur moi. Je ne bougeai pas, tenant le couteau d'une main ferme, devant moi.

— Avance un peu, tu vas voir! Je te jure, si tu me touches rien qu'un poil, je te tue comme un animal, comme un chien que tu es.

Il ne bougeait plus, étudiant la situation. Moi, je n'avais plus rien à perdre. Je frapperais sans aucune hésitation tant je le haïssais. Soudain, les phares d'une voiture éclairèrent la cuisine. Je savais que c'était ma mère. Arthur aussi. Il s'assit à la table, la tête entre les bras et fit semblant de s'être assoupi. Je mis vivement le couteau dans le tiroir et allai m'asseoir dans l'escalier. Ma mère tardait à entrer. Elle venait avec un homme que je ne connaissais pas. Ils allumèrent la lumière et me découvrirent.

— Qu'est-ce que tu fais là, toé?

Sans attendre la réponse, elle poussa Arthur pour le réveiller, mais l'hypocrite ne bougeait pas.

— O.K.! Dors, câlisse, si t'as envie de dormir!

Il marmonna quelques mots, se leva en titubant comme s'il était bien saoul et se dirigea vers les toilettes. Après, au lieu d'aller dans sa chambre, il passa derrière moi et monta au premier. Ma mère, affairée à ouvrir des bières, ne s'occupait pas de lui. D'ailleurs, elle semblait s'en ficher éperdument. Moi, j'étais encore assise dans l'escalier, et Arthur ne redescendait pas. Tant qu'il était en haut, je ne voulais pas monter. Pas question qu'il m'attende caché quelque part pour me sauter dessus et me poignasser. Il savait que je n'avais plus mon couteau. Je ne savais plus quoi faire. J'essayai de ne pas bouger, de me faire oublier. Avant que ma mère puisse intervenir, je me levai tout doucement et me rendis aux toilettes. Je pris beaucoup de temps, espérant qu'il redescende. Mais je ne pouvais pas passer toute la nuit là. Lorsque je sortis, ma mère était assise sur les genoux de l'homme. Elle le tenait par le cou. J'hésitai un moment, mais elle me vit et m'envoya me coucher.

Je montai les marches lentement en essayant de voir où était Arthur. Arrivée aux dernières marches, je l'aperçus qui était assis sur le bord du lit de Patrick. Je pouvais très bien le voir, car mes frères couchaient dans une grande pièce sans séparation, que nous devions traverser pour aller à nos chambres. Si je montais davantage, Arthur allait m'apercevoir; par ailleurs, là où j'étais, ma mère ne pouvait me voir non plus. En outre, elle était bien trop occupée pour vérifier si j'étais montée. Je ne bougeai pas et je regardai. Il disait à Patrick :

— Si tu fais pas ce que je te dis, tu vas avoir la volée de ta vie.

Patrick, encore endormi, pleurait.

— Laissez-moi tranquille!

Je vis Arthur : il entrait la main dans le pyjama de mon frère qui se tortillait pour l'en empêcher. Je n'en croyais pas mes yeux; j'étais vraiment écœurée. Même les gars y passaient. Ensuite, Arthur sortit son pénis et força Patrick à le masturber. Le pauvre petit pleurait en silence, sa main libre couvrant ses yeux. Je devais faire quelque chose pour le tirer de là. J'étais mal prise. Si je montais, Arthur allait m'attraper, et si je descendais, je serais mal reçue par ma mère. Impasse. Je redescendis quelques marches et remontai en faisant le plus de bruit possible. Ma mère se mit à gueuler parce que je n'étais pas encore couchée. Je passai devant Arthur qui se « renculottait », et Patrick qui avait l'air d'avoir terriblement honte. Je lui fis un petit sourire pour qu'il oublie. Dans ma chambre, j'aurais voulu pouvoir barrer la porte, car je savais qu'Arthur était encore là.

C'était inévitable. Je le vis apparaître dans la porte de ma chambre. Il était arrivé sur la pointe des pieds sans faire de bruit. Il enleva sa ceinture. Je sautai de l'autre côté du lit. Nathalie, qui dormait avec moi, ouvrit les yeux et aperçut Arthur. Elle sortit du lit sans attendre et vint se cacher derrière moi. Il se mit à nous frapper un peu partout, empêtré dans le lit et les couvertures. Nathalie criait, recroquevillée dans un coin. Finalement, nous avons fait assez de bruit que ma mère se décida à intervenir. Arthur dut descendre et s'expliquer. Une auto démarra, l'étranger d'un soir était parti...

Dans les jours qui suivirent, Patrick vint me supplier de ne pas raconter à ma mère ce que j'avais vu. Je dus lui expliquer qu'Arthur faisait la même chose à tout le monde et qu'il fallait essayer de se défendre. Mais Patrick avait trop peur des menaces et des raclées. Vraiment, Arthur était le plus grand salaud de toute la terre.

Quatrième partie

La délivrance

Ma délivrance

Comme j'étais toujours à la maison et qu'elle ne pouvait supporter de me voir la face bien longtemps, ma mère ne savait plus quoi inventer pour me faire souffrir. Elle avait l'esprit très imaginatif. Je la dérangeais; je lui rappelais sans cesse qu'elle aurait préféré que je ne vienne jamais au monde. J'étais la Noire, la paria, la laide. Je comptais tellement peu pour elle qu'il lui était égal que je souffre. Elle ne le voyait même pas. Même un chien errant et blessé lui aurait inspiré de la pitié. Pas moi. Elle me haïssait d'une haine incontrôlable, inéluctable. Je n'étais pas sa fille. J'étais son fardeau, une punition, la malvenue. Tous mes efforts pour me faire aimer n'avaient fait que lui rappeler davantage ma présence et ma disgrâce.

Sa dernière expérience sur moi fut de me refuser d'aller aux toilettes, sous prétexte que j'y restais enfermée trop longtemps. Cette interdiction dura deux jours; deux longues journées à supporter les crampes à l'intestin, à me retenir, pliée en deux. Le résultat : quand j'eus à nouveau la permission d'aller aux toilettes, j'étais totalement constipée. Bloquée. Le ventre comme de la pierre. C'était atroce à endurer.

Il ne restait plus que deux semaines avant que l'école ne recommence. J'étais découragée, tannée, fatiguée. J'avais totalement perdu espoir en un jour nouveau, en une vie nouvelle. J'avais perdu confiance en la parole de ceux et celles qui avaient voulu m'aider.

Chaque jour, chaque matin, depuis une certaine journée du mois de juin, j'attendais qu'on vienne me délivrer, qu'on vienne m'extirper de cet enfer. Rien. J'avais attendu pour rien. Il n'y aurait jamais de répit pour moi. C'était mon destin. Chaque jour, chaque matin, je me levais avec l'espoir au cœur, et chaque journée était plus atroce que la précédente. Je flottais quelque part dans le coin de ma vie. Je flottais dans le vide en tenant à peine le bout d'une corde qui me rattachait encore à la vie. À peine une ficelle, un souffle d'espérance si léger, si léger. Devais-je me résigner à ouvrir les mains et à me laisser glisser dans le vide ou bien tenir bon et attendre du secours qui ne viendrait peut-être jamais?

Je ne me voyais pas recommencer l'école sans rien, sans cahiers, sans crayons, sans argent pour tout, avec mes vêtements étriqués et en guenilles. Je ne pourrais plus supporter d'être la risée de mes camarades et la bête noire des professeurs. Je ne pouvais plus. Plus jamais. Jamais. Je n'en pouvais plus d'être obligée de voler tout ce dont j'avais besoin.

Toutes les portes de ma vie s'étaient refermées les unes après les autres. J'étais passée du côté de l'ombre. Il fallait que ça finisse une fois pour toutes...

Je pensai de nouveau au suicide. Mais comment! Je ne voulais pas le manquer encore une fois. J'étais incapable de penser, d'accepter d'avoir mal une fois encore. Mon corps n'en pouvait plus. J'avais déjà assez souffert. Je regrettais seulement de m'être débattue les fois où ma mère et Arthur avaient voulu me tuer. Je déplorais ces sursauts de vie qui m'avaient sauvée. Ce serait terminé maintenant.

Ce jour-là, j'étais seule avec Isabelle à la maison. La famille était en promenade chez un oncle. J'étais bien décidée. C'était ce jour-là ou jamais. J'allais coucher ma petite sœur et partir toute seule sur la route.

J'allais marcher au beau milieu jusqu'à ce que j'arrive au bout, jusqu'à ce qu'une voiture me fauche de plein fouet. J'espérais seulement que cela se fasse vite. Je n'en pouvais plus d'attendre. Je pensai à madame Benoît et à ses belles promesses du mois de juin. Il était trop tard maintenant.

Dans une de mes vieilles bottes d'hiver, je récupérai le bout de papier qui depuis longtemps avait cessé d'être mon talisman : le numéro de téléphone au cas où j'en aurais besoin. Je voulais lui dire de tout laisser tomber, que c'était fini, que ça n'en valait plus la peine. La main sur le téléphone, je changeai d'idée de peur qu'elle essaie de me convaincre avec de belles et lointaines promesses. Sans que j'aie fait quoi que ce soit, il se mit à sonner. J'enlevai ma main en sursautant. Je le regardais sonner, sonner. Je finis par me décider à répondre. C'était une voix de femme qui demandait ma mère. Elle voulut savoir à qui elle parlait.

— C'est Élisa, sa fille.

— Comment vas-tu? C'est madame Benoît, la travailleuse sociale que tu as vue au printemps!

Je n'en croyais pas mes oreilles.

— C'est drôle. J'étais sur le point de vous téléphoner... Ça ne va pas bien du tout. C'est pour ça que je voulais vous appeler!

— Tu vas m'écouter, Élisa. Es-tu capable de dire à ta mère de se rendre à la cour à l'Hôtel de Ville pour onze heures demain matin. Elle devra venir avec Diane et son nouveau... « mari ». Il faut que tu sois là, toi aussi.

— J'peux pas lui dire ça. Elle va me tuer! Elle va me poser des questions et j'ai peur. Pourriez-vous lui téléphoner chez mon oncle et le lui dire à elle. Mais ne lui dites pas pourquoi, s'il vous plaît, car j'ai peur qu'elle me batte encore plus. Je ne sais pas ce qui pourrait arriver. Ma mère est capable de faire n'importe quoi. Si jamais elle sait que c'est pour moi, elle pourrait ne pas vouloir y aller, à la cour. Je la connais trop. Dites-lui que vous ne savez pas pour quelle raison nous devons aller là.

— Tu as peur?

— Oui.

— C'est bien, Élisa. Ne t'en fais pas, je ne lui dirai rien. Je te souhaite bonne chance et à demain!

— À demain et merci beaucoup!

Merci, merci beaucoup. Mon cœur battait comme un fou. J'avais envie de crier ma joie, mais j'aurais tout aussi bien pu crier ma peur. Mon Dieu, la liberté était si proche, faites qu'elle ne m'échappe pas! Qu'est-ce qui allait bien m'arriver? Si le juge devait me sortir d'ici, où pourrais-je aller? Qui prendrait soin de moi? Peut-être m'enverrait-il dans une école de réforme? Ou bien à l'orphelinat? Si on m'envoyait dans une autre famille, est-ce qu'eux aussi allaient me battre? N'était-ce pas partout pareil? Et si jamais ça ne marchait pas et que je revienne ici, ma mère et Arthur allaient sûrement me tuer! Mon Dieu! Faites que ça marche.

J'étais tellement affolée que je regrettais presque tout ce que j'avais fait pour sortir des griffes de ma mère. Mais il était trop tard, je devais continuer jusqu'au bout, même si je devais y laisser ma peau. De toute façon, elle ne valait pas très cher à mes yeux.

Comme je le prévoyais, ma mère et Arthur ne tardèrent pas à arriver. Ils étaient soucieux, leur journée ayant été gâchée par cet appel.

— M'man, il y a quelqu'un qui vous a appelée! J'ai donné le numéro de téléphone de mon oncle.

— Ouais! J'ai eu un beau téléphone. Il faut que je t'emmène en cour avec Diane et Arthur. Je voudrais bien savoir pour quelle raison.

Je me sentis soulagée.

— Si jamais t'as parlé de ce qui se passe icitte, j'te jure que, quand on va revenir, j'te tue. Il n'y aura aucun pardon pour toé. D'abord, ton trou, Arthur l'a creusé. Si jamais t'as parlé, il te restera pas grand temps à vivre. M'as-tu bien compris?

— Oui, m'man, je ne dirai rien.

Arthur, lui, semblait très mal à l'aise. Il avait peur, visiblement. À son tour maintenant de connaître la peur.

— J'te dis, moé, Martha, que c'est pour elle qu'on nous fait venir.

— C'est mieux de ne pas être ça, Élisa T., parce que tu vas regretter d'être venue au monde. Ton trou est fait. Pis j'me demande même pourquoi on te met pas dedans tout de suite.

Je ne savais pas quoi dire, j'avais surtout très peur que Diane avoue que nous avions parlé. Je suis allée m'asseoir sur ma chaise pour me faire oublier un peu. Je me sentais très mal. J'étais surangoissée. Elle continua de parler avec Arthur, essayant de se réconforter elle-même en minimisant la chose. La journée se termina sur la même note. De temps à autre, elle revenait sur le sujet et me pointait du doigt en m'avertissant. Arthur, de son côté, ne parlait presque pas. Il avait l'air très pensif.

Je n'ai pas mangé, je n'ai pas dormi. J'ai prié Dieu qu'Il m'aide; ma vie était entre Ses mains. Diane vint me rejoindre dans mon lit. Elle était morte de peur.

— Élisa, il ne faut pas que tu parles. Si tu parles, on va se faire tuer toutes les deux. J'ai peur, Élisa! Moi, je parlerai pas en tout cas. J'ai bien trop peur.

Elle se mit à pleurer.

— Il faut pas que tu parles, ça va empirer les choses, crois-moi!

— Pleure pas, Diane. Je vais tout nier.

Je voulais la rassurer. Je savais qu'elle allait flancher avant que nous partions.

Le lendemain matin, le temps n'arrivait pas à passer. Tout pouvait se produire. Je ne tenais pas en place. J'étais nerveuse et Diane ne tenait qu'à un fil. À tout moment, ma mère me disait :

— J'ai envie de pas y aller du tout. Nous déranger pour des niaiseries!!!

Mais Arthur n'était pas du même avis.

— On est mieux d'y aller parce que la police peut aussi bien venir nous chercher.

— O.K.! On va y aller. Mais c'est mieux de ne pas être pour toé, Élisa.

Je ne répondis pas. Diane me regarda et baissa les yeux. Puis, enfin, nous sommes partis. Dans l'auto, personne ne parlait. Je n'avais vraiment pas hâte d'être devant le juge. Si ma mère devait être présente, je ne serais pas capable de parler. Mon Dieu que j'avais peur!

Vers onze heures moins le quart, nous entrions tous à l'Hôtel de Ville. Nous attendions, debout dans le hall, que quelqu'un vienne nous chercher. De temps à autre, des policiers entraient et sortaient, le poste de police étant dans le même édifice. En les voyant, je me sentis un peu plus en sécurité, mais je ne pouvais pas trop m'y fier, d'autant moins que ma mère ne cessait de nous menacer :

— Vous êtes mieux de vous fermer la gueule!

Si elle croyait que j'allais mentir, elle se trompait. C'était peut-être ma seule chance de partir de la maison. Je ne pouvais plus reculer. J'en avais trop dit aux professeurs, aux femmes du service social et au vicaire, c'était trop tard. Je me sentais très mal dans ma peau, toute petite et tremblante. J'avais l'impression de rétrécir. Ma mère devenait de plus en plus impatiente.

— On devrait s'en aller, ils sont en train de nous niaiser.

Soudain, une grande femme s'approcha de nous :

— Madame T.? Ça ne sera pas long, vous allez passer dans quelques minutes.

— Qu'est-ce qu'ils me veulent?

— Je n'en sais rien. Patientez un peu, ça ne sera pas long!

J'entendais le bruit des aiguilles du cadran. J'ai vécu ce moment, minute par minute. Mon cœur battait tellement fort que je crus qu'il allait sortir de ma poitrine. Puis on appela mon nom.

— Élisa T. Voulez-vous me suivre, s'il vous plaît?

Je me levai, raide comme une barre, consciente des regards de ma mère qui me brûlaient le dos. Je suivis la dame jusque dans une grande pièce où il y avait beaucoup de monde. Deux hommes étaient assis face aux autres à l'avant de la pièce. Un homme avec une longue cape noire à un grand bureau et un autre assis à un petit bureau. On me fit prêter serment et m'asseoir sur une chaise face au juge. Je n'avais plus de voix, j'étais morte de peur. Je tournais le dos à tous ceux qui étaient là et cela me dérangeait de devoir parler devant tant de gens que je ne voyais pas. Le juge tenta de me rassurer :

— Imagine-toi que je suis seul avec toi. Occupe-toi pas des autres... Es-tu heureuse chez toi ?

— Non.

— Peux-tu m'expliquer pourquoi?

— Ma mère ne m'aime pas. Elle aime tous les autres, mais pas moi.

— Combien êtes-vous d'enfants?

— Huit.

— Pourquoi penses-tu que ta mère ne t'aime pas ?

— Ça se voit qu'elle ne m'aime pas. Elle me bat à tous les jours au moindre prétexte. Elle me chiale

303

quoi que je fasse. Avec les autres, elle n'est pas comme ça.

— Peux-tu me donner des exemples des coups qu'elle te donne?

Et je racontai les volées à coups de lavette, les cheveux tirés, le harcèlement continuel, la noyade ratée, les coups de couteau. Je racontai tout ce que je me rappelais de ma vie avec elle.

— Et l'homme qui vit avec elle, te bat-il?

— Oui! C'est un maudit fou. Il frappe avec tout ce qu'il peut trouver, un marteau, une planche, une égoïne, ou n'importe quoi. Il m'a même battue avec une barre de fer.

Je répondis à toutes ses questions. Je racontai toute ma misère. Je ne pus faire autrement que pleurer tellement j'avais de la peine et tellement j'avais honte d'étaler ma vie devant tout le monde. Il me laissa me calmer et continua de me poser des questions. Toujours les mêmes questions, mais posées différemment. Je n'ai pas raconté les agressions et les « poignassages » d'Arthur. J'avais trop honte; sans comprendre pourquoi, je me sentais coupable. À la fin, il me laissa sortir.

Madame Benoît vint vers moi pour me réconforter. Elle me dit d'aller retrouver les autres. Diane et Arthur n'auraient pas besoin de témoigner, seulement ma mère. Toute seule dans le corridor, j'avais les genoux qui tremblaient. Ma mère vint me chercher.

— Qu'est-ce qu'ils voulaient?

— Rien.

— Tu peux pas me faire croire que tu as passé une heure là-dedans et qu'ils ne t'ont rien dit?

Heureusement, on vint rapidement la chercher à son tour. J'avais tellement peur d'elle que j'en devenais idiote. Il régnait maintenant un silence de mort dans le couloir où nous attendions. Je savais que mon

sort était en train de se jouer. Puis ma mère est appa-
rue, seule et en colère.

— Toé, tu vas voir ce qui va t'arriver. Voir si je t'ai
battue à coups de bâton sur la tête, à coups de lavette.
T'as osé leur dire ça? Tu vas voir que tu vas être
heureuse dans ton trou. C'est pas Arthur qui va te
toucher, c'est moé! Comme j'aurais dû m'occuper de
toé avant ça. Venez-vous-en. On s'en va!

— Non!

— Toé, t'as rien à dire. T'es mieux de suivre pis
vite.

C'était fini. Ça n'avait pas marché. On me retournait à mon enfer. Mais cette fois, elle ne m'aurait pas.
Quand l'auto serait en marche, sur la grand-route,
j'allais ouvrir la porte et me lancer dehors... Peut-être
que j'allais mourir? Mais, bon Dieu, pourquoi est-ce
que ça n'avait pas marché?

Ma mère m'agrippa par le bras et, au moment où
Arthur poussait la porte pour sortir, madame Benoît
intervint d'un ton énergique :

— Madame, nous vous avions demandé de nous
attendre!

— On s'en va, on n'a pas de temps à perdre!

— Élisa n'ira pas avec vous. Elle vient avec moi.

— Vous ne pouvez pas. Elle revient chez nous.
Tout ce qu'elle vous a dit, c'était des menteries.

— C'est trop tard! Vous avez signé devant le juge
que vous donniez votre enfant. Vous n'avez plus aucun
droit sur sa personne, madame.

Ma mère, furieuse, s'avança vers moi :

— Toé, ma câlisse de menteuse! Ça finira pas
comme ça!

Je levai le bras pour me protéger, mais madame
Benoît s'interposa :

— Viens ici, Élisa, elle ne peut plus te toucher,
elle aggraverait les choses.

Ma mère tourna les talons et sortit en sacrant, suivie de Diane et d'Arthur. J'étais sauvée, enfin!

— Nous allons attendre qu'ils s'en aillent pour qu'ils ne nous suivent pas et j'irai te reconduire dans ton nouveau foyer. Il n'y a aucun danger que ta mère ne vienne te reprendre. Suis-moi. Nous allons y aller avec mon auto.

Je suivis sans rien dire. L'auto démarra. C'était fini. Aussi simple que ça. C'était fini.

Épilogue

C'était fini!

Je me retrouvais à l'intérieur de l'auto de madame Benoît, toute seule, vide, avec seulement ma vieille robe, sans aucun bagage de ma vie d'avant. J'attendais que ma bienfaitrice me présente à ma nouvelle famille. Ma vie commençait aujourd'hui.

L'auto qui emportait ma mère et Arthur avait disparu depuis longtemps, mais je ne pouvais m'empêcher de surveiller la route, de peur de les voir réapparaître pour me reprendre. Ils avaient disparu... étaient effacés. Les traces de mon enfance, elles, seraient plus difficiles à disparaître. Je me retrouvais comme une vieille petite fille marquée de grandes souffrances, de grandes peines et de désillusions constantes. J'avais seize ans, j'avais cent ans, et ma vie commençait.

Je n'avais aucune idée de ce qui m'attendait. Je me sentais exaltée. Il allait me pousser des ailes; de pauvres petites ailes bien fripées, mais des ailes tout de même.

J'ai eu la chance de rencontrer des gens merveilleux, bons et généreux, qui acceptèrent de me prendre en charge et de m'apprendre que la vie pouvait être belle et joyeuse. Des gens qui m'aimèrent comme leur enfant; qui, avec leur tendresse, réussirent à me déplier le cœur et à me faire accepter mon écorce d'Élisa T. J'appris qu'il y avait des hommes et des femmes qui s'aimaient profondément, tendrement, et qu'ils étaient patience, chaleur et générosité envers leurs enfants. Ils m'apprirent à me tenir debout, à ne plus avoir peur au simple énoncé du nom de ma mère, à reconnaître mes désirs, à vouloir et à prendre. Ils m'ont redonné la vie.

Je sais bien, moi, que la petite fille terrorisée qui m'habite encore me hantera toujours. Jusqu'à ce que j'aie compris pourquoi ma mère me détestait tant. Par mes mots et ma peine, je lui tends encore la main. Il n'y a qu'elle qui pourra me délivrer totalement. Mais je sais bien maintenant qu'il est presque impossible de voir pousser des fleurs sur la neige...

DISTRIBUTEURS EXCLUSIFS

Distributeur pour le Canada et les États-Unis
LES MESSAGERIES ADP
MONTRÉAL (Canada)
Téléphone : (514) 523-1182 ou 1 800 361-4806
Télécopieur : (514) 521-4434

Distributeur pour la Suisse
TRANSAT S.A.
GENÈVE
Téléphone : 022/342 77 40
Télécopieur : 022/343 46 46

Distributeur pour la France et les autres pays européens
HISTOIRE ET DOCUMENTS
CHENNEVIÈRES-SUR-MARNE (France)
Téléphone : 01 45 76 77 41
Télécopieur : 01 45 93 34 70
histoire.et.document@wanadoo.fr

Dépôts légaux
2e trimestre 2002
Bibliothèque nationale du Canada
Bibliothèque nationale du Québec